W9-AFZ-404

# 불안한 엄마 무관심한 아빠

웅진 리빙하우스

추천의 글

# 양육의 불안과 두려움을 이기게 해 주는 책

대한민국에서 가장 확실하고, 제일 수지맞는 장사는 아마도 '불안 장사' 일 것이다. 유해첨가물이나 방사능, 구제역에 대한 불안감을 슬쩍 자극하면 유기농, 천연원료 먹을거리가 불티나게 팔린다. 치매나 암에 대한 공포심을 살짝만 심어줘도 검증되지 않은 건강기능식품이나 고가의 의료기구 구입에 너도나도 앞다투어 지갑을 연다. 교육, 의료, 부동산, 주식, 심지어는 종교계에서도 불안 마케팅은 고수익의 비즈니스 모델이다.

사실 불안은 인간의 가장 원초적인 감정 중 하나이며, 위험을 예측하고 대비할 수 있게 해주는 필수적 안전장치다. 그런데 여기에는 두 가지 문제가 있다. 첫 번째 문제는 '불안의 역설' 이다. 불안은 적당한 정도까지는 없는 것보다 있는 것이 낫다. 천하태평인 사람은 경쟁에서 낙오하기 마련이다. 반면에 다가 올 미래에 대해 불안해하고 긴장하는 사람은 철저한 대비를 통해 남들보다 앞서 나갈 수 있고 사회적으로 성공할 확률이 높다. 하지만 불안이 너무 지나치면 역설적으로 그 사람의 원래 능력조차 발휘할 수 없게 만든다. 필요 이상의 지나친 불안과 근심, 공포는 이성을 마비시키고 망설임과 회피, 그리고 참으로 어처구니없는 잘못된 판단과 결정을 초래한다. 불안의 두 번째 문제점은 우리가 사는 현대에는 예측할 수 없는 위험과 불확실성이 너무나 많아졌다는 것이다. 세상은 과거에는 상상할 수 없었던 빠른 속도로 움직이고, 살면서 부딪혀야 할 낯선 상황과 과제도 엄청나게 많아졌다. 아무리 뛰어난 능력의 소유자라 할지라도 이 모든 위험을 예측하고 완벽히 대응한다는 것은 불가능하며 더 나아가 어리석은 일이다. 혼자서 온갖 나쁜 상황을 상상하고 대비하느라 쩔쩔 매다 보면 삶의 여유나 행복은 저 멀리 달아나고 하루하루 전전긍긍하는 삶, 어쩌지 못해 살아내야만 하는 고달픈 삶이 되고 만다.

이럴 때 사람들은 전문가를 찾게 되고 그들의 조언과 처방에 의지하게 된다. 하지만 여기에서 또 다른 문제가 나타난다. 많은 전문가들이 상담자들의 불안을 덜어주기 보다 오히려 자극하고 조장하기 때문이다. '혹 떼러 갔다가 혹 붙이고 오는' , 불안 마케팅의 덫에 걸리는 일이 비일비재한 것이다.

그런 점에서 오은영 박사의 〈불안한 엄마 무관심한 아빠〉는 참으로 특별한 책이라 할 수 있다. 이 책은 젊은 엄마, 아빠들이 아이를 키우고 가르치면서 경험하는 다양한 형태의 불안감과 원인, 그것이 아이 양육에 미치는 영향을 설명하고 불안감을 극복할 수 있는 해법을 친절히 알려준다. 이 책은 불안감을 심어주기 위한 책이 아닌 잠재우기 위한 책이다. 그리고 무엇보다도 행복한 아이로 키우려면 부모가 먼저 행복해져야 한다고 말하고 있다. 남편과 아내, 그리고 아이가 모두 행복해지려면 서로의 가능성과 한계를 이해하고 낮은 자세로 경청하고 배려하며 상대방의 불안을 공유해야 한다고 조언한다. 그리고 누구도 두 마리 토끼는 잡을 수 없기에 지금의 선택을 믿어야 한다고 강조한다.

내가 어릴 적 유행하던 '케 세라세라' 라는 노래가 생각난다. '될 대로 되라' 는 뜻의 노래인데 그 가사는 이렇다. "내가 아직 어린 소녀일 때 엄마에게 물었지. 나는 커서 무엇이 될까요? 어여쁜 숙녀로 자랄까요, 큰 부자가 될까요? 엄마는 내게 말하셨네. 될 대로 되겠지, 무엇이 되던 미래는 우리가 볼 수 있는 게 아니니까. 무엇이 되던 간에 될 대로 되겠지." 이 노래를 들으면서 나는 참 이상했다. 어린 딸이 자신의 미래에 대해 묻는 데 엄마란 사람이 어떻게 "될 대로 되겠지"라고 말할 수 있을까? 하지만 이제 와서 생각해 보면 그것은 엄마 자신의 불안감에 휘둘려서 아이의 인생에 섣불리 개입하지 않고 긍정과 낙관의 힘을 믿으며 불안을 견뎌 내는 훨씬 더 높은 차원의 모성애인 것 같다.

변함없는 관심과 애정을 갖되 아이의 능력을 믿고 기다려 주는 것이 엄마,

아빠 자신의 불안감 때문에 자녀의 삶을 온통 휘저어 놓는 것보다 훨씬 힘들고 어려운 일이지만 오은영 박사의 이 책은 꼭 그래야만 한다고 설득하고 있다. 나아가 불안과 두려움을 견뎌낼 수 있는 방법들을 구체적인 예와 함께 알려주고 있다.

주변의 많은 젊은 부모들이 스스로의 불안감 때문에 아이들을 끌고 우왕좌왕하면서도 그것을 아이에 대한 애정과 관심으로 착각하는 것이 참으로, 늘 안타까웠다. 이 책 〈불안한 엄마 무관심한 아빠〉가 그래서 더욱 반갑다.

**임기영**

아주대학교 의과대학, 의학전문대학원 학장 겸 대학원장

정신과 교수

여는 글

# 왜 우리는 양육이 불안할까? 두려울까?

"오은영 선생님은 아이를 어떻게 키우세요?"
진료를 받던 아이의 엄마가 갑작스럽게 질문을 했다. 극도의 양육 스트레스로 괴로워하던 엄마는 아이를 대하는 매 순간이 불안하고 두렵다고 했다.
"저도 어머님이랑 같아요. 저도 아이를 키우는 게 두렵고 불안합니다."
내가 이렇게 답하자 엄마의 눈은 휘둥그레졌다. 천하(?)의 오은영 선생님이 양육이 불안하고 두렵다니…. 나는 방송에서 그리고 임상진료현장에서 양육을 힘들어하고 두려워하는 많은 부모를 보았고, 그 부모들로 인해 상처받은 아이들을 보았다. 그리고 '양육의 마법사' 라는 별칭이 붙을 정도로 부모들의 고민과 아이의 문제 행동을 해결해왔다. 하지만 그런 나도 엄마가 되어가는 과정은 상당히 불안하고 걱정이 많았다. 중학교 1학년 남자아이를 키우는 엄마로서 지금도 여전히 불안과 두려움이 있다. 왜 전문가인 나조차 양육은 불안하고 두려운 것일까.
사실 나는 아주 오래전부터 양육을 불안해하고 두려워했다. 이 책을 빌려 처음 털어놓는데, 솔직히 나는 심각한 독신주의자였다. 고등학교를 졸업할 때까지 나는 그 또래 몇몇 여자아이들이 그렇듯 '독신'이라는 단어를 입에 달고 살았다. 학창 시절 공부도 제법 잘하고 반장과 학생회 임원을 도맡아 했던 나는 내가 좋아하는 분야에서 훌륭한 학자가 되고 싶었고, 그로 인해 사회적인 명성도 얻고 싶은 욕심 많은 아이였다. 그리고 그렇게 될 자신감 넘치는 매사에 자신만만한 아이였다. 그런데 이런 아이가 독신이라는 것을 그토록 주장하고 다녔다는 것은 내 마음 한켠에 한 아이의 엄마가 된다는 것에 대한 '막연한 두려움'이 있지 않았나 하는 생각이 든다. 사회적으로 성공하는 것과 한 아이의 엄마가 되는 것을 동시에 수행하는 것이 자신도 모르게 겁이 났던 것이다. 그래서 두 가지를 제대로 못할 바에야 한 가지만이라도 잘하자는 생각에 무의식적으로 독신주의를 고집했던 것 같다.

하지만 한 치 앞도 모르는 게 인생이다. 누구나의 인생이 그렇듯 살아보면 현실은 생각과 많이 다르다. 독신을 주장하던 나는 대학에 입학해서 얼마 지나지 않아 같은 대학 같은 과 동급생과 캠퍼스 커플이 되어버렸다. 그 사람이 지금의 남편이다. 남편과 꽤 오랫동안 연애를 하고 결혼을 생각하면서 나는 어린 시절 가졌던 독신에 대한 생각의 뿌리(아이, 부모, 양육에 대한 막연한 두려움이라고 할 수 있다)가 아예 사라진 줄 알았다. 그런데 결혼 후 5년 동안 나에게는 아이가 생기지 않았다. 피임을 한 것도 아닌데 내 무의식에 숨어 있던 양육에 대한 두려움과 불안이 내 신체를 지배한 것이었다. 오래전부터 내 안에 숨어 있던 이 두려움과 불안은 내가 아이를 늦게 갖도록 유도한 것뿐 아니라 내가 평생 하고자 하는 일을 '아이, 부모, 양육' 쪽으로 이끌었다. 내 스스로 무의식에 있는 두려움과 불안의 정체를 해결하고자 하는 욕구가 강해졌기 때문이다.

그런데 참 묘한 것이 이런 두려움과 불안을 나도 모르게 평생 연구하고 풀어가야 할 과제로 삼은 내가, 결혼 5년 만에 임신을 하자 뛸 듯이 기뻐했다. 난 아직도 내가 임신을 확인하던 순간을 마치 영화의 한 장면처럼 기억한다. 그날의 날씨, 사람들의 표정, 내가 느꼈던 감정들이 어제 일처럼 생생하다. 물론 예상치 못했던 것이라 찰나의 당혹스러움은 있었지만, 임신이 의학적으로 확인되자 나는 당황하기보다 누구보다도 빨리 '엄마'라는 자아상을 받아들였다. 나는 그때 '내가 좋은 엄마가 될 수 있을까?' 혹은 '내가 아이를 키우면서 내 일을 잘할 수 있을까?'라는 두려움 대신, 뱃속 아이만 생각하면 뭐든 잘할 수 있을 것 같은 자신감이 느껴졌다. 도대체 나에게 느껴지는 이 감정의 정체는 뭘까? 그토록 두렵고 불안했던 일인데, 막상 닥치고 보니 가슴 벅차도록 행복하다고 느낀 내 감정의 정체는 뭘까? 이 책은 전문가인 나조차 엄마가 되어가는 과정에서 느낄 수밖에 없었던 불안과 두려움의 근원을 파헤치기 위해 시작되었다.

나는 그 불안과 두려움의 근원을 의학, 생리학, 심리학, 인문학, 사회학 등을 망라해서 심층적으로 알아보기 시작했다. 왜 부모라면 누구나 불안하고 두려워할까, 누구나 불안하고 두려워하긴 마찬가지인데 어째서 보여지는 모습은 각기 다를까, 이 불안과 두려움의 정체는 무엇일까, 불안과 두려움은 실제 양육 상황에서 어떤 문제들을 야기하게 될까, 불안과 두려움을 어떻게 해결해야 할까 하는 것들에 대해 연구하기 시작했다. 이를 위해 많은 자료를 찾아보는 것과 마찬가지로 내가 부모가 되기 전, 부모가 된 이후 가졌던 양육에 대한 두려움도 차근차근 되돌아보았다. 나는 아이, 부모, 양육에 대해 연구하는 것을 업으로 삼은 사람이라 본능적으로 양육에서 비롯되는 불안과 두려움을 헤쳐 나가긴 했지만, 그 헤쳐 나가는 과정이 어떠했는지에 대해서도 다양한 각도에서 되짚어보았다. 그리고 그 과정에서 모든 인간이 양육에 대해 갖는 기본적인 두려움, 죄책감, 자존감에 대해서 좀 더 깊이 있게, 하지만 기존의 어떤 책보다 살갗에 와닿도록 다룰 수 있었다.

아이를 키우는 것은 절대 쉬운 일이 아니다. 지금 막 태어난 돌 이전의 아기든, 유치원을 다니는 아이든, 본격적으로 공부를 시작하는 초등학교 아이든, 무조건 반항만 일삼는 중고등학교 아이든 모두가 어렵다. 아이를 키우는 일은 내 안에 숨어 있는 두려움과 불안을 끊임없이 자극하기 때문이다. 아마도 아기를 낳고 그 아이가 자라 학교에 들어가고 청소년이 되고 성인이 되어 다시 다른 아이의 부모가 될 때까지 우리는 새롭게 맞닥뜨리는 순간순간 두려움과 불안을 계속해서 느낄 것이다. 하지만 겁내지 마라. 두려움과 불안은 부모를 절대 파괴하지 않는다. 오히려 두려움과 불안은 부모를 더욱 단단하게 만들고, 그로 인해 아이들을 더 건강하게 만든다. 대부분의 두려움과 불안 안에는 아이를 더 잘 키울 수 있게 하는 열쇠들이 숨어 있기 때문이다. 두려움과 불안의 실체를 알고 차근차근 풀어나가다 보면 오히려 양육에 대한 깊은 이해를 하게 되고, 내 안에 숨어 있는 놀라운 능력인 모성과 부성을 발견하게 된다. 나는 불안과 두려움은 조물주가 우리 안에 아이를 잘 키우게 하는 열쇠를 숨기기 위해 여기저기 뿌려놓은 씨앗이라고 생각한다.

예전에는 아이를 예닐곱 명이나 낳고도 잘 키웠다. 하지만 요즘은 한두 명 낳아 키우면서도 참 많이들 힘들어한다. 어떤 부모에게는 양육이 단순히 부담을 넘어서 쇼크 수준이다. 왜 그럴까? 나는 그 원인을 부모로서 자신이 당연히 가지게 되는 불안과 두려움을 제대로 마주하지 않았기 때문이라고 생각한다. 제대로 마주하지 않고 도망치려고만 하기 때문이다. 부모라면 누구나 불안하고 두렵다. 그것은 내 안에 모성과 부성이 존재한다는 증거이다. 내 불안과 당당히 마주해야만 내 안의 모성과 부성이 올바른 양육의 길로 나를 안내한다. 이 책을 읽는 동안 당신은 부모로서 내 안에 숨어 있는 많은 불안과 두려움을 만나게 될 것이다. 위로가 되는 순간도 있고, 이해가 되는 순간도 있고, 창피한 순간도 있고, 눈물이 날 정도로 죄책감을 느끼게 될 순간도 있을지 모르겠다. 하지만 그렇게 읽다 보면 내가 어떤 모습의 부모인가에 대해 생각하게 되고, 부모로서 어떤 가치관을 가지고 살아야 할지에 대해 고민하게 될 것이다. 그 생각과 고민이 책을 읽고 난 후 부모로서 참된 자기를 발견하고 좀 더 성숙한 부모가 되게 하는 데 보탬이 된다면 이 책을 쓴 나에게는 큰 기쁨과 보람이다.

끝으로 이 책이 나오기까지 도움을 주신 많은 분들께 감사를 드린다. 이 책을 완성하기까지 적잖은 고비가 있었다. 여러분의 도움이 없었다면 나의 원고가 가치 있는 책이 되어 세상에 나오기 어려웠을 것이다. 그동안 이 책의 내용과 구성에 크나큰 관심을 갖고 도움을 준 웅진리빙하우스의 박선영 대표와 주식회사 웅진씽크빅에 진심으로 감사드린다. 또한 이 책이 출판되기까지 알게 모르게 많은 도움을 준 송민재 님과 방대한 양의 자료와 원고 정리를 위해 시간과 정성을 아끼지 않았던 김미연 님의 노고에 감사드린다. 이 책을 쓰는 동안 말로 다 표현할 수 없을 만큼 모성과 부성을 뼈저리게 느끼게 해준 많은 부모님께 머리 숙여 감사드린다. 또한 엄마로서 의미 있는 삶을 살게 해준 아들과 나의 남편에게 감사의 말을 전하고 싶다. 마지막으로 이 세상에서 가장 가슴 깊이 아이를 사랑하고 열성적인 교육열을 가진 이 땅의 부모들에게 이 책을 바친다.

2011년 5월

오은영

Contents

## Chapter 2 불안한 부모, 충돌상황별 해법을 찾아라

### Ranking No. 1 아이의 교육 문제

## Ranking No. 2 아이의 친구관계

## Ranking No. 3 인성 · 건강 · 안전 문제



## Ranking No. 4 생활 전반의 문제

## Solution No. 2 행복한 부부가 되려면



## Solution No. 3 행복한 사람이 되려면



★ PLUS PAGE

Chapter

# 1

# 격정 많은 엄마와 무관심한 아빠

끝없이 불안한 모성, 무관심으로 오해받는 부성.
이 장에서는 이 두 가지 본성에 대해 이야기하려 한다.
부모로서 갖는 같은 불안과 두려움에도 불구하고 엄마와 아빠가
보여주는 방식은 사뭇 다르다. 엄마들은 끊임없이 걱정하고,
아빠들은 별 관심 없는 듯 도망간다.
엄마와 아빠는 왜 자신의 모성과 부성을 이렇게밖에 표현할 수 없는지,
그 근본 원인에 대해 알아보자.

Situation
No.1

## 잘못되면 어쩌지? vs 애들이 다 그렇지.

해가 뉘엿뉘엿 저물어 어둑어둑해지고 있는 저녁 무렵, 할머니는 10살 난 영민에게 근처 슈퍼에서 두부 한 모를 사오라는 심부름을 보낸다. 옆에 있는 영민 엄마는 어제 저녁 9시 뉴스에서 보도했던 어린이 유괴, 납치 기사가 떠오르자 문뜩 불안해졌다.

"어머니, 이렇게 늦은 시간에 어떻게 아이를 혼자 내보네요?" 영민 엄마의 말에 시어머니가 대꾸하셨다.

"아범아, 어미 좀 봐라. 이렇게 허구한 날 싸고만 키우니 애가 뭐 하나 제대로 하겠니?" 그러자 옆에 있던 영민 아빠까지 시어머니 편을 든다.

"당신 때문에 이러다가는 애 버린다니까" 하는 아빠의 말에 영민 엄마는 '요즘이 어떤 세상인데…' 라는 말을 꺼내려다 삼키고 말았다.

어젯밤부터 열이 오르기 시작한 2살 난 동규는 해열제를 먹였는데도 39℃를 넘어섰다. 아이는 열이 오르자 숨소리마저 씩씩거리며 거칠어졌다. 새벽 내내 열과 씨름하던 아이가 아침이 되자 열이 내리는 것 같아 밥을 조금 먹였다. 그런데 거실에서 잘 놀고 있던 아이가 "엄마!" 하더니 아침 밥 먹은 것을 게우고 그 자리에서 고꾸라졌다. 동규 엄마는 너무나 당황해서 회사에 있는 남편에게 전화를 했다.

"여보, 동규가 이상해. 아무래도 응급실에 가봐야 할 것 같아!"

"그럼 빨리 응급실 가봐?"

"당신이 와서 같이 가면 안 될까? 나 무서워." 동규 엄마는 안고 있는 아이의 파리한 얼굴을 보며 말했다.

"오전 10시에 어떻게 집에 가? 당신 혼자 그것도 못해! 애들이 열도 나고 토하기도 하면서 크는 거지. 그럴 때마다 집으로 달려가면 회사를 다니라는 거야, 말라는 거야! 집 앞에 있는 소아과부터 가봐." 동규 엄마는 갑자기 눈에서 눈물이 핑 돌면서 '당신 애 아빠 맞아?' 하는 생각이 들었다.

일본과 한국의 축구경기가 있다고 해서 모처럼 일찍 들어온 세종 아빠는 들어오자마자 배달시킨 치킨과 맥주를 기다리며 TV 리모컨을 들었다. 리모컨 버튼을 누르자 TV 화면에는 오늘 경기를 뛰는 축구 선수들의 얼굴이 차례로 나타났다. 그때 세종 엄마가 빨래를 개키며 말했다.

"여보, 세종이 전래동화전집 사면 안 될까? 우리 아파트에 그거 없는 집 없던데."

"전집이면 비쌀 거 아냐! 그리고 5살짜리한테 그게 뭐 필요해?"
"비싸긴 해도 세종이한테 그런 것도 못 사줄 만큼 형편이 어려운 것도 아니잖아."
"내 말은 형편을 떠나서 필요 없는 걸 왜 사냐는 거야?"
세종 아빠는 대화를 나누는 내내 TV에서 눈 한번 떼지 않으며 마치 남 얘기하듯 대답했다. 그 모습을 지켜보던 세종 엄마는 갑자기 화가 치밀었다.
"필요 없긴 왜 책이 필요 없어? 요즘 초등학교 가기 전에 그런 전집 하나 안 사는 집이 어디 있어? 당신은 알지도 못하면서 내가 무슨 말만 하면 안 된다고 해?" 세종 엄마의 목소리가 거칠어지자 세종 아빠가 조금 작은 목소리로 말했다.
"내 말은 돈 좀 아껴 쓰라는 거지. 그렇게 남들 하는 거 다 하다가 언제 집을 사냐고?" TV에서는 축구경기의 전반전이 시작되었다.
"내가 언제 쓸데없이 돈을 썼다고 그래? 당신이 치킨이랑 맥주, 술 마시는 돈만 모았어도 그 전집 사고도 남았겠다. 당신은 축구가 세종이보다 중요하지? 당신은 돈이 세종이보다 중요하지?" 세종 엄마는 화가 나서 큰 소리로 악다구니를 쓰면서 말했다. 일본 선수가 한국 선수의 공을 빼앗아 슛을 날리는 순간, 세종 아빠는 "시끄러워! 그만 좀 해" 하면서 버럭 화를 냈다.
많은 엄마들이 아이를 낳고 키우면서 남편의 아이에 대한 무심함에 화가 나고, 상처 받고, 뼛속 깊은 배신감을 느끼고, 눈물을 흘리기도 한다. '어떻게 자기 자식한테 저렇게 야박할까, 자기 자식일인데 어쩌면 이렇게 무관심할까, 아이는 나 혼자 낳았나, 저렇게 냉정한 사람이 아빠라니…' 하는 생각을 하곤 한다. 모든 엄마가 그런 것은 아니지만, 진료실이나 방송에서 만난 많은 엄마들이 한 지붕에서 사는 남자에 대해 분노하는 경우가 많았다. 그녀들은 아이에 대한 이야기를 하다가도 마지막에는 이해할 수 없는 남편의 말과 행동을 성토하는 것으로 상담을 마치곤 했다.

"남편은 뭐든 시키는 것을 반대해요. 그냥 내버려두어도 때가 되면 잘할 텐데 제가 유난을 떤다고 하죠."

"남들만큼은 아니더라도 최소한의 책이나 교구는 사주고 싶은데, 남편은 구석기시대에 사는 사람처럼 아이는 무조건 뛰어노는 것이 최고래요."

"아이랑 놀아주지도 않고 공부도 안 가르쳐주면서 아이가 무슨 잘못만 하면 어디선가 나타나서 어찌나 무섭게 혼내는지, 그럴 때는 자기 자식이 맞나 싶어요. 아이 교육에 대해서 상의라도 하려고 하면 나 몰라라 하다가 야단 칠 때만 앞장선다니까요."

"아직 어리니까 버릇없게 굴 수도 있고, 놀다가 실수도 할 수 있는 거 아니에요? 남편은 그럴 때마다 아이를 바보 취급하고 저를 탓해요. 제가 아이를 잘못 키워서 아이가 저런 거래요. 말끝마다 '애를 어떻게 키웠기에' 하는 말을 입에 달고 살아요. 딱 일주일만 자기 혼자 아이를 키워보라고 하고 싶은 마음이 굴뚝같아요."

그런데 재미있는 사실은 아내들의 원성을 사고 있는 남편들을 만나보면 대부분 너무나 평범하고 정상적(?)이었다. 더없이 성실하고, 책임감 강하고, 유능하고, 인간관계도 좋고, 무엇보다 아내와 아이를 무척이나 사랑하고 있었다. 그들은 하나같이 다른 사람한테 무심하다는 원성을 들을 만한 사람들이 아니었다. 그렇다면 그런 불만은 아내들이 모두 지어낸 거짓말일까. 물론 그것도 아니다. 그녀들이 말하는 것 또한 한 치의 거짓도 없었다. 그런데 그녀들이 말한 아빠들의 모습을 살펴보면, 사랑하는 아이와 가정을 지키기 위해, 한 푼이라도 더 벌기 위해 온갖 치사한 것들을 참아가며 일하고, 술자리도 마다하지 않는다. 하지만 정작 아내와 아이 문제를 얘기할 때는 마치 다른 집 아이 이야기하듯 무심하다. 도대체 남편들이 왜 그러는 것일까.

엄마들이 남편들에게 불만을 갖는 것은 크게 세 가지로 나누어진다. 첫 번째는 돈을 버느라 육아나 교육 자체에 전혀 관심이 없으며 모든 것을 아내에게 일임하는 유형이다. 이들은 육아에 대해 아는 것도 없거니와 어쩌다 교육에 대해 한마디만 해도 무시당하기 일쑤였다. 육아에 대한 의사발언권이 없다 보니 자신이 필요한 순간마저도 멀찍이 떨어져 뒷짐지고 지켜보곤 했다. 두 번째는 첫 번째 아빠처럼 평소에는 육아나 교육에 전혀 관여하지 않다가도 훈육을 할 때만 전면에 나서는 유형이다. 이들은 평소 아이와 보내는 시간이 거의 없어 육아나 교육에 대해 전혀 알지는 못하지만, 아빠 된 사람으로서 훈육만큼은 책임져야 한다는 묘한 사명감이 존재한다. 아이의 잘못된 행동은 반드시 바로잡아야 한다는 생각에 종종 강압적으로 아이를 훈계한다. 이 때문에 궁지에 몰리고 가족들로부터 왕따 아닌 왕따가 되는 경우도 많다. 세 번째는 '아이는 자기가 먹을 것은 갖고 태어난다, 아이는 내버려둬도 잘 큰다, 때가 되면 다 잘한다' 하는 식으로 현실에 기반을 두지 않은 이상주의적인 유형이다. 자신의 의견이 아내와 부딪히면 이들은 자신의 생각을 정당화하기 위해 아주 극단적인 예를 일반화시킨다. 예를 들어 5살 아이에게 영어를 가르치자고 하는 아내에게 지나친 조기교육으로 정신과 치료를 받고 있는 아이에 대한 신문기사를 언급한다.

진료를 하다 보면 이 아빠들은 오히려 날 붙잡고 하소연하곤 한다. 아내가 아이를 낳더니 뭐든 걱정부터 하고 극성스럽고 유별나게 변했다는 것이다. 또한 아이에 대한 자신의 의견은 철저히 무시하고, 무슨 말만 하면 "직접 키우지도 않았으면서 어떻게 그런 말을 해. 당신이 뭘 알아?"라며 쏘아붙이고 결국에는 자기 마음대로 해버린다는 것이다. 어떤 기준도 없이 이리저리 흔들려서 한마디 하면 '아이를 위한 일인데?' 라며 막무가내라는 것이다. 아이는 엄마 아빠가 함께 키우는 것인데, 아이를 엄마 품안에서만 싸고돌면서 아이를 위해 열심히 일하는 자신을 향해 '나쁜 아빠' 또는 '인정머리 없는 아빠' 로 몰아세운다는 것이다.

엄마들은 하나같이 남편을 무관심하다고 말하고, 아빠들은 입을 모아 아내를 쓸데없는 걱정만 한다고 말하는 이 상황을 당신은 어떻게 생각하는가?

## 엄마, 아빠 누가 옳을까?

이야기에 앞서 밝혀두고 싶은 것은, 내가 사례로 드는 엄마와 아빠, 제시하는 상황은 문제가 많거나 절대 심각한 정도는 아니다. 정말 심각하다면 이런 책을 읽기보다 전문가를 찾아 치료를 받는 것이 우선이다. 나는 일반적인 엄마와 아빠, 통계적인 남편과 아내의 생각과 행동에 대해 이야기할 것이며, 그들이 서로를 이해할 수 있도록 도울 것이다. 당연히 내가 말하는 그들의 모습이 이 세상 모든 엄마와 아빠, 아내와 남편은 아니다. 모든 면에서 나의 조언이 필요 없을 수도 있으며 여기에 등장하는 사례나 조언을 참고로 서로에 대한 이해의 폭을 넓일 수 있는 기회가 되길 바란다.

그동안 많은 조사와 임상경험을 종합하면 엄마들은 아이의 성장발달이나 교육에 있어 이왕이면 해줄 수 있는 만큼 해주고 싶어 한다. 아이에게 필요한 시기별 자극도 질 높은 것으로 찾아주고, 교육도 앞서서 빨리빨리 시키자고 생각한다. 만약 그렇지 못한 엄마라면 그럴 수 없는 현실이 안타깝고, 아이가 뒤처지면 어쩌나 하는 마음에 불안해한다. 그런데 아빠들의 생각은 이와는 좀 다르다. 아이의 성장발달이나 교육에 있어 내버려둬도 잘하게 되어 있고(자신도 그렇게 자랐으므로), 아내가 안달복달하는 문제는 시간이 지나면 저절로 해결된다고 생각한다. 그러니 아내의 행동이 욕심 내지는 극성으로 보인다. 집안의 경제수준을 생각하지 않고, 앞서서 걱정하고 불안해하면서 설쳐댄다고 생각한다. 갈대처럼 흔들리는 아내의 마음을 잡기 위해 조금은 고집스럽게 보일 만큼 '그럴 것까지 없다' 를 반복하고 그 결과 무관심한 남편이라는 꼬리표를 달게 된다.
엄마들은 나에게 "어떻게 아빠면서 아이를 걱정하지 않을 수 있죠?" 하고 묻는다. 엄마들은 조금만 아파도 '큰 병으로 진행되면 어쩌지?' 하고 걱정하고, 조금만 성적이 떨어져도 '아이에게 무슨 일이 있는 것 아닐까? 많이 뒤처져서 따라잡지 못하면 어쩌나' 하고 불안해한다. 조금만 안 먹어도 '다른 아이들보다 덜 자라면 어쩌지?' 라는 근심으로 이어진다. 하지만 아빠들은 "그게 걱정한다고 달라집니까?" 하고 반문한다. 아빠들은 아이는 그렇게 아프면서 크는 거고, 초등학교 다니는 아이가 성적이 좀 떨어진다고 해서 대학 입학을 좌우하는 것도 아니고, 오늘 한 끼 안 먹는다고 아이가 어떻게 되지 않는다고 믿는다. 엄마들이나 아빠들 모두 자신의 생각이 옳다는 것에 추호의 의심도 없다. 과연 누구의 생각이 옳은 것일까.
결론부터 말하면, '무승부' 다. 그들은 서로 절대 타협할 수 없는 다른 생각을 가지고 있다고 생각하지만, 사실 그들의 생각이나 행동은 '같은' 종류의 것이다. 엄마가 내 아이에게 갖는 도를 넘는 걱정이나 아빠가 내 아이에게 보이는 지나친 무관심은 모두 '불안' 이라는 감정의 다른 모습이기 때문이다. "엄마들은 걱정이 많다. 그것이 불안 때문이다"라고 말하면 고개를 끄떡거리지만, "아빠들은 무관심하다. 그것도 불안 때문이다" 라고 말하면 고개를 갸우뚱거리는 사람이 제법 있을 것이다. 불안이라는 감정은 늘 꼬리에 꼬리를 물고 일어나지 않은 일에 대한 예측을 한다. 불안한 사람들의 특징은 어떤 것의 부정적인 한 가지 면을 보고, 전체를 부정적인 방향으로 몰고 간다. 그중 어떤 사람은 부정적으로 몰고 가면서 끊임없이 걱정한다. 또 어떤 사람은 부정적인 면을 감당할 수 없어 지나치게 낙관적이고 긍정적인 입장을 취하면서 문제를 덮어버리기도 한다. 엄마의 불안이 전자의 모습이라면, 아빠의 불안은 후자의 모습이다.

아빠들 역시 불안하다. 하지만 아빠들은 불안을 똑바로 바라보려 하지 않는다. 불안에 직면하면 '그래, 이걸 어떻게 할까?' 가 아니라 '어떻게든 되겠지' 하고 생각한다. 하지만 이런 생각을 밖으로 말하는 것이 너무 무책임한 것 같으니까 "괜찮아. 아이들은 다 그렇게 크는 거야"라고 말한다. 그 말은 편안함, 자기 확신에서 나오는 말이 아니라 자신의 불안을 상쇄해버리기 위해 무조건적으로 낙관적인 표현을 하는 경우가 많다. 이는 불안에 직면하기 싫기 때문이다. 본인이 이 주제를 걱정하고 아내와 그 이야기를 나누면 머릿속으로 그 불안한 주제를 계속 떠올려야 하고, 그렇게 되면 더 불안해지기 때문에 대범한 척, 낙관적인 척하면서 아예 덮어버리는 것이다. 하지만 오해하지는 말길 바란다. 이런 아빠들의 말이나 행동이 의식적인 것은 아니다. 본인도 인식하지 못하는 본능적인, 무의식적인 반응이기 때문이다.

이처럼 아빠와 엄마가 가진 다른 모습의 불안은 아이의 문제를 해결할 때도 큰 차이를 드러낸다. 아빠들은 그 문제가 절실하게 피부에 닿기 전까지는 '문제' 를 문제라고 인식하지 않는다. 문제가 작을 때 적절한 도움을 받아 큰 문제가 되는 것을 막아야 하는데, 아빠들은 '다 괜찮아' 하면서 지나치게 긍정적으로 바라봄으로써 문제를 부인한다. 그러다 문제가 심각해져 주변에서까지도 문제를 인식하게 될 즈음에야 위기를 인식하고 도움을 청한다. 결국 위기 대처가 너무 느리다는 평가를 받는다.

그런데 엄마들은 이와 정반대다. 엄마는 아직은 문제라고 볼 수 없을 때 지나치게 빠르게 대처한다. 그러다 보니 조급하고 별것 아닌 일에 극성을 떠는 사람으로 취급받는다. 자신의 불안을 지나치게 빨리, 강력하게 대처했기 때문이다. 그러다 보니 아빠들이 보기에 엄마들은 항상 별것도 아닌데도 노심초사하고, 걱정을 사서 하는 것처럼 비춰진다. 또한 엄마들의 눈에는 뻔히 문제가 생길 것이 보이는데도 아빠들이 무책임하고 무관심하게 대처하는 것처럼 생각된다. 그런 과정에서 엄마들은 자신이 남편보다 아이를 훨씬 더 사랑하고 염려한다는 잘못된 생각을 하고, 남편의 무관심한 모습은 아이를 자신만큼 사랑하지 않기 때문이라고 규정짓는다.

아이를 키우면서 똑같이 불안해하고 걱정하는데도, 엄마들은 같은 주제를 가지고 '어떡해? 어떻게 좀 해봐!' 하는 식으로 말한다. 그러니 아이를 굉장히 걱정하고 사랑하는 사람으로 보인다. 이에 비해, 아빠들은 '잘 클 거야. 아무 일 없을 거야' 하는 식으로 말한다. 마치 옆집 아이 이야기를 하듯 무책임해 보인다. 왜냐하면 대책이 없기 때문이다. 만약 아이가 성적이 많이 떨어졌다면 공부를 더 시키는 것이 맞다. 이런 상황에서 아빠들이 "잘될 거야" 또는 "공부 못해도 잘살아"라고 말하는 것은 도움이 되지 않는다. 아빠들은 이런 태도 때문에 양육 상황에서 쉽게 벼랑 끝으로 몰리는 것이다. "당신, 아이를 나만큼 사랑하지 않는 것 맞지?"라는 오해를 풀고 싶다면 아빠들은 분명, 지금까지의 말과 행동에서 변화를 가져야 할 것이다.

## 걱정과 무관심의 뿌리는 불안이다

만 4살 난 남자아이가 아직 말이 트이지 않았다며 진료실을 찾았다. 엄마가 아이의 손을 잡고 진료실로 들어왔고, 아빠는 몇 걸음 떨어져 뒤따라 들어왔다. 엄마는 아이가 너무 소심해서 감정표현을 잘 못하는데, 그것이 말문이 늦게 트이는 것과 관련 있는 건 아닌지 궁금해 했다. 자신의 양육태도에 어떤 잘못이 있는 것은 아닌지도 걱정했다. 또 아이가 말문이 트이지 않아 또래 관계에서 얼마나 어려움을 겪을지, 의사표현을 하는 데 불편함은 없는지도 우려했다. 엄마는 머리부터 발끝까지 불안하고 초조했으며 간절하게 도움을 요청하고 있었다. 그런데 함께 온 아빠는 뭔가 불만이 가득해 보였는데 대뜸 "만 4세에 말을 못하는 것이 그렇게 큰 문제입니까? 말은 좀 늦게 트일 수도 있지 않습니까?"라고 물었다. 내가 만나본 아이는 정서적인 면에 문제가 있어 말문이 트이지 않은 상태였다. 뭔가를 배워가는 데는 정서적인 것이 상당히 중요하다. 무언가를 배우려면 시도하고 교정하고 배우고, 다시 시도하는 과정을 거쳐야 하는데 아이는 정서적으로 무척 위축되어 있어 그런 과정을 제대로 거치지 못했다.
나는 일정 기간 동안 정서적인 도움을 주자고 말했다. 아이 엄마는 아이가 얼마나 불편하고 힘들어할지 이야기하며 눈가에 눈물이 맺혔다. 그런데 아이 아빠는 나의 설명을 듣고 "여섯 살에 말문이 트이는 아이도 있지 않나요? 저는 우리 아이가 특별한 치료가 필요한 상태라고는 생각하지 않습니다"라고 대답했다.
어떻게 해서라도 도와주려는 엄마와 굳이 치료가 필요 없다는 아빠는 진료실에서 흔하게 목격되는 장면이다. 이런 아빠들에게 약물치료라도 필요하다고 말하면, 대부분 격앙된 목소리로 "약은 절대 안 됩니다. 안정성이 보장된 것도 아니잖아요?"라며 자리를 박차고 진료실을 나갈 태세를 갖춘다. 진료실에서 만나는 엄마들은 나에게 궁금한 것을 물어보고 그 해결책을 얻고 싶어 하지만, 아빠들은 나와 논쟁을 해서 내가 틀리고 자신이 맞는다는 것을 증명하고 싶어 한다. 아빠들은 지식을 총동원해서 의사가 틀렸다는 것을 증명하고자 한다. 이런 행동 또한 아빠가 보여주는 전형적인 불안의 모습이다. 내 아이가 문제가 있다는 사실을 받아들이는 것이 너무 불안해서 '아니다'로 일관하는 것이다.

만 5세 된 여자아이의 엄마는 상담 중에 느닷없이 아이가 다니는 어린이집을 바꿔야겠다는 말을 꺼냈다. 얼마 전까지만 해도 그 어린이집의 환경이나 교사들을 칭찬하던 엄마였다. "무슨 일이 있으셨어요?"라고 물으니, 그 어린이집 교사가 쓰레기봉투를 버리고 손을 탁탁 털더니 앞치마에 쓰윽 닦는 장면을 목격했다는 것이다. 갑자기 '저 손으로 우리 아이의 얼굴과 먹을 것을 만지겠지…' 하는 생각이 들었는데, 그 생각이 머릿속을 떠나지 않더란다. 엄마는 그 어린이집의 위생 상태가 의심되어 더 이상 보낼 수 없다고 말했다. 이 또한 불안이다. 보통 노심초사하는 것만 불안이라고 생각하지만, 의심이 많거나 피해적 사고를 행동을 보이는 것 또한 불안이다. 생활 속에서 사소한 단서가 불안을 극도로 증폭시키는 요소가 되어서 지금까지의 모든 신뢰를 무너뜨리는 경우도 있다.

불안이란 인간의 기본적인 방어기전으로, 스스로를 보호하기 위해 쓰는 기본적인 수단이다. 자신이 위험에 빠질 수 있는 상황이 되면 누구나 불안이라는 기전을 동원해서 자기 자신을 보호하려 하고, 본능적으로 이 기전을 사용하게 된다. 때문에 적당한 불안은 반드시 가지고 있어야 한다. 불안이 있어야 자기 자신과 가족, 미래를 위해서 자기도 보호하고 안전하게 다음의 계획도 만들어낼 수 있다. 그런데 이상한 것은 아빠는 하나같이 불안을 '무관심'으로 표현하고, 엄마는 '걱정'으로 표현한다는 것이다. 나름대로 대범했던 여자도 아이를 낳으면 걱정이 늘어나고, 비교적 자상했던 남자도 아이가 생기면 이전보다 조금 무심해지더라는 것이다. 엄마는 왜 안달복달하며 불안해하는 모습을 보이고, 아빠는 무관심의 방식으로 불안을 표현할까.

아빠들도 분명 제 아이를 사랑할 것이다. 자식을 사랑하기에 새벽부터 늦은 밤까지 돈을 벌기 위해 일하고, 온갖 것을 참고 견딘다. 그들 역시 가장 사랑하는 사람이 누구냐고 물으면 주저하지 않고 '아이'라고 대답한다. 그럼에도 불구하고 왜 아빠들은 아이를 사랑하지 않는다는 오해를 받을 만큼 무관심한 것일까.

## 엄마들의 불안은 오래된 본능이다

내 아이에게 일어난 단 하나의 문제지만 엄마들의 머릿속에는 꼬리에 꼬리를 무는 문제가 이어지고, 걱정부터 생겨난다. 엄마들의 이런 불안해하는 심리의 근원을 알아보기 위해서는 지금으로부터 1만 년 전 인류가 수렵채집 생활을 하던 시대로 거슬러 올라가야 한다. 그 시절의 불안은 인간이 생존하는 데 꼭 필요한 요소였다. 불안은 생존에 위협이 발생하면 이를 대처할 수 있도록 도와주는 반응으로 우리 몸에서 일련의 변화를 일으킨다. 예를 들어, 원시인류가 숲을 지나는데 등 뒤에서 뭔가 재빠르게 지나가는 것이 느껴졌다고 하자. 위험이 느껴지면 온몸의 기관에 경고 신호가 보내진다. 부신피질에서 아드레날린, 노르아드레날린 등이 신체의 각 부위에 강력한 경고신호를 보내는데 심장박동이 빨라지고, 혈압도 올라간다. 지금의 불안한 상황을 대처하는 데 필요한 기능을 극대화시키고 다른 기능은 잠시 감소시킨다. 싸움을 해야 할지도 모르기 때문에 팔 근육으로 혈액의 공급이 늘어나고, 급하게 달아나야 할지도 모르기 때문에 다리 근육으로도 혈액이 다량 공급된다. 호흡도 점차 빨라지는데, 이는 근육에 더 많은 산소를 공급하기 위해서다. 눈의 동공은 도망갈 장소나 혹은 공격할 위치를 찾기 위해 최대한 커진다. 이런 불안에 대한 몸의 반응으로 인해 인류는 무서운 맹수들로부터 자신의 생명을 지켜낼 수 있었다.

원시인류에게 생존을 위해 가장 문제가 된 것이 맹수였다면, 그 다음 두려운 것은 먹을 것이 떨어지는 것이었다. 원시인류는 먹을 것을 위해 자주 옮겨 다녔으며, 잡은 사냥감을 최대한 신선하게 오래 먹을 수 있도록 관리하는 것이 생존의 또 다른 열쇠였다. 이 역할을 엄마들이 맡았다. 아빠가 사냥감을 던져주면 엄마는 이것을 어떻게 할지 끊임없이 걱정했다. 어느 부분부터 먹어야 할까, 어떻게 하면 상하지 않게 보존할까, 어디에 저장할까, 어느 부분이 아이가 먹기 좋을까, 날이 추워지는데 이 동물을 활용하는 방법은 없을까 하는 등 엄마는 걱정거리에 몰두하여 끊임없이 생각했다. 그러다 보니 늘 약간 긴장한 상태이기도 했다. 긴장은 주의를 집중하고 신경이 약간 곤두선 불안한 상태를 말한다. 덕분에 훈제법, 염장법, 바느질법 등이 개발될 수 있었다. 이는 어찌 보면 걱정이 일이기도 했던 원시인류의 엄마들이 이루어낸 성과였다. 당시 엄마들의 머릿속에는 '이것을 어떻게 해야 되지?' 였다. 원시인류 때부터 엄마의 유전자에 프로그래밍된 탓인지 지금도 여자들은 아이를 키우면서 무슨 일이 생기면 '어떻게 해야 되지?' 라는 문장이 가장 먼저 튀어나온다.

원시인류 이전 태초에 여자가 생겨날 때부터 유전자에 뿌리깊이 새겨진 걱정의 본능도 있다. 어떤 여자라도 엄마가 되면서 갖게 되는 자연스러우면서 종의 생존에 필요한 본능으로 '아이에 대한 불안' 이 바로 그것이다. 자연은 많은 동물 중에서 상대적으로 무력한 인간의 아이가 성인으로 잘 자라게 하기 위해 엄마에게 아이에 대한 불안이라는 걱정의 본능을 주었다. 이 불안은 모성의 무한한 보살핌 본능으로 나타났다. 엄마는 아기를 갖게 되는 준비기부터 아이가 성인이 되어 독립하기까지 전 생애에 걸쳐 보살핌 본능의 지배를 당한다. 엄마의 보살핌 본능을 유지시키기 위해, 엄마의 뇌는 적당한 호르몬을 분비해낼 것을 계속해서 명령한다. 대표적인 호르몬은 프로게스테론, 에스트로겐, 프로락틴, 옥시토신이다. 프로게스테론과 에스트로겐은 난소에서 분비되는 성호르몬으로 임신 기간에 분비되는 호르몬이고, 프로락틴과 옥시토신은 출산 후 여자가 어머니로서 행동하도록 조정하는 호르몬이다. 아기의 울음소리가 들리면 출산한 여자의 젖꼭지는 금세 꼿꼿해지면서 당장 젖 먹일 채비를 한다. 이는 아기의 울음소리가 들리는 동시에 여자의 몸에서 옥시토신이 분비되기 때문이다. 엄마의 뇌에는 '아기를 보호하는 것이 무엇보다 중요해!' 라는 큰 명제가 자리 잡고 있기 때문이다. 때문에 남자가 보기에는 별것 아닌 것에도 호들갑을 떨며 불안해하는 모습을 보이기도 한다. 엄마의 뇌 회로는 아기의 안전에 완전히 맞춰져 조금이라도 위험한 것은 차단하려고 든다.

하지만 세상 엄마들이 모두 똑같이 불안한 것은 아니다. 나는 진료를 할 때마다 한국 엄마들의 불안이 다른 나라 엄마들의 불안과는 차원이 다른 뭔가가 있다는 것을 종종 느낀다. 우리나라 엄마들에게는 다른 나라 엄마들에게는 없는 또 다른 불안 유전자가 내재되어 있다. 많은 엄마가 아이를 보면서 '나는 너를 훌륭한 사람으로 만들기 위해 최선을 다할 거야. 엄마는 얼마든지 고생해도 괜찮아' 하고 생각한다. 대부분의 엄마가 그렇게 생각하고 있으며 그렇게 생각하지 않더라도 그래야 한다고, 그래야 엄마라고 느낀다. 이 땅에 살았던 50년 전의 엄마들도, 100년 전 엄마들도, 1000년 전의 엄마들도 모두 그랬다. 왜 그런 것일까.

대부분의 엄마가 고개를 갸우뚱하며 "그게 당연하지 않나요? 엄마잖아요"라고 말할 것이다. 하지만 전혀 당연하지 않다. 우리나라 엄마들은 아이를 위해 희생하는 것이 자신이 존중받을 일이라고 생각하는 경향이 많다. 당연하다고 느끼는 것은 오랜 세월 그런 사회문화적인 가치관이 반복되면서 유전자 깊숙이 새겨졌기 때문이다. 성인인 엄마 아빠는 물론이고, 아이들까지 자식을 위한 엄마의 희생을 당연하게 생각한다. 우리나라 엄마들에게 아이는 내가 보살펴야 할 대상이라기보다 자신이 지켜내야 할 고결한 존재이자 혼의 결정체이다. 나는 못생기고 못 배우고 별 볼일 없는 집안에서 태어났지만 존귀한 존재인 아이가 나의 몸을 빌려서 태어남으로써 내가 대단한 존재가 되는 것이다. 그리고 자신에게 그 신성한 의무가 있다고 여긴다.

'희생적인 어머니는 존경을 받는다'는 생각은 관습이 되어 다른 나라에서는 좀처럼 볼 수 없는 효부상이 만들어지고, 열녀비가 세워졌다. '장한 어머니상' 은 그야말로 자식이 출세하면 주는 상이다. 훌륭한 자식이 나오기까지 희생한 어머니에게 주는 상이다. 세계 어느 나라에도 어머니의 희생적인 역할을 이렇게까지 강조하면서 상을 주는 나라는 없다.

## 우리나라 엄마들, 최근 들어 왜 더욱 불안할까?

우리나라 엄마들이라고 해도 요즘 엄마들과 옛날 엄마들의 불안은 참 많이 다르다. 엄청난 희생을 각오하고 당연히 여기는 것이야 워낙 여자라는 유전자, 한국 여인이라는 유전자에 새겨져 있어 같다고 할 수 있다. 하지만 옛날 엄마와 요즘 엄마들의 걱정거리를 나열해보면 차원이 다르다. 내가 '옛날 엄마' 라고 칭하는 세대는 지금의 50~60세까지다. 진료를 하다보면 묘하게도 지금의 30~40대의 엄마들과 50~60대 엄마들의 불안 감정은 확연한 차이가 난다. 50~60대 이상의 엄마들은 '내가 이렇게 하는 것이 옳을까, 내가 이런 행동을 했을 때 아이는 어떻게 될까, 이것을 안 가르치면 큰일 나는 것 아닐까' 하는 자신의 양육방식에 대한 불안은 전혀 없었다. 오로지 돈이 없어서 못 입히고, 못 먹일까봐, 학교 공부를 못 시킬까봐 걱정했다. 그러나 요즘 엄마들은 마치 육아중독처럼 육아에 대한 어떤 행동에도 불안해서 절절 맨다. 그러다 보니 시어머니나 친정어머니 세대인

50~60대와 며느리인 30~40대의 갈등이 불가피해졌다. 시어머니 입장에서는 며느리의 행동이 내버려두면 다 알아서 잘하는데, 긁어 부스럼을 만든다는 생각이 들기 때문이다.
그들은 자식에 대한 걱정을 하긴 했지만 지금만큼은 아니었다. 옛날에는 적어도 잘못된 방법을 적용하고 있어도 자신의 육아방식에 대한 확신이 있었다. 회초리로 아이를 때리면서도 내가 이렇게 해서라도 이 아이를 잘 가르쳐야 된다는 확신이 있었다. 그렇기 때문에 불안하지 않았다. 그런데 지금 엄마들은 옛날보다 훨씬 많이 배우고, 많은 책과 정보를 접해서 더 나은(?) 육아기술은 알고 있지만 자신의 육아방식에 대한 확신이 없다. 아이를 대하는 매 순간 걱정하고 불안해한다. 방법은 옳지만 확신이 없는 육아를 하는 요즘 엄마들과 방법은 잘못됐지만 확신이 있는 육아를 했던 옛날 엄마들은 어떤 차이가 있을까. 엄마 자신도 육아 스트레스나 우울증이 많아지고, 아이들 또한 옛날 아이들보다 우울증이나 스트레스가 많아졌다. 불안한 태도로 하는 육아방식은 아이에게 많은 영향을 준다. 엄마의 육아 가치관에 확신이 없으면 아이는 무엇을 기준으로 삼아야 할지 몰라 혼란을 겪게 되고, 그로 인해 스트레스가 많아지며 더 많은 부적응 행동을 하게 된다.

결론부터 말해보자. 요즘 엄마들은 왜 점점 더 불안해할까. 나는 지금의 30~40대 엄마의 불안이 1990년대부터 시작되었다고 확신한다. 더 정확히 88올림픽을 기점으로 우리 사회의 환경이 달라졌다. 86아시안게임과 88서울올림픽을 치르면서 외국관광객을 유치하기 위해 해외여행 자율화 조치가 시행되었고, 내국인도 해외관광을 자유롭게 할 수 있게 되었다. 한마디로 이즈음 우리의 문호가 갑자기 열렸다.

이때부터 사람들의 생각이 빠르게 바뀌기 시작했던 것 같다. 1990년대 들어 빠르게 인터넷이 대중화되었다. 사람들은 책이나 전문가를 찾기보다 인터넷을 검색하여 정보를 취득하기 시작했다. 인터넷 사용이 대중화되면서 정보의 양이 늘어났고, 아이를 잘 키우고 싶은 나름 앞선(?) 엄마들은 각종 인터넷 포털 사이트에 글도 올리고, 블로그도 하면서 아이를 키우기 시작했다. 우리 사회의 이런 변화와 요즘 엄마들의 육아 불안은 커다란 상관관계를 갖고 있다. 갑자기 밀려들어온 주체할 수 없이 방대한 정보는 엄마들로 하여금 더 많은 걱정과 더 강한 불안을 만들어냈다.

분명, 옛날 어른들도 아이를 사랑했고 끔찍하게 아꼈다. 그런데 새로운 육아의 원칙과 이론은 이전 세대의 것들이 모두 틀렸다고 말한다. 오랫동안 관습처럼 여겨왔던 많은 육아 방법을 새로운 이론의 잣대로 평가하면 잘못되거나 혹은 그릇된 것이 되고 말았다. 옳다고 믿어왔고 익숙했던 육아 방식이, 자신조차 그렇게 자라왔던 수많은 방식이 사실은 모두 잘못된 것이니 바꾸라는 말을 듣게 된 것이다. 예전보다 아이를 현저히 적게 낳는 현실에서 이런 정보들이 쏟아져 들어오니 젊은 부부들은 당황해하며 한 번도 듣지도, 해보지도 않은 새로운 방식으로 아이를 키우고자 했다. 세계적인 육아 권위자들이 말한 대로 최선의 방법으로 아이를 키우고자 했다. 그런데 이상한 점은 검증된 그들의 방식대로 아이를 키우는 데도 점점 더 불안해지는 것이었다.

요즘 부모들이 이처럼 불안해하는 데는 크게 두 가지 이유가 있다. 첫 번째는 머리로는 새로운 방식으로 아이를 키우는 것이 가능하지만, 몸은 전혀 그렇지 못하다는 것이다. 어린 시절부터 알고 있던 기준들, 대를 이어 내려오던 육아 방식이 이미 젊은 엄마의 몸에 새겨져 있어 새로운 방식은 왠지 어색하고 확신이 안 가기 때문이다. 두 번째는 그 이론을 깊이 받아들이지 못했기 때문이다. 그동안 오랫동안 믿어왔던 방식이 변하려면 변화가 일어나는 과정이 필요하다. 충격도 받아야 하고 거부도 해야 하고, 충분한 논의도 거치면서 많은 시간이 흐르는 가운데 그 방식에 대한 생각이 조금씩 조금씩 바뀌어야 한다. 그래야 자기 안에 그 정보가 자연스럽게 내재된다. 그런 과정 없이 단지 결과만 받아들이고 팁만 찔러주는 식이 되면, 왜 그렇게 해야 하는지에 대한 확신이나 생각이 없기 때문에 그렇게 하면서도 불안하고, 상황이 조금만 바뀌어도 전혀 대처를 못하는 상황이 벌어진다.

종종 아이를 키우는 일은 본능이고 감각이라고 말한다. 몇 가지 원칙만을 요점 정리하듯 수박 겉핥기식으로 알아서는 실제 육아의 현장에서 적용하기 힘들다. 이는 요리를 전혀 못하는 초보주부가 간단한 레시피만 보고 요리를 만들어야 할 때의 곤혹스러움과 같다. 젊은 엄마들은 너무나 간단하게 정리된 육아의 이론 요약과 핵심 원칙을 보며 하루에도 수없이 "그래서 다음에는 어떻게 하라는 거지?" 하고 묻곤 한다. 그녀들은 그 해답을 구하기 위해 끊임없이 인터넷과 자기와 같은 고민을 가진 동지를 찾아 헤맨다. 그러니 옛날 엄마보다 더욱더 불안할 수밖에.

현재의 육아 이론은 서양에서 들어온 것이 많다. 지금은 그것이 최선이라고 알려져 있지만 그 이론이 처음 등장했을 때는 서양에서도 한동안 논란을 일으켰고, 많은 사람이 그 이론에 동의하기까지 오랜 기간 충분한 논의를 거쳐 정착되었다. 많은 전문가가 부르짖는 '아동 존중' 은 서양의 경우 체코슬로바키아의 교육사상가 코메니우스가 17세기, 프랑스의 교육사상가 루소가 18세기에 이미 입이 마르도록 강조한 것이었다. 그 후 몇 백 년 동안 서양에서는 '아동 존중' 에 대한 논의를 해왔고, 사회 곳곳에 아동을 존중하는 사상이 뿌리를 내렸으며 내 아이는 물론 다른 아이들조차 존중하는 것이 자연스러워졌다. 그리고 그들은 실생활에서 아이를 존중하는 육아 방식을 알아서 체득하게 되었다. 아이의 인격을 존중하여 절대 체벌하지 않으며, 아이의 자유의지를 존중하는 것이 무엇보다 중요하다는 것도 알게 된 것이다. 하지만 우리는 아직 그렇지 못하다. '아이를 존중해야 한다' 는 말에 고개는 끄덕거리지만, 돌아서면 그게 뭔지 와닿지 않는다. 자기 자신이 존중받으며 자라지도 않았고, 자라는 동안 아이가 존중받는 모습도 보지 못했기 때문에 그 명제를 자연스럽게 받아들이지 못한다. 아이를 존중하는 것은 상당히 오랜 기간 피부로 받아들여져서 나의 삶에, 하나의 가치관과 철학이 되어야 한다. 그래야 자신의 삶 곳곳에서 아이를 존중하는 행동을 하게 된다.
젊은 엄마들은 아이를 잘 키우고 싶은 마음은 있지만 오랜 시간 서서히 체득되어야 할 철학이나 개념이 부족하다. 마치 고등학교 학생들이 학원도 다니고, 참고서로 공부하지만 그것이 과학적인 사고로 이어지는 것이 아니라 단지 시험을 보기 위한 단편적인 지식이 되고 마는 것과 같다. 마찬가지로 육아에 대해 아무리 많이 공부해도 이런 얄팍한 지식은 돌아서면 잊어버리고 만다. 아이를 잘 키우고 싶은 마음은 충만하지만 오랜 시간을 두고 몸으로 체득하면서 배운 것이 아니기 때문에 제대로 적용하지도 못할뿐더러 적용하면서도 불안하다.

## '나는 누구일까' 하는 정체성 혼란도 불안에 한몫

나는 올해 중학교에 입학한 아들이 있는 워킹맘이다. 하지만 의사 가운을 입고 진료실에 앉는 순간, 아이가 집에 왔을까? 숙제는 했을까? 하는 등의 생각은 거의 안 든다. 의사 가운을 입는 순간 '나는 의사'라는 정체성을 가진다. 하지만 오은영 안에는 정신과 의사나 병원원장, 방송인 등의 정체성만 있는 것은 아니다. 딸, 아내, 며느리, 엄마 등 여러 가지 정체성이 공존한다. 나는 각각의 내 모습을 바라볼 때 전혀 어색하지 않다. 진료실이나 방송에서는 환자들의 이야기를 듣고 보듬어주고 해결하지만, 집에 와서는 남편에게 철없는 아내가 되기도 한다. 일을 할 때는 솔선수범하며 열심이지만, 집에 와서는 마냥 퍼져 있기도 한다. 하지만 나는 이런 모습이 일관되게 느껴진다. 내가 나에 대해 갖는 모든 감정이 하나로 통합되어 그 모든 것이 편안하게 느껴지는 것이다. 완벽한 내 모습과 조금은 어설픈 나의 모습 등이 충돌을 일으켜 내 안에서 불안을 야기시키지 않는다. 이것이 바로 정체성의 통합이다. 그런데 요즘 젊은 엄마들은 이 정체성 통합에서 많은 어려움을 겪는 것 같다.

어떤 일을 맡겨도 믿을 수 있어라는 평가를 받았던 여자가 아이를 낳아 엄마가 되는 순간, 대부분 강한 정체성의 혼란을 겪는다. 나의 자존감의 핵심은 능력 있는 사람인데 엄마가 됨으로써 그것이 힘들어진 것이다. 자신이 바라는 모습과 현실의 모습이 다르다 보니 계속 갈등하고 불안한 마음의 연속이다.

옛날 엄마들은 이런 정체성의 혼란을 덜 겪었다. 자신은 엄마라는 정체성이 가장 중요하기 때문에 당연히 살림하면서 아이를 먹이고 보살폈다. 직장생활을 하더라도 그것은 아이들 밥을 굶기지 않기 위함이었기 때문에 엄마 역할을 하면서 불안감이 없었다. 그런데 요즘 엄마들은 어떤가. 자신이 어디에 서 있어야 하는지에 대한 확신이 없다. 엄마처럼 내 인생을 아이 때문에 송두리째 희생할 수 없다고 생각하면서도, 엄마보다 아이를 더 잘 키우고 싶다고 생각한다. 아이를 위한 책 한 권도 이 책 저 책 평을 읽어보고, 아이에게 줄 수 있는 영향에 대해서 생각하고 또 생각한다. 또 아이를 잘 키울 수 있는 육아법에 대해서도 누구보다 열심히 공부한다. 그런데 이렇게 하면서도 무의식적으로 '나는 뭘까? 엄마가 되면서 나 자신을 잃어버리는 건 아닐까?' 라는 생각이 수시로 든다. 엄마의 무의식 안에는 묘하게 아이에게 100% 희생하는 것에 대한 저항감이 존재한다.
이것은 갑자기 열린 문호와 다시 관련이 있다. 쏟아져 들어온 정보들은 한쪽에서는 여자도 자아를 성취해야 한다, 일하는 여성이 아름답다, 여자들도 사회생활을 해야 한다고 말하며, 다른 한쪽에서는 엄마가 아이에게 주는 영향은 무엇과도 비교할 수 없다, 아이는 반드시 엄마가 키워야 한다, 유아는 시기가 무엇보다 중요하다고 강조한다. 이 두 가지 측면은 1990년대 초반 각종 부모교육 프로그램은 물론 자녀교육 서적, 육아잡지 등에서 동시에 떠들어댔다. 물론 두 가지 모두 맞는 말이다. 하지만 갑자기 많은 정보를 받아들인 상태에서 그 이론들을 통합하고 결론을 내서 자기 것으로 받아들이기에 그 주제는 조금 벅찼다. 그러다 보니 젊은 엄마들은 미처 자신의 생각을 정립하지 못한 채, 자아도 찾아야 하고 아이도 잘 키워야 할 것 같은 이중고에 시달리고 있다.
사실 아이와 하루 종일 먹이고, 입히고, 놀아주고, 가르치면서 엄마가 자아실현을 한다는 것은 불가능에 가깝다. 그러다 보니 갈등과 불안이 생겨난다. 물론 그런 갈등이나 불안을 본인은 인지하지 못한다. 대부분 무의식적인 반응이기 때문이다. 힘들어지는 육아 상황에서 '내가 지금 뭘 하고 있나?' 하는 생각을 하게 되면 아이를 보면서 화가 나기도 한다. 화가 나서 큰 소리를 지르고 싶은데, 그러면 안 된다고 책에 쓰여 있으니 그렇게 하지도 못한다. 그러면서 뭔가 욕구불만이 생긴다. 자아실현을 하기 위해 열심히 회사에서 일을 하고 집으로 돌아오는 길에 '우리 엄마는 나를 위해 평생을 희생했는데, 나는 우리 아이한테 이렇게 해도 되나?' 하는 의구심이 들기도 한다. 자신이 나쁜 엄마 같은 느낌이 든다. '퇴근 후에는 좋은 엄마가 되어야지' 하고 다짐하다가 회식이 잡히면 다시 회의가 든다. 아이와 직장 중에서 어떤 것이 중요하지, 내가 뭔가 잘못하고 있는 건 아닐까, 난 아이를 위해 희생하는 엄마가 아니야 하는 생각은 의식화된 고민이 아니다. 무의식적으로 순간순간 드는 생각이다. 그러다 보니 엄마 역할을 하면서도 자주 나를 잃어버리는 것은 아닌지 수시로 불안해진다. 육아도, 자기 자신에 대한 일도 모두 불안해지는 거다.

자녀교육 하면 누구나 유태인의 교육방법을 생각할 정도로 유태인들은 가정교육에 관심이 많다. 이들의 가정교육은 우리가 생각하듯 조기교육이 아니다. 유태인들은 떠돌이 생활을 많이 했기에 고정된 학교에 다닐 수 없는 특수한 상황에서 아이와 가장 오랜 시간을 보내는 엄마가 아이의 교육을 담당하는 것이 관습이 되어 있었다. 유태인의 엄마들은 엄격하고 체계적으로 사회질서와 예의범절 등 공동체 생활에 필요한 것들과 유태민족의 언어, 역사, 문화, 인생관 등 유태인으로서의 정체성을 가질 수 있는 교육을 해왔다. 이런 교육은 유태민족을 지키고, 유태인 중에서 세계적인 인물이 탄생하는 데도 기여했다. 유태인은 아이가 태어나면 부모는 부모로서의 역할을 열심히 하고, 자식은 자식으로서의 역할을 충실히 해야 하는 것이 흔들리지 않는 가치관으로 자리 잡고 있다.

외국에서 공부를 하면서 유태인 엄마를 만난 적이 있었다. 그녀도 공부를 하고 있었는데, 아이를 낳자 주저 없이 육아에 올인하였다. 한국 엄마라면 아까워할 만도 싶은데 그 유태인 엄마는 별로 고민하지 않았다. 유태인 엄마들은 아이가 있는 경우 남편이 돈을 잘 벌면 절대 일을 하지 않는다. 그녀들에게는 아이의 보살핌과 교육이 절대적으로 우선이다. 그녀들의 핏속에는 그런 것들이 프로그래밍되어 있다. 아이를 키우고 교육시키면서도 확신에 차 있다.

그러다 보니 외국에서 공부하는 동료 의사들끼리 우스갯소리로 '아이를 맡기려면 유태인 엄마한테 맡겨라' 고 말할 정도였다. 아이가 태어나는 순간, 이들에게는 엄마라는 정체성이 가장 강해지는 것이다. 하지만 오해는 하지 말길 바란다. 여자가 결혼을 하면서 아이를 낳게 되면 무조건 여러 가지 정체성 중 하나를 고르라는 것은 아니다. 한 가지만 고를 수 있는 문제라면 혼란이 적겠지만, 그것은 불가능하다. 한 가지를 고르기보다 스스로 통합할 수 있어야 한다. 혼자 사는 세상이 아닌 한, 누구도 한 가지 정체성만 갖고 살아가는 것은 불가능하다. 그보다 직장에 있을 때와 아내로 있을 때, 아이를 보살필 때의 나의 모습을 모두 편안한 느낌으로 받아들이라는 것이다. 자신의 정체성을 통합해서 받아들여야 한다.

그런데 요즘 엄마들은 왜 이렇게 정체성의 통합이 힘든 것일까. 이런 엄마들은 자아의 균형이 깨져 있는 경우가 많다. 쉽게 말해 뭔가 채워지지 않는 자기 욕구와 현실이 충돌할 때, 자아가 균형을 맞추는 기능을 해야 하는데 그게 잘 안 되는 것이다. 현실적으로 나는 이렇고 상황은 이렇고 이것은 할 수 있고 이것은 할 수 없고를 인정할 수 있도록 자아가 도와주어야 하는데, 그 조율이 잘 안 되는 것이다. 본능적인 욕구와 현실의 조율, 이것이 자아의 기능이다. 이것이 안 되면 정말 괴롭다. 보통 정체성의 통합이 잘 안 되는 엄마들은 역할이 바뀌거나 추가되는 것에 굉장히 불안해한다. 미혼이었다가 기혼이 되는 것, 직장이 없다가 생기는 것, 아이가 없다가 생기는 것, 아이가 한 명이었다가 두 명이 되는 것 등 역할이 바뀌면 모두 힘들어한다. 사실 자아의 조절 기능이 좋을 경우, 역할이 바뀌거나 추가될 때 자연스럽게 자기 능력의 재배치가 일어난다. 자기에게 주어진 시간이나 노동력에 맞춰 어디에, 어느 정도 에너지를 쏟아야 할지에 대한 배분이 자연스럽게 일어난다. 이것이 잘 안 되는 것이 바로 정체성의 혼란이다.

자아의 조절 기능이 서툴다면 의도적으로라도 이 기능을 깨워야 한다. 이렇게 자아의 기능을 깨우기 위해서는 다음의 두 가지를 기억해야 한다. 첫째는 자신을 자주 들여다볼 것. 나에게 중요한 것이 무엇인지 스스로에게 수시로 물어봐야 한다. 그리고 의사들이 보수교육을 받는 것처럼 끊임없이 재교육을 받아야 한다. 전문가에게 상담을 받든, 책을 읽든, 명상을 통해 성찰하든 현실과 본능적인 욕구를 조절하는 자아 기능을 강화시켜야 한다.

두 번째는 자기 자신한테 조금은 너그러워져야 한다. 너무 지나치게 완벽하려고 애쓰지 말라는 것이다. 역할이 몇 가지 안 될 때는 자아가 그런대로 기능을 하다가 역할이 많아지면 자아의 조절 기능이 약해지기도 한다. 이렇게 되면 굉장히 혼란스럽고 불안해진다. 이럴 때는 자신에게 지나치게 철저한 면이 있는지, 용납 못하는 면이 있는지 스스로 살펴보고 내려놓을 것은 내려놔야 한다. 자기 자신한테 관대해져야 한다는 말이다. 회사일을 잘하던 사람이 아기가 생기면 이전만큼 일을 못하는 것은 당연하다. 일에서 부족해진 자존감은 아이를 키우면서 느껴지는 기쁨과 행복감으로 채워진다. 그런 것을 또 하나의 성장, 발전이라고 생각해야지 도태나 상실로 받아들여서는 안 된다.

## 불안의 바닥에는 죄책감, 미안함, 욕심이 있다

예전 세대 엄마들은 모여서 이야기를 나눌 시간이 많지 않았다. 먹고살기 바빴기 때문에 육아가 이야기의 주제가 되지도 못했다. 지금의 엄마들은 예전에 비하면 육아나 교육에 관한 이야기를 많이 나누는 편이다. 그런데 이런 기회가 오히려 불안을 야기하기도 한다. 조금 많이 알고 있는 엄마든, 아는 것이 별로 없는 엄마든 모두 나름대로 정체성의 혼란 상태에서 이렇다 할 정설이 없는 이야기를 나누기 때문이다. 이러한 자리는 자신도 불안한 상태에서 다른 사람한테까지 불안을 전해주는 효과를 낳는다.

현주는 올해 초등학교 5학년이 되는 여자아이이다. 현주 엄마는 같은 아파트단지에 사는 또래 아이를 둔 엄마들과 아이 교육에 대한 이야기를 나누고 있었다. 한 엄마가 "혹시 입학사정관제라고 들어봤어? 요즘은 대학

가려면 초등학교 때부터 준비해야 한다고 하던데. 국문학과를 가려면 어릴 때부터 독후감이나 일기 쓴 것을 모두 모아 포트폴리오로 만들어서 그걸 제출해야 한다나봐"라고 말한다. 현주 엄마는 '우리 현주가 엄마가 무식해서 대학도 못 가는 거 아니야' 라는 생각과 함께 불안감이 밀려온다. 다른 엄마도 "그래서 우리 애는 영문학을 전공시키려고 열심히 영어 말하기, 듣기, 경시대회에 내보잖아" 하며 하나, 둘 이런 이야기를 늘어놓으면 오늘 입학사정관제를 처음 들어본 현주 엄마는 '난 이런 것도 모르고 안 시켰네' 라는 죄책감, '내가 뭘 몰라서 우리 아이에게 기회를 못 주는 것 아닌가' 하는 미안함, '우리 애도 저런 거 시켜야지' 하는 욕심이 동시에 든다. 죄책감, 미안함, 욕심이 커질수록 엄마는 걱정이 더 많아지고 더욱 불안해진다.

우리나라 엄마들은 아이를 대할 때 죄책감, 미안함, 욕심이 많다. 이 세 가지가 엄마의 불안을 만드는 원인이 되는데, 그중에서도 가장 큰 불안을 만드는 것은 욕심이다. 내가 갖고 싶고, 성취하고 싶고, 이루고 싶은 위치에 아이가 다다랐으면 좋겠다는 욕심을 부린다. 공부에 한이 맺힌 사람은 아이가 공부를 못하면 말할 수 없이 불안해한다. 마치 자기처럼 불행해질까봐 안타까운 마음에 갖는 불안이지만, 아이와 자신을 잘 분리시키지 못한 것이 원인이기도 하다. 자기 자신이 부모와의 관계가 좋지 못했던 사람은 아이가 나처럼 괴롭고 힘든 마음이 생길까봐 지나치게 집착하여 불안해진다. 그런데 이러한 욕심은 모두 자기 확신이 없기 때문에 오는 것이다. 자기 마음속에 '이 정도면 됐어. 충분해' 가 안 되기 때문이다.

## 40대는 슈퍼키드에 대한 집착 때문에, 30대는 질투심 때문에 불안하다

지금의 30~40대 엄마들이 갖는 불안은 그들의 상황을 조금 더 심층적으로 살펴보면 이해하기 쉬워진다. 이들 엄마들은 그 이전의 엄마들로부터 교육적 지원을 전혀 받지 못한 세대였다. 그러니까 60~70대 엄마들은 교육이나 모든 면에서 '후남이'가 될 수밖에 없었다. 한마디로 못 배운 세대들이다. 이분들은 "여자가 무슨 공부를 해?"라는 말을 들으면서 자랐다. 때문에 이분들은 내 자식은 누구보다도 열심히 가르칠 거야라는 생각을 품고 살았으며, 딸들 또한 웬만큼 공부를 시키기 위해 노력했다. 그래서 30~40대 여자들은 남자 형제와 똑같은 조건으로 대학을 나온 사람이 많다. 40대 엄마들은(50대 초반까지) 자신들의 엄마 덕분에 교육을 받고 세상에 나왔지만 사회가 아직 변하지 않은 것에 좌절했다. 사회는 여전히 남자들이 중심이었다. 건축설계도 배우고 건축사 자격증도 땄지만, 남자 건축사처럼 일을 시켜주지 않았다. 남자보다 훨씬 똑똑한데, 남자는 임원으로 승진하고 여자는 만년 사원으로 남겨졌다. 실력은 있지만 사회의 벽은 넘을 수 없을 만큼 높았다. 이들은 자신의 자식을 키울 때는 이런 사회적 불이익을 겪지 않게 하겠다는 결심을 단단히 했다. 필요하면 유학도 보내고, 경쟁력 있는 사람으로 키우기 위해 무한한 지원을 아끼지 않았다. 경쟁력이라는 미명하에 영어를 못하면 영어 과외를 시키고, 아이가 춤을 못 추면 댄스학원도 보내고, 키가 작으면 성장클리닉에 가서 주사도 맞췄으며, 치아가 고르지 않으면 교정도 해주었다. 능력은 있었지만 사회에서 인정받지 못했던 설움을 내 아이가 당하지 않게 하기 위해 이 세대 엄마들은 아이가 슈퍼키드가 되기를 바랐다. 그러다 보니 이 나이 엄마들은 엄친딸, 엄친아라는 말을 듣는 아이를 갖게 되었다. 공부는 물론 운동도 잘하고 얼굴도 예쁘고 외국어도 잘하는 아이로 키워낸 것이다.

아이가 운동을 못하면 부모가 "네가 운동선수가 될 것도 아닌데 뭐 어때? 체육점수는 못 받아도 돼. 그냥 즐겁게 즐기는 거야"라고 말해줘야 하는데, 이 세대 엄마들은 "너 체육 때문에 내신 안 나온다"라고 말한다. 내 아이는 모든 부분에서 최고가 돼야 하기 때문이다. 어디에 가도 경쟁력 있는 딸, 아들이 되기를 바라는 것이다. 하지만 이렇게 슈퍼키드를 바라는 엄마의 태도는 어느 부분에서도 자존감을 느끼지 못하는 아이로 키울 수도 있다. 아이는 엄마의 양육태도 탓에 몸매도 날씬해야 하고 얼굴도 예뻐야 하고 공부도 잘해야 하고 영어도 잘해야 하고 옷도 잘 입고 다녀야 할 것 같은 강박증을 갖는다. 춤도 잘 춰야 하고 노래도 잘해야 한다. 그런데 어떤 사람이 이 모든 것을 만족시킬 수 있겠는가. 결국 슈퍼키드를 바라는 엄마 때문에 자기만의 장점이 있음에도 불구하고 아이는 자존감이 낮은 사람으로 자랄 위험이 있다. 40대에서 50대 초반의 엄마들은 자신이 받지 못해서 생겨났던 결핍을 아이에게 물려줄까봐 죄책감이 느껴져서 불안하다. 그래서 더더욱 아이의 경쟁력에 지나치게 집착한다.

그렇다면 30대 엄마들은 왜 불안해할까? 이들은 윗세대의 엄마들에 비해 풍족하게 자랐고 시련도 없었다. 30대 엄마는 유복하게 자랐기 때문에 자신이 꾸린 가정에 그런 유복함이 없다는 것에 굉장히 힘들어한다. 그 유복함을 유지하기 위해 친정이나 시댁에서 도움을 받을 수밖에 없는 상황에 처한다. 친정이나 시댁으로부터 도움을 받지 않으면 경제적으로 위축될 수밖에 없다. 그렇다고 도움을 받자니 친정과 시댁의 잔소리를 들어야만 한다. 왜냐하면 30대 엄마들의 부모는 자식 세대보다는 잘살지만, 그렇다고 돈을 펑펑 줄 형편까지는 안 되기 때문이다. 대부분의 부모가 도와주면서 이렇게 살아라, 돈 좀 아껴 써라 등의 잔소리를 귀가 따갑도록 할 것이다. 30대 엄마들은 그 소리는 듣고 싶지 않지만 유복함도 포기할 수 없어 늘 불만을 갖고 있다. 아이에게도 자기가 받은 것보다 더 많이 해주고 싶지만, 그럴 능력이 안 되기 때문에 짜증이 나 있다. 그 짜증을 투사할 대상을 찾고 있으며, 누가 자기보다 잘산다는 말만 들으면 질투가 나서 어쩔 줄을 모른다.
이처럼 30대 엄마들이 갖는 불안의 근원은 질투다. 질투가 나기 시작하면 불안해진다. "굉장히 잘 가르치는 학원이 있는데, 그 학원은 6개월 치를 선납해야 한대"라는 말을 들으면 "뭐 그런 곳이 다 있어?"라고 비난하면서도 우리 아이를 그곳에 못 보내는 것에 질투심이 생기면서 불안해진다. 그러면서 그 불안한 마음을 투사할 대상을 찾는다. 단골 대상은 바로 남편과 시댁이다. "다른 남편들은 연봉이 1억이라는데 당신은 뭐야? 남편이 능력이 없으면 시댁이라도 잘살든지. 내 친구 시댁은 때 되면 용돈도 턱턱 주신다는데, 우리 시댁은 돈이 있으면서 어쩌면 이렇게 무관심한지 몰라" 하면서 남편한테 온갖 신경질을 다 낸다. 한 가지 재미있는 것은, 이 엄마들은 남편한테 돈을 많이 벌어오라고 요구하면서 오후 6시만 되면 남편한테 전화해서 언제 퇴근하냐며 채근한다. 야근을 한다고 하면 "그렇게 늦게 오면 나 혼자 힘들어서 어떡해" 하면서 칭얼댄다. 이들은 남편에게 돈을 많이 벌어올 것을 강요하면서 육아에도 참여할 것을 요구한다.

40대에서 50대 초반의 엄마들은 육아를 어려워하지 않았다. 살림을 하면서 아이를 키우는 것을 당연하다고 생각했고 오히려 남편이 참견하지 않는 것을 편하게 생각하는 세대이다. 이들은 육아나 살림은 내가 알아서 할 테니 돈만 많이 벌어오라고 요구한다. 하지만 30대 엄마들은 보살핌을 너무 많이 받고 자란 세대라 혼자 육아를 하거나 살림하는 것을 버거워한다. 40대에서 50대 초반의 엄마들은 어린 시절, 엄마가 바쁘면 자기가 도시락도 싸고 동생도 돌보았지만, 30대 엄마들은 오직 보살핌만 받아봤지 스스로 해본 적이 없다. 이들은 자녀교육서도 보고 부모교육 방송도 보면서 '좋은 엄마가 되어야지' 라고 매일 다짐하지만, 막상 하려고 하면 몸이 따라주지 않는다. 심지어 자기 아이도 무거워서 잘 안지 못하는 엄마들도 있다. 밖으로 나가면 온통 명품육아, 명품육아 하는데 이들 남편의 월급으로는 그런 것을 감당할 수 없다. 좋은 대학은 나왔지만, 수입은 기대치에 훨씬 못 미치니 30대 엄마들은 결혼 전보다 풍족하지 못한 자신의 상황에 화가 나고 다른 집 아이의 먹는 것, 입는 것, 배우는 것이 우리 아이보다 나은 것 같으면 질투심에 불타오른다. 이러한 질투심은 30대 엄마가 갖고 있는 불안의 원인이 된다.

## 한 번에 하나만 처리하는 뇌, 무관심으로 오해받다

엄마들은 흔히 "남자들은 다 무관심해"라고 말한다. 자기 아이의 문제인데도 아빠들은 다른 집 아이의 얘기를 듣는 것처럼 시큰둥하다고 생각한다. 하지만 아빠라고 자식 걱정이 안 되겠는가. 아빠도 사람이고 불안이나 걱정은 인간이라면 누구에게나 필요한 방어기제인데, 아빠라고 걱정이 없겠는가. 인간의 감정에서 아빠도 예외일 수 없다. 부모라면 걱정할 만한 문제인데도 이해할 수 없는 무관심으로 일관하는 아빠들의 반응은 그 자체가 바로 불안이다.

아빠의 무관심에 대해 알아보기 위해 다시 원시인류의 삶으로 거슬러 올라가보자. 엄마들은 아빠들이 던져준 사냥감으로 먹고사는 것을 궁리하는 역할을 맡다 보니, 유전자 정보에 걱정이 프로그래밍되었다고 말한 바 있다. 이에 비해 아빠들은 오래 생각하지도 이리저리 뒤져보지도 않는다. 원시인류에서 아빠의 역할은 사냥이었기 때문에, 끊임없이 나가서 목표물을 정하여 화살을 쏘든지 도끼를 던져야 했다. 화살이나 도끼를 던져야 하는 순간, 너무 오래 생각을 하면 눈 깜짝할 사이에 사냥감이 도망가버린다. 때문에 남자들은 딱 한 가지만 보고 순간적으로 결정한다. 이러한 차이는 쇼핑을 할 때도 극명하게 차이가 난다. 엄마는 백화점에 가서 여기저기 매장을 돌아다니며 상품을 살펴보고 다른 브랜드와 비교도 한다. 하지만 아빠는 한 매장에 돌진하듯 들어가 마음에 드는 딱 하나만 고른 후 매장을 나온다.

끊임없이 튕겨나가 사냥을 해서 돌아와야 했던 원시인류 남자에게 생존을 위해서 가장 필요한 것은 사냥과 싸움 본능이었다. 그리고 사냥이나 싸움에서는 무조건 이겨야 살아남는다는 정보가 유전자 깊숙이 프로그래밍되어 있어 자기와 생각이나 의견이 다른 사람은 일단 적으로 인식하여 대립하는 특성이 있다. 사냥과 싸움 본능은 아빠들이 다른 사람에게 자신이 모르는 것을 인정하거나 자신이 모르는 것을 묻는 것에 대해서도 영향을 주게 된다. 아빠들은 모르는 것이 있다는 것을 좀처럼 인정하기 싫어한다. 그것을 자존심 상해한다. 그것은 적에게 자신의 약점을 노출하여 싸움에서 지게 하는 요인이 될 수도 있기 때문이다. 또한 모르는 것을 묻는 것도 싫어한다. 이것은 자신이 사냥꾼으로 자격이 부족하다는 것을 인정하는 것이기 때문이다. 아빠들이 운전할 때 길을 잘 못 찾으면 누군가에게 방향을 물어보지 않는 것은 자신이 원시인류였을 때 사냥꾼이었던 것이 유전자 정보에 들어 있기 때문이다. 사냥꾼이 방향을 물어본다는 것은 번식하는 데 적절한 능력이 없다는 것을 드러내는 것으로 부득불 혼자 방향을 찾으려 한다.

딱 하나의 사냥감만 보고 단숨에 처리하는 아빠들. 그러다 보니 그들은 주의력도 떨어진다. 주의력은 우리가 흔히 생각하는 것처럼 무엇에 집중할 때만 필요한 능력이 아니다. 계획을 세워서 그 계획을 실행해 나가는 데 있어 조직적이고 체계적인 전략을 세우고 우선순위를 결정해서 다기능적으로 처리하는 데도 필요한 능력이다. 엄마들은 여러 가지 방법으로 사냥감을 처리해야 했기 때문에 주의력이 남자보다 발달할 수 있었다. 하지만 아빠들은 뭐든 딱 하나만 단숨에 처리하는 것이 유전자에 새겨진 탓인지, 동시에 여러 가지 일을 해내지 못한다. 예를 들어 머릿속에 아직 해결되지 않은 회사일을 가득 남겨둔 상태로 퇴근했다고 하자. 그러면 몸은 집에 와 있지만 아빠의 머리는 계속 회사일에만 몰두해 있다. 이때 아내가 옆에서 "여보, 요즘 세준이가…"라는 말을 해도 그 말에 집중하지 못한다. 두 가지 일을 목표물로 정하여 한꺼번에 처리하는 능력이 떨어지기 때문이다. 하지만 엄마는 아빠가 아이에 대한 사랑이 부족해서 건성으로 대답한다고 여기고 아이한테 무관심하다는 낙인을 찍어버린다.

원시인류에게 사냥꾼의 유전자를 물려받은 아빠들, 그들의 뇌는 오랜 시간을 거쳐 문제해결 중심으로 발달했다. 여자와 남자의 뇌 구조가 다르다는 말을 많이 들었을 것이다. 뇌라는 것은 모양이 똑같아도 크기나 비율에 따라 그 기능이 많이 달라진다. 여자들은 전두엽이 조금 더 발달되어 좀 더 조직적이다. 남자들은 자신들이 상대적으로 여자보다 사회생활을 많이 하기 때문에 조직적이라고 생각하지만, 실은 여자가 더 조직적이다. 여자들의 뇌는 조직적이라 계획을 더 잘 세운다. 보통 여자는 좌반구의 기능들이 우세하다고 알려져 있다. 때문에 논리 지향적이고 세부 지향적이고 단어나 언어적 기능이 뛰어나고 순서나 패턴을 잘 지각하며, 사물의 이름을 잘 기억하고 현실적이고 실용적이고 안전 지향적인 선택을 잘한다. 이에 비해 남자는 우반구의 기능이 우세하여 문제해결이라든가, 도형이나 기계적인 것이 발달해 있으며, 공간지각 능력이 뛰어나고 사물의 기능인지가 빠르고 공상적이고 충동적이고 위험을 감수하는 선택을 많이 하는 편이다. 하지만 여자지만 남자의 뇌를 가진 경우도 있고, 남자지만 여자의 뇌를 가진 사람도 있으며 균형 있는 뇌를 가진 사람도 있다. 이처럼 남녀 뇌의 차이는 상대적인 것으로 절대적으로 받아들이지 않도록 주의하자.

어쨌거나 남자들의 이런 뇌의 상대적인 특징도 무관심하다는 오해를 사게 하는 원인 중 하나이다. 남자의 뇌는 문제해결 본능을 강하게 일으키기 때문에 어떤 문제가 주어지면 '안 돼' 혹은 '돼'라는 답을 하고 싶어 한다. 그런데 여자의 뇌는 감성적인 특징이 있어서 문제해결보다는 공감을 원한다. 자신의 불안을 알아주었으면 하는 마음이 강한 것이다. 그런데 남자는 무조건 해결만 하려고 든다. 때문에 문제를 접하면 이것이 자신이 해결할 수 있는 문제인지, 아닌지부터 따진다. 하지만 여자는 해결이 되지 않더라도 그 문제에 대한 대화를 나누면서 자신의 감정이 주고받아지기를 원한다. 시댁 문제가 대표적인 예다. 남자는 시댁과 관련된 문제는 아무리 얘기를 해도 자기가 해결할 수 없다는 것을 알기 때문에 "됐어. 그만해"라고 얘기해버린다. 남자는 여자가 하는 이야기가 옳더라도 자기 어머니와 의절할 수 없기 때문에 이런 대화 자체를 나누기 싫어한다. 해결할 수 없는 문제는 자신에게 불안을 만들기 때문에 회피한다. 하지만 이런 상황에서 아내의 감정을 조금만 읽어주어도 생각보다 쉽게 문제가 해결되는 경우도 많다. 어차피 결론은 같더라도 아내가 "오늘 어머니랑 이런 일이 있었어"라고 말하면, 남편이 "많이 힘들었겠구나. 우리 엄마가 좀 그러니까 당신이 이해해줘"라고 말하는 것만으로 여자의 불안은 대부분 해소된다.

내 아이에 대한 문제는 문제해결의 본능에 내가 모르는 분야라는 옵션이 추가된다. 아빠들은 자신이 모르는 분야에 대해서 이야기하는 것을 싫어한다. 그리고 모르는 것을 모른다고 인정하거나 알기 위해 물어보는 것을 자존심 상해한다. 그래서 자신이 모르는 분야의 문제가 나오면 모르니까 가르쳐달라고 하기보다 "그건 문제도 아니다"라고 말해버리는 경우가 많다. 요즘 아빠들은 옛날의 아빠들에 비해 육아나 가사노동도 많이 도와주는 편이지만, 여전히 유전자에 보살핌의 본능이 아로새겨져 있는 엄마보다는 모르는 것이 많다. 본능을 빼고라도 아이와 보내는 시간이 엄마에 비해 턱없이 부족하기 때문에 육아의 기술뿐 아니라 아이에 대한 단순한 정보도 많이 부족하다. 그러다 보니 자주 "괜찮아. 다 그렇게 크는 거야"라고 말하는 것이다. 모르는 분야이기 때문에 대화가 길게 이어지는 것이 두려워 빨리 끝내려고 한다. 아빠들의 이런 행동은 십중

팔구 "괜찮긴 뭐가 괜찮아. 자기 자식 일에 관심이 있기는 해?"라는 비난을 듣게 만든다.

## 아빠 불안의 본질은 '고집, 회피, 불신, 경계심' 이다

아빠들에게 질문을 하나 하고 싶다. "괜찮다. 그냥 둬도 잘 큰다"라는 말을 할 때, 본인의 마음 상태는 어떠한가? 편안한가? 그리고 정말 스스로 생각해도 아무런 조치를 취하지 않고 두어도 아이가 잘 클 거라는 확신이 있는가? 아빠가 되고 나서 아이를 잘 키우거나 가르치기 위해 확고한 가치관을 세워둔 것이 있는가? 아마 아닐 것이다. 불안하고 걱정스러운 마음을 잊기 위해, 사실 뾰족한 대책도 없으면서 "잘될 거야"라고 말하면서 지나친 낙관주의자처럼 행동하는 경우가 대부분이다. 그러면서 자기 자신에게 최면까지 건다. '잘되겠지, 그래 잘될 거야' 라고. 불안한 주제를 다루고 싶지 않은 그 마음, 그것이 아빠의 불안이다. 아빠들은 그것 때문에 궁지에 몰리고, 가족은 나 몰라라 하면서 술자리나 좋아하는 아빠로 몰리는 것이다. 그렇다면 아빠가 갖는 불안의 본질은 무엇일까. 나는 그것을 고집이라고 생각한다. 우리나라 아빠들은 "내가 잘못 생각했네. 내 생각이 틀린 것 같은데"라는 말을 잘 안 한다. 그것이 바로 고집이다. 얼마 전에 진료실을 찾았던 환자의 경우 남편이 네덜란드 사람이었다. 이 환자는 아이를 낳자마자 우울증이 심해서 아이를 거의 돌볼 수가 없었다. 다행히 경제적으로 여유가 있어서 아이는 놀이방에 맡기고 엄마는 하루 종일 누워 있었다. 남편이 퇴근해서 집에 돌아오면 집 안은 난장판이었다. 그런데 이 환자는 집에 가사도우미가 오는 것도 싫어해서 그 집안일을 남편이 모두 해야 되는 상황이었다. 남편은 퇴근 후 아이를 놀이방에서 데려온 다음, 집 안을 치우고 아이를 먹이고 씻기고 재우는 모든 것을 담당했다. 우리나라 아빠라면 이런 상황에서 어떻게 할까? 상황 자체가 화나고 아내가 미워질 것이다. 아내로서의 역할을 안 하는 것에도, 아이를 전혀 돌보지 않는 것에도 화가 나서 어쩔 줄 모를 것이다. 그런데 이 네덜란드 아빠는 아내가 우울증을 치료하는 도중, 아이도 우울증이 있는 것 같다며 아이까지 데려왔다. 그리고 내가 해주는 조언(대부분 아빠가 아이나 아내에게 해주어야 할 일이었다)을 적극적으로 받아들였다. 아이와 아내의 상태를 설명하고 대안을 제시하면서 무언가를 시도해보자고 하면 합리적으로 받아들였다. 흔쾌히 받아들이고 오히려 자기가 어떤 노력을 했으면 좋겠냐고 되물었다. 그는 아이도 굉장히 중요하지만, 아내도 너무 사랑하기 때문에 아이의 예후나 치료만큼이나 아내의 그것을 궁금해했다. 그는 나의 어떤 설명에도 절대로 격분하지 않았다.

우리나라 아빠는 아내나 아이가 이런 상황으로 치료를 받아야 하는 경우, 아이는 물론이고 아내도 문제가 없다고 말한다. 그리고 시간이 지나면 괜찮아질 것을 괜히 문제 삼는다는 식으로 나온다. 내가 해주는 조언 역시 그냥 두어도 좋은 예후를 보이는 0.001%를 가지고 따진다. 혹여 지금의 상태가 1, 2년 후에는 이렇게 저렇게 진행될 수도 있다는 이야기를 하면 화를 내다가 아내를 혼자 남겨두고 진료실 문을 쾅 닫고 나가버리기도 한다. 아빠들의 이런 태도는 '고집'이고 '회피'다. 그 내면에는 집안의 식솔이 겪는 문제는 자기에 대한 흠이고 자기에 대한 열등감이고 자기에 대한 공격이라고 여기는 아빠들의 본능을 느낄 수 있다. 아빠들은 우리 가정, 우리 가족에게 일어난 문제는 나의 책임, 나의 흠이라고 생각한다. 그래서 문제가 발생해도 그 문제를 아이나 그 가족 구성원의 입장에서 생각하기보다 '아니'로 일관한다. 아이와의 관계에서도 자꾸 대립하게 되는 이유도, 바로 이런 태도 때문이다. 아이 문제를 아이 입장에서 생각하지 않고 자기 입장에서 생각하기 때문이다. 아빠들은 아이가 문제가 있다는 소리를 들으면 자존심 상해한다. 아이가 아파서 도와주려는 것인데 아빠가 기분 나빠하는 것이다. 하물며 아내가 "학교에서 선생님이 그러는데 민우가 학습도 부진하고 애들도 많이 때린다면서 정신과 진료를 한번 받아보라고 하던데요" 하고 말하면 "애들이 다 그렇지 뭐" 하면서 기분 상해한다. 그것을 자기에 대한 공격이라고 받아들이기 때문이다. 이런 일이 반복되면 그 집 아빠는 자연스럽게 무관심한 아빠 쪽으로 분류된다.

그렇다면 아빠들은 왜 그러는 걸까. 우리나라는 전통적으로 아빠에게 '가장家長'이라는 말을 붙였다. 가장은 집안의 우두머리로 집안에서 일어나는 모든 일을 책임져야 한다는 생각이 지배적이다. 그런데 집안에 일어나는 일이 '자랑' 이면 상관없지만, '문제' 이면 그것은 내 집안에 흠이 되었고, 나의 흠이 되었다. 우리나라 아빠들의 유전자에는 '내 집안은 곧 나의 대한 평가' 라는 생각이 프로그래밍되어 있다. 내 집안의 문제가 노출되면 그것은 나의 약점이 된다. 나의 약점이 적에게 드러나면 내가 싸움에서 질 수도 있기 때문에 아빠들은 자기 집안의 문제가 밖으로 노출되는 것에 대해 극도로 싫어한다. 때문에 아빠들은 자기 혹은 집안사람의 문제에 대해 방어적이다. 사실 엄마들은 다른 사람을 만나서 남편 흉도 보지만 아빠들은 모르는 사람에게 집안 구성원에 대한 이야기를 잘 하지 않는다. 또한 자기의 진짜 고민에 대해서도 잘 이야기하지 않는다.

아빠들의 불안에는 '불신' 도 한몫한다. 아빠들은 좀처럼 남의 말을 믿지 않는다. 아빠들은 자신이 인정하는, 어느 정도 검증된 사람의 말만 신뢰한다. 때문에 보통의 소아청소년정신과에는 집안의 반대를 무릅쓰고 엄마 혼자 아이를 데리고 다니는 경우가 많다. 아이가 문제가 있어서 소아청소년정신과를 찾는 것을 그 집의 남자들은 모두 반대한다. 첫 번째 남자가 할아버지고, 두 번째 남자가 아빠다. 아빠들은 유명한 학자가 하는 말은 믿지만, 아내나 자신이 잘 모르는 전문가가 하는 말은 믿지 않고 경계한다. 의외로 자기가 신뢰하는 상사의 말은 찰떡같이 신뢰한다. 아빠들은 여러 사람의 의견을 받아들이는 것에 익숙하지 않다. 엄마들이 너무 많은 이야기를 들어 귀가 얇아져서 불안한 편이라면, 아빠들은 객관적으로 받아들여야하는 이야기조차 받아들이지 않아 불안하다. 그러다 자신이 평소 믿고 의지하는 상사가 술자리에서 "아이는 뭐 어쩌구저쩌구…" 하고 말하면 갑자기 생각이 바뀐다. 엄마들은 이 말 저 말을 듣고 "우리 아이를 어쩌지?" 하는 마음에 불안해하지만, 그렇다고 옆집 엄마의 말을 결정적으로 받아들이지는 않는다. 옆집 엄마의 말은 여러 가지 정보 중 하나로 참고만 할 뿐이다. 그런데 아빠들은 그 상사가 전문지식이 없음에도 불구하고 그 말을 절대적으로 신뢰한다.

아빠들이 다른 사람의 말을 잘 듣지 않는 이유는, '고집과 회피'가 가장 크고, 그 고집 안에 숨은 감정인 '경계심'도 있다. 전문가와 상담할 때조차 논쟁을 벌여 이기려고 드는 것은 왠지 그 말을 받아들이면 자신의 안전이나 안정이 흔들릴 것 같기 때문이다. 자신의 영역 안에 이전까지는 없던 새로운 것이 들어오면, 그것이 지금까지 유지해왔던 자신의 가치관, 개념, 삶을 변화시킬 것이 두려워 받아들이지 않으려고 한다. 다른 사람의 조언을 받아들이는 것 자체를 자신의 안전을 위협당하는 것으로 여긴다. 아빠들의 이런 행동은 아주 무의식적이고 본능적인 것이다.

재미있는 것은 남자들의 이런 경계심은 딸을 결혼시킬 때도 나타난다. 딸이 결혼할 남자를 데리고 오면 아빠들은 위협감을 느낀다. 우리 가족이라는 울타리 안에 낯선 사람이 들어오기 때문이다. 아빠들은 그 사람에게 믿음이 생길 때까지 딸과 계속 논쟁한다. 그가 우리 가족이라는 울타리 안에 새로운 개념을 가지고 들어올까봐 불안하기 때문이다. 그 낯선 사람을 부정하고 계속 트집 잡고 싶어 한다.

결론적으로 아빠들은 자신의 고집이나 불신, 경계심 안에 불안이 있다는 것을 알아야 한다. 자신의 "괜찮아"라는 말 속에 엄마와 똑같은 걱정이 있다는 것을 잊지 말아야 한다.

## 40대는 소통불능, 30대는 멀티풀한 역할 요구

우리나라 아빠들도 엄마들처럼 세대마다 다른 불안의 배경을 가지고 있다. 진료실에서 만나는 아빠들이 모두 하는 일과 사는 곳이 다름에도 불구하고 불안을 무관심으로 표현하는 이유는 묘하게 세대별로 비슷하다.

40대(50대 초반까지) 아빠들은 가슴에 맺힌 것이 많은 세대다. 이들은 똑똑했지만 집이 너무 가난했다. 따라서 충분한 지원을 받지 못했다. 또는 어린 시절 먹고사는 것이 너무 힘들었다거나 부모님이 갈등이 심하셨기 때문에 부모와 진지하게 이야기를 나눠본 적도 없었다. 공부에도 특별한 관심을 받아본 적이 없다. 이들은 자신이 아빠가 되면 적어도 내 자식만큼은 돈이 없어서 공부 못하는 상황은 만들지 않겠다는 생각을 늘 하고 있다. 이들의 형제 관계를 들여다보면, 큰형은 뒷받침을 받아 대학을 나왔는데 자기는 돈이 없어서 대학교육을 못 받았고 정작 뒷받침을 받은 큰형은 부모님을 나 몰라라 하는 상황으로 나머지 자식들이 조금씩 돈을 모아 부모님 용돈을 드리는 묘하게 비슷비슷한 시나리오를 가지고 있다. 또한 이들은 사회에 나갔더니 교육적인 뒷받침도 잘 받고 외국 유학도 갔다 온 사람은 승진도 잘하고, 본인은 영어를 못해 영업 실적이 높은데도 승진에서 미끄러지는 설움도 겪었다. 그래서 어떻게 해서라도 우리 애만큼은 영어를 잘하게 만들어야겠다는 생각도 가지고 있다. 때문에 이 아빠들은 집안일에 무관심하다고 느낄 정도로 밖의 일에 몰두한다. 열심히 사회생활을 해서 돈을 벌고 술 상무도 하다 보니 아이들하고 별로 대화를 나눠본 적이 없다.

이 세대 아빠들의 아이들은 대부분 지금 중고등학교 학생이다. 이 아이들은 "아빠는 회사일, 아빠일밖에 모르면서 성적만 떨어지면 그 따위로 할 거면 과외 그만둬!"라고 소리만 지르는 사람으로 설명한다. 사실 이 아빠들의 마음은 '내가 술 상무를 해서라도 우리 아이 과외비를 벌어야겠다' 는 것이다. 엄마와 마찬가지로 아이 뒷바라지를 위해 고생하며 돈을 버는 것이다. 그런데 힘들게 야근이나 출장을 갔다 왔는데 소파에 비스듬히 누워 TV를 보던 아이가 새로 나온 휴대폰을 사달라고 말하면 화부터 난다. 그 휴대폰 하나 사주려면 또 얼마나 열심히 일해야 하는데, 자식은 공부도 열심히 안 하면서 갖고 싶은 것만 사달라고 한다. 이런 상황이 되면 이 세대 아빠들은 집안사람 모두가 자신의 상황과 고충을 너무 몰라준다며 서운해하고 불만을 갖게 된다. 남들 다 가는 유학도 못 가고, 부모의 지원이 없어 좋은 대학도 못 나온 내가 이만큼 버티려면 먹기 싫은 술을 얼마나 마셔야 하고, 쉬는 날까지 또 얼마나 골프 접대를 해야 하는지 아냐며 항변한다. 자신도 쉬고 싶은데 아이랑 아내는 만날 돈만 달라고 하고 "당신은 밖이 더 좋지?"라는 말을 한다. 돈을 벌기 위해 얼마나 많은 것을 희생하는데, 가족들은 자기한테 이기적이고 무관심하다며 투정하고 불평한다고 답답해하고 억울해한다. 그런데 이 아빠들의 가장 큰 잘못은 소통을 하지 않았다는 것이다. 내가 왜 이렇게 벌고 있고 어떤 대우를 받는지, 어떤 일에 스트레스를 받는지, 왜 자식이 공부를 열심히 했으면 좋은지에 대해 아내와 아이와 함께 솔직한 대화를 나누지 않은 것이 가장 큰 잘못이다.

이 세대의 아빠들은 아내가 밖에 나가서 돈을 벌어오기를 바라지 않았다. 40대에서 50대 초반의 아빠들은 '내가 먹여 살릴 테니까 당신은 내가 바깥일에만 전념할 수 있게 아이는 알아서 키워라. 집안 살림은 알아서 했으면 좋겠다' 는 기본 전제를 가지고 있는 경우가 많다. 아내 또한 남편의 그런 전제를 대부분 별 이의 없이 받아들인 상태다. 어찌 보면 서로의 역할을 암묵적으로 나눠놓았다고 할 수 있다. 이 기본 전제의 근본은 사랑이지만, 표현은 무관심으로 나타난다. 이 세대 아빠들이 가장 많이 하는 말은 "내가 신경 좀 안 쓰게 잘할 수 없어?"다. 이들은 아예 '나는 너희를 사랑한다. 그리고 내가 하는 일은 너희를 잘 키우기 위한 거다. 그러니까 나는 좀 무관심하겠다. 신경 안 쓰게 해달라' 고 선언한다.

이 아빠들의 방식이 잘못된 것은 분명하다. 자신이 돈만 많이 벌어 와서 경제적인 것만 해결해주면 아이가 무조건 잘할 수 있을 거라는 것은 망상이다. 40~50대 부부는 아이가 어릴 때는 역할이 나눠져서 불안감이 없었다가 아이가 중고등학교에 가서 아이가 남편이 원하는 수준을 충족시키지 못할 경우, 남편이 교육에 관여를 하면서 부부간의 갈등이 고조

된다. 이때 아내와 아이는 왜 갑자기 안 하던 아빠 노릇을 하려드냐며 아빠의 존재를 오히려 눈에 거슬려하기 때문이다.

30대 아빠들의 사정은 어떨까. 30대 아빠들은 아이를 낳는 순간 아내와 1:1 성인의 인간관계였던 것이 바뀌는 것을 느낀다. 아빠가 되면서 갑자기 부가된 책임에 우울증을 느낀다. 이 세대 아빠들은 40대 아빠들과는 다르게 그 책임 중 경제적인 부분을 아내도 공유해주었으면 하는 생각도 한다. 나아가 맞벌이도 원한다. 30대 아빠들이 40대 아빠들에 비해 훨씬 더 가정적이기는 하지만, 아이가 아파서 울 때 아내가 알아서 척척 해결했으면 좋겠다는 생각도 한다. 자기도 아빠가 된 상황이 벅차고 어색하기 때문이다. 하지만 이들과 사는 아내는 아이는 반드시 둘이 키워야 하고, 집안일도 남편이 도와야 된다는 생각이 투철한 사람들이다. 여기에서 부부간의 갈등이 발생한다.

40~50대는 나름 역할이 확실히 구분되어 있어, 남편이 육아를 도와주지 않는다고 아내가 불만을 품지 않았다. 오히려 남편이 돈을 많이 벌어오고 육아에 무관심하기를 은근히 바란다. 그런데 30대 부부들은 암묵적으로 나눠진 분야가 없다. 서로 모든 분야를 전부 해주기를 바란다. 남편은 아내가 돈을 벌면서 아이도 키우고 살림도 잘하기를 원하고, 아내는 남편이 돈도 잘 벌면서 육아도 도와주고 가사노동도 덜어주기를 원한다. 그러면서 내심 남편은 아이만 키우던 자신의 엄마만큼 아이를 잘 키워주기를, 아내는 육아나 살림에는 전혀 관심이 없던 자신의 아빠만큼 돈을 많이 벌어 오기를 바란다. 서로의 역할이 불분명해지면서 서로에게 멀티

풀한 능력을 요구하는 것이다. 그런데 이들은 이전 세대에 비해 풍족한 환경에서 자랐기에 그 기준이 높은 편이다. 이들은 최고로 좋은 것을 알고 있고 그것을 갖고 싶어 한다. 따라서 배우자가 그 최고를 가져다주지 못하는 것에 늘 불안과 분노를 품고 산다. 사실, 30대 부부의 마음이 편안해지기 위해서는 자기가 갖고 싶은 것의 수준을 한두 단계 낮춰야 한다. 기준이 되는 삶의 모습을 좀 낮게 잡아야 한다. 그렇지 않으면 이 부부가 가진 딜레마는 극복하기 어렵다. 원하는 것의 수준을 낮추고, 기본적으로 현재 가지고 있는 것에 고마워할 줄 알아야 한다.

## 전통적인 아버지상, 이제는 '무관심한 아빠'라 손가락질 받는다

엄마들의 불안이 커진 것은 1990년대 초, 엄마들은 갑자기 열린 문호에 엄청난 충격을 받고 변화했다. 여러 가지 정체성에 혼란이 오고, 통합이 안 되는 면도 있었다. 워킹우먼으로 일하고 싶은 열정이 솟구치다가도 아이한테 무관심한 나쁜 엄마라는 생각이 들어 일을 하면서도 갈등이 심했다. 엄마들의 불안이 이렇게 커지는 사이, 아빠들은 어떠했을까. 아빠들도 일부 변화했다. 아이에게 문제가 생기면 엄마보다 먼저 달려와 전문가와 상담하고, '아이 일'이라면 자신의 일을 미루는 아빠들도 늘어났다. 그런 아빠들은 지금까지 말했던 일반적인 아빠들과는 다른 방식으로 문제에 접근했다. “제가 어렸을 적 이런 문제가 있었어요. 제 아이만큼은 이런 문제로 힘들어하지 않았으면 좋겠습니다. 문제를 극복하기 위해 제가 어떻게 도와주면 좋을까요?”라며 자신의 문제를 먼저 인정하고 도움을 요청했다.

어떤 아빠는 “진료 결과 아이가 산만하며 그 원인은 생물학적 문제입니다”라는 나의 말에 “저에게서 물려받았다는 말이군요. 제가 아빠로서 성인이 되기 전까지 꼭 치료해주어야겠네요. 그게 제 몫이니까요”라는 훌륭한 말을 하기도 했다. 나는 아이의 치료비나 특수 교육비를 대기 위해 자기의 꿈을 접고 ‘스리잡’까지 하면서 늘 아내와 함께 병원에 오는 아빠도 보았다. 이처럼 일부의 아빠들은 좀 더 합리적으로 생각하고 가정적으로 변하고자 한다.

육아든, 질병이든, 치료든 전문가들이 무언가를 제안할 때는 “지금까지는 모두 틀렸습니다”라고 말하지 않는다. 전문가들은 “현재 연구는 여기까지 밝혀졌고, 현재 상황에서는 이런 대처가 가장 현명합니다”라고 말한다. “이것이 최선입니다. 확실합니다. 방법은 한 가지뿐입니다”가 아니라 “많은 연구와 결과를 보았을 때 이렇게 하는 것이 가장 바람직할 것 같습니다”라고 말한다. 그리고 항상 이 바람직한 방법에 속하지 않는 예외가 있음도 알린다. 그러면 대부분의 아빠는 그 예외에 집중하고, 문제를 ‘치료를 해야 낫는다’와 ‘치료를 안 해도 낫는다’로 양분해서 생각한다. 사고의 유연성이 떨어지는데, 대부분 그렇다. 그런데 이런 대부분의 아빠들 가운데 합리적으로 생각하고 융통성 있게 행동하는 아빠들이 나타나기 시작했다.

시간이 남으면 알아서 집안일을 하고, 아이가 다니는 의료기관이나 교육기관에 대해 엄마보다 더 많은 정보를 갖는다. 이런 남편을 요즘 말로 일명 아내 친구의 남편인 '아친남'이라 부른단다. "내 친구 남편은 아이 일이라면 열 일 젖히고 달려온다더라" 또는 "내 친구 남편은 청소와 설거지는 자기가 한다고 신경도 쓰지 말라고 그랬다더라" 등 아내의 말 속에 등장하는 아내 친구의 남편들 중 가정적이고 다정한 아빠들을 가리킨다. 시대가 변하면서 사회적 변화에 맞물려 등장한 꽤 융통성 있는 아빠들 때문에 다수의 무관심한 아빠들은 그 무관심의 정도가 더 두드러지게 드러나는 상황이 되었다. 무관심한 아빠가 튀어 보인다. 그에 따라 아내들의 불만과 불안도 더욱 커지게 되었다.

## 불안한 부모는 아이를 과잉 개입하거나 과잉 통제한다

불안은 인간의 생존에 반드시 필요한 감정이다. 불안은 누구나 경험하는 정서적인 반응으로 현실에서 위험에 처할 때 사람들은 자연스럽게 불안을 느낀다. 그래서 자신을 보호하려 하고 대책을 마련한다. 적당한 불안은 일상생활에서 적응 능력을 높인다. 적당히 불안하면 함부로 덤벼들지 않고 약간 긴장한 상태에서 거리를 두고 지켜보면서 자기 자신을 효과적으로 보호하기 때문이다. 또한 안전한 방향으로 문제해결도 이끌어낸다. 하지만 지나친 불안은 현실적으로 위험이 전혀 없는 상황이나 대상에 대해서도 심하게 반응하거나 일상생활에서 부적응을 낳기도 한다.

그렇다면 지나치게 불안해하는 사람이 아이를 낳으면 어떤 일이 생길까? 매우 불안해하는 사람은 인생을 살아가면서 아주 특징적이고 공통적인 방어기제를 쓴다. 이들은 불안이 느껴지면 지나치게 경계하고 긴장하거나, 상대를 사납게 공격한다. 때로는 똑 부러지다 못해 너무나 단호하고 매정하게 굴거나 회피하거나 숨어버리는 행동까지 한다. 부모가 각각 불안이 높은 경우에도 마찬가지의 방어기제가 나타난다. 그러한 방어기제는 '과잉 개입'과 '과잉 통제'라는 잘못된 양육태도를 낳는다. 과잉 개입은 아이의 일에 지나치게 개입하는 것으로 대표적인 행동이 '잔소리'다. 과잉 통제는 지나치게 무섭고 엄격한 규칙을 만들어 아이를 통제하는 것을 말한다. 과잉 개입은 주로 걱정이 많은 엄마들이 많이 쓰는 양육 방식이고, 과잉 통제는 불안을 무관심으로 표현하는 아빠들이 주로 보여주는 양육 방식이다.

과잉 개입하는 엄마의 경우, 자신이 불안하기 때문에 아이를 늘 준비시키고 아이가 자기 예상과 예측대로 움직여주기를 원한다. 자기가 생각한 대로 일이 진행되지 않으면 무척 불안해진다. 그러다 보니 끊임없이 상대를 채근한다. 아이와 외출이라도 할라치면, 자기가 생각한 스케줄대로 아이가 움직여야 하기 때문에 10초 단위로 아이를 따라다니면서 잔소리를 하게 된다. 엄마는 아이에게 끊임없이 일어나, 옷 입어, 뭐하니? 빨리해, 옷 입으라고 했지? 이는 닦았어? 빨리빨리, 늦었어를 줄줄이 읊어댄다. 이런 잔소리를 좋아하는 사람은 아무도 없다. 아이는 '아, 시끄러워 죽겠네'라는 생각을 하게 된다.

이렇게 과잉 개입하는 엄마는 뭐든지 미리 독촉하기 때문에 아이의 자율성을 침해하게 된다. 이런 엄마는 아이가 잠들기 전에 책가방을 챙겨놓으면 아이가 자는 동안 가방을 뒤져서 준비물을 잘 챙겼나를 체크한다. 아이가 불안해서가 아니라 자기가 불안하기 때문에 체크하는 것이다. 그런데 엄마가 지나치게 불안해서 뭐든 과잉 개입하면 아이는 진취적이거나 위기에 대처하는 법을 배우지 못한다. 엄마가 그런 경험을 해볼 틈을 주지 않았기 때문이다. 우리의 인생에는 아이가 건강하게 자라기 위해서는 꼭 필요한 정도의 위기가 있다. 그 위기는 모험이거나 도전이라고도 표현될 수 있을 것이다. 불안한 부모를 가진 아이는 그러한 기회를 갖지 못한다.

과잉 통제를 쓰는 아빠의 경우는 겁 많고 나약하며, 세상에 대해 굉장히 많은 불안을 느끼는 자신의 모습을 들키지 않기 위해 가부장적이고 엄격한 모습을 취한다. 가부장적인 아빠들 중에는 생각 외로 불안도가 높은 사람이 많다. 가부장적이고 엄격하게 행동하여 자기 불안을 상쇄하는 것이다. 이들은 힘이 있는 존재로 보이기 위해 일부로 아이에게 친밀하고 다정한 행동을 안 하기도 한다. "우리 민철이가 정말 멋진데"라고 말하는 것이 왠지 약한 사람처럼 보여 아이에 대한 칭찬도 절제한다. 엄격하고 무섭게 다룰 필요가 없는 아이임에도 불구하고 아이에게 설득하거나 설명하는 대신 항상 강압적인 육아 태도를 취한다. 이렇게 되면 아이는 자존감이 떨어지고, 자율성을 발달시키지 못해 자기 의견을 쉽게 내지 못하는 사람이 되는데, 쉽게 말해 기가 죽어버린다. 그러면서 겉으로는 아빠를 두려워하지만 마음속으로는 아빠에 대한 분노가 쌓인다. 화가 나지만 무섭고 두려워 분노의 감정을 표현하지는 못한다.

또한 겉과 속이 다른 마음으로 인해 늘 혼란을 느끼고 매사에 불안해하는 행동을 보인다. 많은 경우 과잉 개입하는 엄마의 불안은 아이를 더 불안하게 만들고, 과잉 통제하는 아빠의 불안은 결국 아이와 아빠 사이를 멀어지게 하는 주요 요인이 되곤 한다.

## 부모의 불안이 아이의 불안이 된다

불안한 부모는 아이를 존중할 여유가 없다. 불안하면 불안할수록 걱정이 늘어나고, 그 걱정은 꼬리에 꼬리를 문다. 그러다 보면 속이 다 타들어가 재만 남고 정신없이 닥치는 대로 불 같은 화를 낸다. 불안한 감정을 표현할 줄 몰라 화를 내기도 하고, 상대편 배우자가 그 불안을 해결해주지 않는 것에 또 화를 낸다. 서로의 불안이 부딪힌 상태에서 늘 화가 난 상태로 살기도 한다. 그런데 그 대상이 주로 내 아이가 된다. 부모에게 아이는 종종 화를 내도 편한 사람이 된다.

많은 부모가 불안하면 아이한테 화를 낸다. 자신의 불안의 원인이 아이가 아님에도 부모는 내 아이에게 화를 낸다. 아이에게 화를 내는 부모의 속마음은 세력으로 따지자면 가장 약한 존재라 만만하기 때문이기도 하고, 아이는 내가 없으면 못살기 때문에 내가 화를 내도 금방 용서할 거라는 것을 알기 때문이기도 하다. 부모의 예상대로 아이는 부모가 악다구니를 쓰듯 소리치고 패대기를 쳐도 "엄마"를 부르며 다시 달려온다. 그 고마움을 모르는 부모가 너무나 많다. 아이가 스스로에게는 무섭고 공포스럽고 혼란스러웠던 순간을 너무 쉽게 용서해주었다는 것을 모른다. 아이의 마음속에 상처가 점점 커지고 있다는 것을 모른다. 오히려 금방 용서해주니까 아이를 쉬운 존재로 생각한다. 부모는 자기 마음에 아이를 사랑하는 마음이 간직되어 있기 때문에 아이가 언제나 자신의 마음을 오해하지 않을 거라고 착각한다. 그래서 아이 앞에서 쉽게 화를 낸다.

문제는 아이가 사춘기 때 발생한다. 아이 마음속 상처가 커질 대로 커지면 아이는 더 이상 부모를 용서하지 않는다. 힘의 균형이 비슷할 때는 상대에게 화가 나면 맞서 싸우거나 안 보면 된다. 그런데 자식은 부모와 힘의 균형이 맞지 않는다. 아이는 마음속으로 화가 나도 제대로 표현할 수가 없고, 돌아서서 헤어질 수도 없다. 그래서 '부모의 화'는 아이에게 와 '아이의 분노'가 된다. 부모의 화보다 더 큰 화가 쌓이는 것이다.

아이의 마음은 존중받아야 한다. 특히 부모에게는 반드시 존중받아야 한다. 아이를 존중하는 부모의 마음은 아이가 가질 사회성에 매우 큰 영향을 준다. 아이를 가장 믿고 사랑해야 하는 사람은 부모이다. 아이는 그 사람과 관계가 편해야 타인과의 관계도 잘 유지해 나갈 수 있다. 관계가 편치 않으면 아이는 세상을 불신하고 불안한 눈으로 바라보는 사람으로 자란다. 얼마 전 북한이 연평도를 폭격했을 당시, 나는 한창 진료 중이었다. 병원에는 진료를 하러 온 수많은 불안한 엄마, 아이들이 함께 있었다. 들어오는 사람마다 "선생님, 전쟁이 나면 어쩌죠?"가 첫 마디였다.

그날 나는 전혀 불안하지 않았다. 나는 아이들에게 "내일 지구가 멸망해도 너는 학교에 가서 공부를 하고, 나는 진료를 보는 거야" 하고 말했다. 그러면 아이들은 "선생님, 죽을지도 모르잖아요? 무서워요"라고 대꾸했고, 나는 "너는 사랑하는 사람이 모두 죽는데, 너 혼자만 살면 그것도 큰 문제이지 않을까?"라고 말해줬다.
불안이 잘 처리가 안 된 사람들은 기본적으로 세상에 대해 불안하다. 조금만 변해도 불안해하고 조금만 큰일이 생겨도 불안해서 아무것도 하지 못한다. 인간관계에 있어서도 불신이 많다. '저 사람이 나를 어떻게 하면 어쩌지?' 하는 생각을 하면서 좀처럼 믿지 못한다. 심지어 친절하게 대해줘도 '무슨 꿍꿍이가 있는 건 아닐까?' 라고 의심하고 조금만 정색하고 말해도 '나를 무시하는 것 같은데, 나를 혐오스럽게 생각하는 것 아니야?' 라고 생각해 기분이 금세 상해버린다. 부모의 불안이 이처럼 불안한 사람을 만들 수도 있다.
그러니 부당하게 아이에게 절대 화내지 마라. 때리는 것은 말할 것도 없다. 부당하게 아이에게 화를 내는 것은 기본적으로 아이를 존중하지 않는다는 것을 의미한다. 야단을 치더라도 좋게 말해야 한다. 오냐오냐 해주라는 말이 아니라 좋은 말로 하라는 것이다. 아이가 동생을 밀어서 넘어뜨렸더라도 "이놈의 새끼, 어디서 이런 것을 배워가지고 못된 짓을 해!"라고 말하지는 말라. 그 말은 아이의 행위가 아니라 아이 자체를 나무라는 것이다. 그런데 우리는 그 말에 "에그, 아빠를 닮아가지고" 또는 "너 한 번만 더 그러면 가만 두지 않을 거야"라는 말까지 덧붙인다. 아이의 뿌리부터 비난하며 협박한다. 단지 단호한 표정으로 "종민아, 동생을 밀어서는 절대 안 되는 거야. 동생뿐 아니라 누구도 밀면 안 돼"라고 말하면 그만이다. 아이가 "화 나잖아요"라고 말하면 "화가 날 수는 있어. 그렇다고 사람을 밀면 안 돼. 말로 해야 하는 거야. '네가 그러니까 형이 정말 화가 나' 라고 말해야 하는 거야"라고 말하면 된다.

다른 사람의 감정을 받아주고 이렇게 친절한 설명을 해주는 것은 기본적으로 그 사람을 존중하고 있다는 마음의 표현이다. 부모의 이런 행동은 아이에게 '나는 너의 존재를 존중하고, 나는 너에게 감정적인 상처를 주지 않겠다' 는 뜻을 전하는 것이다. 나는 엄마들에게 종종 아이에게 눈을 흘기지 말고 아이에게 소리 지르지 말라고 조언한다. 그것이 아이를 존중하는 가장 쉬운 방법이다.

아이는 부모 사이에 갈등이나 불화가 있을 때 무척 불안해한다. '엄마 아빠가 이혼하면 나는 누구를 따라가야 할까?' 하면서 불안해한다. 아이는 자신의 존재나 가치에 대해서 존중받지 못할 때도 불안해한다. 부모 입장에서는 정신 차리라는 의미로 따끔하게 하는 지적이나 비난에 아이는 오히려 불안해진다. 이것은 아이뿐만 아니라 인간이라면 누구나 자신의 존재감을 인정받지 못하면, 기본적으로 자기 존재에 불안을 느낀다. 또 부모의 양육 방식이 거칠고 무섭거나 서툴러도 불안해한다. 부모가 아이의 일에 지나치게 과잉 반응하거나 당황해해도 아이는 불안해한다. 부모의 불안이 아이의 불안이 되는 것이다.

## 불안을 인정해야 안정된 양육이 가능하다

한 부부가 진료실을 찾아왔는데, 상당히 유순하고 점잖아 보이는 부부였다. 부부는 순해 보이는 4살 난 아들의 손을 꼭 붙들고 있었다. 남자아이는 어렸을 적부터 낯도 너무 가리고, 누가 조금만 스치고 지나가도 울고, 누가 쳐다보기만 해도 울어댔다고 했다. 부부는 '좀 크면 나아지겠지' 생각하며 기다렸다. 그런데 점점 자랄수록 아이의 행동은 더욱 심해졌다. 감각이 예민한지 소리에도 지나치게 민감하고 어떤 식재료도 한 번에 먹지 못할 정도로 입맛도 까다로웠다. 심지어 촉감도 예민해 변기에도 앉지 못할 정도였다. 아이는 첫눈에도 기질적으로 예민하고 불안이 높아 보였다. 이 유순한 부부는 아이를 키우는 게 너무 힘이 든다고 고백했다.

이후 부부를 상담했다. 보기에는 유순하고 평온해 보이는 두 사람은 별다른 갈등도 없고 좀처럼 싸움도 하지 않는다고 했다. 겉보기에는 특별한 문제가 없어 보였지만 이들의 불안한 정도는 의외로 높은 편이었다. 그래서 부부에게 "두 분 가운데 불안이 심한 분이 계신 것 같은데요, 어느 분이 그러세요?" 하고 물었더니 엄마가 먼저 "제가 수줍음이 많고 겁이 많은 편이에요"라고 대답했다. 이어 아빠도 "저도 원래 성격은 무척 내성적이고 꼼꼼한 편입니다"라고 대답했다. 불안이 높은 사람들끼리 결혼할 확률은 극히 낮다. 대부분 불안한 사람은 자신의 불안한 부분을 해결해야 할 문제로 보기 때문에 전혀 불안해 보이지 않는 사람과 결혼하게 마련이다. 종종 극도로 용감해 보이는 사람을 극대로 이상화하여 결혼하는 경우도 있다. 그런데 막상 결혼을 하고 보니, 그 용감한 사람도 자신처럼 불안이 심한 사람일 수 있다. 왜냐하면 불안은 워낙 다양한 모습이라 언뜻 봐서는 알아볼 수 없기 때문이다. 또한 본인도 자신이 불안한지 모르는 경우도 많다. 불안은 종종 자신이 생각하는 것과는 정반대의 모습으로 존재하기도 하기 때문이다. 사실은 겁이 많지만 용감한 모습으로, 무척 소심하지만 지나치게 대범하게, 만사에 노심초사하지만 철두철미하고 완벽한 모습으로 변신하기도 한다.

결혼을 하기 전에는 이런 불안이 별다른 문제를 일으키지 않을 수 있다. 인간관계도 좋고 성격도 좋은 사람으로 사회생활도 잘할 수 있다. 하지만 결혼해서 아이를 낳게 되면 자신이 가진 불안이 조금씩 몸체를 키우며 스멀스멀 올라오기 시작한다. 아이가 생겨 부모 역할을 맡으면 '보살핌'과 '보호'라는 단어가 절대적인 사안이 된다. 불안은 보호라는 개념과 직결된다. 본래 자신이 가진 불안과 엄마 아빠가 되면 각각 가질 수밖에 없는 불안이 합쳐진다. 불안이 커지는 것이다. 예전에 불안이 높았다는 것은 뭔가 자신이 안전하지 못한 상태이고 보호받지 못했다는 반증이다. 혼자일 때는 다른 사람이 눈치 채지 않도록 자신을 예민하게 숨기며 살았다. 그런데 절대적으로 내가 보호해야 할 아이가 나타났다. 불안은 다른 사람이 눈치 채지 못하게 관리할 수 있는 수준을 넘어서게 된다. 이쯤 되면 내 안에서 비상사태를 선포하고 불안도를 최대한으로 높이고, 갖가지 방어기제들을 사용하기 시작한다. 불안이 적당한 선을 넘으면서 도를 넘어서는 대응이 시작되는 것이다. 뭐든 지나치면 문제를 야기하기 시작한다.

완벽주의면서 매사에 철저하게 처리하는 것을 좋아하는 어떤 아빠는 자상하게 숙제를 내주고 아이의 시험을 꼼꼼히 챙겼다. 그런 행동이 아빠에게는 관심이고 사랑이고 교육이었다. 그런데 아빠의 성격이 지나치게 완벽하면 아이가 아빠 마음에 들기 어렵다. 아이는 그런 아빠 때문에 늘 긴장한 상태로 살았다. 아빠는 100점짜리 문제를 내고 아이가 90점을 맞으면 칭찬보다는 다음번에는 10점을 반드시 채울 것을 채근했다. 그리고 그만큼 숙제를 내주고 시험을 봤다. 이 아이는 매번 평가받는 상황에서 지나치게 불안해하는 사람으로 자랐다. 사람이 많으면 발표도 못하고, 평상시에는 잘하다가도 시험만 보면 지나치게 긴장하는 사람이 되었다. 어린 시절 너무 가난해서 어렵게 생활했던 한 엄마는 아이에게 항상 "돈이 최고야. 돈 없이 세상을 어떻게 사니?" 하고 말하며 돈을 강조했다. 성인이 된 아이는 사업을 벌였지만 실패하고 말았다. 그런 아이가 생각할 수 있는 것은 죽음뿐이었다. 부모가 돈이 없으면 세상을 살 수 없다고 가르쳤기 때문이다. 만약 엄마로부터 '돈은 열심히 일하면 저절로 따라오고 돈이란 있다가도 없는 거야' 라는 가르침을 받았다면, 아이는 돈 때문에 실패한 상황을 잘 견뎌냈을지도 모른다. 그런데 부모가 돈을 너무 강조하면 그것과 관련된 실패를 경험했을 경우 지나치게 치명적으로 받아들이게 된다. 또 어렸을 때부터 공부만 강요했던 부모 밑에서 자랐던 사람들 역시 부모가 되면 아이한테 공부할 것을 다그친다. 부모는 아이에게 '공부가 세상에서 가장 중요하다' 고 강조하며 공부가 아닌 다른 가치는 별로 중요하게 다루지 않는다. 그런데 아이가 공부를 못한다면 이 아이는 세상을 암담한 눈으로 바라보기 시작한다. 자기의 인생이 끝이라고 생각한다. 조금씩 색깔이 다른 부모들의 불안이 아이의 삶을 망칠 수도 있는 '불안'을 안겨준 것이다.

앞서 찾아온 부부 또한 아이를 낳기 전에는 별 문제가 없었다. 그런데 자신들이 원래 가지고 있던 불안이 합쳐서 극도로 불안해하고 공포를 가진 아이가 태어났고, 그 아이로 인해 다시 불안이 높은 엄마, 아빠로 변했던 것이다. 그런데 만약 이들 사이에서 불안이 전혀 없는 아이가 태어난다면, 그 아이가 느끼는 충격은 얼마나 클까? 불안한 부모는 불안하지 않은 아이에게 올바른 양육 태도를 지니기 어렵다. 만약 부부 중 한 사람은 불안하지 않다면 불안한 배우자와 행복하게 살 수 있을까. 불안은 전염성이 상당히 강해서 불안하지 않은 사람도 불안한 사람 옆에 있으면 불안해지고 만다. 불안하지 않은 배우자는 불안으로부터 자신을 보호하기 위해 무의식적으로 배우자를 피하고 싶을지도 모른다. 불안한 사람은 살아가면서, 특히 부부가 되어 자식을 낳고 생활하면서 겪게 되는 너무도 많은 문제를 효과적으로 대응하지 못할 가능성이 많으며 늘 결핍으로 괴로워한다. 불안하지 않은 배우자는 불안한 배우자가 점차 짐으로 느껴져 함께 부부로서 또는 부모로서 사는 것을 부담스러워할지도 모른다.
부모라면 또는 부모가 될 거라면 자신의 불안에 대해 겸허하게 인정해야 한다. 자신의 어떤 행동 등이 불안인지, 상대편의 어떤 행동이 불안인지도 생활 속에서 이해하고 있어야 한다. 그렇지 않으면 많은 문제들이 생겨난다. 부부는 오해의 골이 깊어져 갈등하게 되고, 그 안에서 태어나는 아이 또한 건강하게 자라기 어렵다. 불안정한 양육 태도로 인해 불안정한 성인으로 자랄 수도 있다. 불안을 숨기거나 속이지 말고 자신의 불안을 인정하고 그대로 바라봐라. 불안은 인정하는 것만으로도 충분히 다스릴 수 있다. 내가 어떤 불안이 있는지 알면 불안이 물결칠 때 잔잔해지기를 기다렸다가 객관적으로 자신을 바라본다. 다음에 이와 비슷한 불안이 밀려오면 '내가 좀 심하구나. 내가 내 문제로 아이나 배우자한테 이렇게 행동하는구나' 라는 생각을 할 수 있다. 한두 번 그렇게 하기 시작하면 당연히 행동에 변화가 온다. 행동이 달라지면 내 불안은 물론, 나와 갈등을 일으키고 있는 상대의 불안 역시 덩달아 낮아진다. 따라서 우리는 내 안의 불안을 보는 연습부터 해야 한다.

P L U S

# 나는 얼마나 불안한 것일까?

'불안하십니까?' 라고 물으면 열에 일곱은 '아니요' 라고 대답한다. 사실 '네, 저는 불안해요' 라고 대답하는 것은 불안도를 말할 때 상위 레벨이다. 불안이 너무 높으면 자신이 불안한 것도 모른다. 이런 사람은 불안을 알게 하는 것부터가 치료이다. 불안은 인정하고 표현할 줄 알아야 조절할 수 있는 단계에 이를 수 있기 때문이다. 다음 세 가지 체크 리스트로 당신의 불안지수부터 알아보자.

## 양육 스트레스 체크

양육 스트레스가 높다면 당신은 불안하다. 아이를 키우는 상황은 늘 예측 불가능하기 때문에 불안할 수밖에 없다. 자신이 가지고 있는 불안이 높다면 양육 스트레스는 훨씬 커지기 때문이다. 부모로서 자신의 모습을 생각해보며 가장 잘 표현하고 있는 문항에 체크한다.

**해석** … 2번, 3번, 7번, 8번, 9번, 10번, 11번, 12번, 15번은 부모 역할의 효능감을 보는 문항이다. 이 번호들의 점수의 합이 32점을 넘었다면 당신의 양육 스트레스는 높은 것으로 추정된다. 단 9번과 10번은 역채점 문항임을 주의한다. 4번, 5번, 6번, 16번은 부모로서의 좌절 및 불안감을 보는 문항이다. 이 번호들의 점수의 합이 15점을 넘었다면 당신의 양육 스트레스는 높은 것으로 추정된다.

| | 문 항 | 전혀 그렇지 않다(1) | 별로 그렇지 않다(2) | 반반이다 (3) | 대체로 그렇다 (4) | 정말 그렇다 (5) |
|---|---|---|---|---|---|---|
| 1 | 나는 내가 일을 잘 처리한다고 느낀다. | | | | | |
| 2 | 나는 부모로서의 책임감에 얽매여 있지 않다. | | | | | |
| 3 | 내 생활에 방해가 되는 일들이 꽤 많다. | | | | | |
| 4 | 아이가 생기고 나서 남편과의 관계에서 예상 외로 많은 문제가 일어나고 있다. | | | | | |
| 5 | 나는 외롭고 친구가 없다는 생각이 든다. | | | | | |
| 6 | 이 아이를 가진 뒤에도 나는 하고 싶은 일을 하고 있다. | | | | | |
| 7 | 나는 세상일에 관심도 있고 재미도 느낀다. | | | | | |
| 8 | 나는 내 아이를 위해 내 삶의 많은 부분을 생각보다 많이 포기하고 있다. | | | | | |
| 9 | 나는 예전과 달리 다른 사람에 대해 관심이 없다. | | | | | |
| 10 | 모임에 참석할 때마다 재미없을 거라는 생각을 한다. | | | | | |
| 11 | 나는 우리 아이한테 좋은 부모라고 생각한다. | | | | | |
| 12 | 아이는 나를 기쁘게 하는 일을 잘한다. | | | | | |
| 13 | 아이는 나를 좋아하며 나와 가까이 있고 싶어 한다. | | | | | |
| 14 | 아이는 내가 기대하는 것보다 나를 보고 잘 웃지 않는다. | | | | | |
| 15 | 아이는 때때로 나를 귀찮게 하기 위해 일을 저지른다. | | | | | |
| 16 | 아이는 내 기대보다 새로운 것을 배우는 속도가 느린 것 같다. | | | | | |

## 불안도 체크

양육 스트레스가 높다면 불안한지를 체크해보자. 이성적으로는 불안하지 않다고 생각하지만 몸은 이미 불안을 느낀다. 감정이 신체 증상으로 전환되어서 느끼는 것이다. 항상 머리가 지끈거리거나 소화가 잘되지 않고 소변이 자주 보고 싶은 것도 모두 불안 때문일 수 있다. 간혹 각각의 불편 증상 때문에 병원에 찾아가 진료를 받아보지만 예상하다시피 '이상 없음'이라는 결과를 듣고 올 뿐이다. 자, 문항 하나하나를 천천히 읽어보고 요즈음 자신의 모습에 가장 적합하다고 생각되는 것을 체크한다.

**해석** … 총점 63점 중 0~21점이면 불안하지 않은 상태, 22~26점이면 불안한 상태, 27~31점이면 심하게 불안한 상태, 32점 이상이면 극심한 불안 상태에 해당한다.

| | 문 항 | 전혀 안 느낌 (0) | 조금 느낌 (1) | 상당히 느낌 (2) | 심하게 느낌 (3) |
|---|---|---|---|---|---|
| 1 | 가끔씩 몸이 저리고 쑤시며 감각이 마비되는 느낌을 받는다. | | | | |
| 2 | 흥분된 느낌을 받는다. | | | | |
| 3 | 가끔씩 다리가 떨리곤 한다. | | | | |
| 4 | 편안하게 쉴 수가 없다. | | | | |
| 5 | 매우 나쁜 일이 일어날 것 같은 두려움을 느낀다. | | | | |
| 6 | 어지러움(현기증)을 느낀다. | | | | |
| 7 | 가끔씩 심장이 두근거리고 빨리 뛴다. | | | | |
| 8 | 침착하지 못하다. | | | | |
| 9 | 자주 겁을 먹고 무서움을 느낀다. | | | | |
| 10 | 신경 과민 상태다. | | | | |
| 11 | 가끔씩 숨이 막히고 질식할 것 같다. | | | | |
| 12 | 자주 손이 떨린다. | | | | |
| 13 | 안절부절 못해한다. | | | | |
| 14 | 미칠 것 같은 두려움을 느낀다. | | | | |
| 15 | 가끔씩 숨 쉬기가 곤란할 때가 있다. | | | | |
| 16 | 죽을 것 같은 두려움을 느낀다. | | | | |
| 17 | 불안한 상태에 있다. | | | | |
| 18 | 자주 소화가 안 되고 뱃속이 불편하다. | | | | |
| 19 | 가끔씩 기절할 것 같다. | | | | |
| 20 | 자주 얼굴이 붉어지곤 한다. | | | | |
| 21 | 땀을 많이 흘린다(더위로 인한 것은 제외). | | | | |

P L U S

## 성인애착 유형 알아보기

**불안도까지 높게 측정되었다면 이전 부모와의 애착이 어떠했는지 알아보아야 한다. 불안도가 높을 때는 '내가 아이한테 너무 심하게 대하는가, 나는 어떤 엄마일까, 나는 어떤 아빠일까' 등의 문제를 생각해봐야 한다. 그런데 그 답을 위해서 중요한 것이 바로 나와 중요한 사람들과의 어린 시절 관계이다. 아래의 질문은 당신이 어린 시절 중요한 사람과 어떠한 관계를 맺었었는지를 보여줄 것이다. 성인애착 정도는 지금 내가 아이와 맺고 있는 애착반응의 75%를 보여주며, 불안의 원인이 불안정한 애착 때문은 아닌지를 설명한다.**

**해석**… 역채점 문항은 3번. 15번. 19번, 22번. 25번, 27번, 29번, 31번, 33번이다. 홀수번호의 점수가 42점보다 높은 사람은 불안정 회피애착, 짝수번호의 점수가 47점보다 높은 사람은 불안정 양가애착에 해당한다. 두 점수 모두 높으면 불안정 혼란애착이다. 두 점수가 모두 기준점수보다 낮으면 안정애착에 속한다. 불안정 회피애착은 어린 시절 부모가 아이의 욕구를 충족시키는 데 반복적으로 실패하거나 아픔을 경험하게 했을 때 형성된다. 부모와 자녀관계가 정서적으로 메마른 상태다. 이런 사람은 항상 혼자 있다고 느끼고 어려움이 있을 때 주위에 도움을 요청하기보다 자기 안에서 해결하려고 든다. 누군가 나를 도와주려 해도 그 사람이 나를 귀찮아하거나 거절하여 상처를 줄 수 있는 무익한 존재라고 생각한다. 타인과의 관계에 소극적이다. 불안정 양가애착은 부모의 양육 태도가 일관적이지 않을 때 나타난다. 부모의 좋은 양육 태도와 강압적인 양육 태도 사이에서 혼란을 느껴 언제 나타날지 모르는 부모의 좋지 않은 행동에 항상 불안감과 불신감을 갖고 있는 상태이다. 이러한 불안감과 불신은 타인에게도 똑같이 나타난다. 불안정 혼란애착은 부모로부터 학대를 받은 경험이 있는 경우가 많다. 어린 시절 부모로부터 받은 상처를 타인에게 다가가 위로받으려고 하는 마음과 위험요소로부터 멀어져 자신을 보호하려는 마음이 혼재되어 있는 상태이다. 불안정 애착이 심할 경우 어린 시절 부모와의 기억을 떠올려보고, 그 경험을 치유해야 한다. 내 아이에게 올바른 양육 태도를 가지려면 반드시 전문가를 찾아 도움을 받도록 한다.

| | 문 항 | 전혀 그렇지 않다(1) | 그렇지 않다 (2) | 보통 정도 이다(3) | 대체로 그렇다 (4) | 매우 그렇다 (5) |
|---|---|---|---|---|---|---|
| 1 | 내가 얼마나 호감을 가지고 있는지 상대방에게 보이고 싶지 않다. | | | | | |
| 2 | 나는 버림 받는 것에 대해 걱정하는 편이다. | | | | | |
| 3 | 나는 다른 사람과 가까워지는 것이 매우 편안하다. | | | | | |
| 4 | 나는 다른 사람과의 관계에 대해 많이 걱정하는 편이다. | | | | | |
| 5 | 상대방이 나와 막 친해지려고 할 때 꺼려하는 나를 발견한다. | | | | | |
| 6 | 내가 다른 사람에게 관심을 가지는 만큼 그들이 나에게 관심을 가지지 않을까봐 걱정이다. | | | | | |
| 7 | 다른 사람이 나와 매우 가까워지려할 때 불편하다. | | | | | |
| 8 | 나는 친한 사람을 잃을까봐 걱정이 된다. | | | | | |
| 9 | 나는 다른 사람에게 마음을 여는 것이 편안하지 못하다. | | | | | |
| 10 | 나는 종종 내가 상대방에게 호의를 보이는 만큼 상대방도 그렇게 해주기를 바란다. | | | | | |

| | 문 항 | 전혀 그렇지 않다(1) | 그렇지 않다 (2) | 보통 정도 이다(3) | 대체로 그렇다 (4) | 매우 그렇다 (5) |
|---|---|---|---|---|---|---|
| 11 | 나는 상대방과 가까워지기를 원하지만 금세 생각을 바꾸어 그만둔다. | | | | | |
| 12 | 나는 상대방과 하나가 되기를 원하기 때문에 사람들이 때때로 나에게서 멀어진다. | | | | | |
| 13 | 나는 다른 사람이 나와 너무 가까워졌을 때 예민해진다. | | | | | |
| 14 | 나는 혼자 남겨질까봐 걱정이다. | | | | | |
| 15 | 나는 다른 사람에게 내 생각과 감정을 이야기하는 것이 편안하다. | | | | | |
| 16 | 지나치게 친밀해지고자 하는 욕구 때문에 때로 사람들이 나와 거리를 둔다. | | | | | |
| 17 | 나는 상대방과 너무 가까워지는 것을 피하려고 한다. | | | | | |
| 18 | 나는 상대방으로부터 사랑받고 있다는 것을 자주 확인받고 싶어한다. | | | | | |
| 19 | 나는 다른 사람과 가까워지는 것이 비교적 쉽다. | | | | | |
| 20 | 가끔 나는 다른 사람에게 더 많은 애정과 헌신을 보여줄 것을 강요한다고 느낀다. | | | | | |
| 21 | 나는 다른 사람에게 의지하기가 어렵다. | | | | | |
| 22 | 나는 버림받는 것에 대해 때때로 걱정하지 않는다. | | | | | |
| 23 | 나는 다른 사람과 너무 가까워지는 것을 좋아하지 않는다. | | | | | |
| 24 | 만약 상대방이 나에게 관심을 보이지 않는다면 나는 화가 난다. | | | | | |

| | 문 항 | 전혀 그렇지 않다(1) | 그렇지 않다 (2) | 보통 정도 이다(3) | 대체로 그렇다 (4) | 매우 그렇다 (5) |
|---|---|---|---|---|---|---|
| 25 | 나는 상대방에게 모든 것을 이야기한다. | | | | | |
| 26 | 상대방이 나에게 원하는 만큼 가까워지는 것을 원치 않음을 안다. | | | | | |
| 27 | 나는 대개 다른 사람에게 내 문제와 고민을 상의한다. | | | | | |
| 28 | 내가 다른 사람과 교류가 없을 때 나는 다소 걱정스럽고 불안하다. | | | | | |
| 29 | 다른 사람에게 의지하는 것이 편안하다. | | | | | |
| 30 | 상대방이 내가 원하는 만큼 가까이 있지 않을 때 실망하게 된다. | | | | | |
| 31 | 나는 상대방에게 위로, 조언 또는 도움을 청하지 못한다. | | | | | |
| 32 | 내가 필요로 할 때 상대방이 거절한다면 실망하게 된다. | | | | | |
| 33 | 내가 필요로 할 때 상대방에게 의지한다면 도움이 된다. | | | | | |
| 34 | 상대방이 나에게 불만을 나타낼 때 나 자신이 정말 형편없이 느껴진다. | | | | | |
| 35 | 나는 위로와 확신을 비롯한 많은 일들을 상대방에게 의지한다. | | | | | |
| 36 | 상대방이 나를 떠나서 많은 시간을 보냈을 때 나는 불쾌하다. | | | | | |

Chapter

# 2

# 불안한 부모, 충돌상황별 해법을 찾아라

동상이몽.
부성과 모성이 특정한 양육 상황을 만났을 때
엄마와 아빠의 생각은 서로 다른 획을 그린다.
한번 어긋난 포물선은 점점 멀어지고,
그 사이에는 방황하는 아이의 모습만이 덩그러니 남는다.
이 장에서는 주로 부딪히는 주제인 아이의 교육, 교우관계,
인성, 건강, 안전 등의 문제에서 엄마와 아빠는
각각 어떤 생각을 가지고 어떤 방식으로 모성과 부성을
표현하는지 살펴보고, 아이를 위한 최선의 양육태도를 찾는다.

## 아이 교육에 대한 엄마, 아빠의 생각은…

교육에 대한 엄마, 아빠의 생각은 아이의 연령에 있어 뚜렷한 차이가 난다. 아이가 영유아라면 엄마들은 장난감 하나라도 인터넷을 뒤져서 비교하고 어떤 장난감이 발달에 좋은지 부지런히 정보를 뒤진다. 영유아를 둔 엄마들은 그렇게 하지 않으면 뒤처지는 엄마라고 생각한다. 반면 아빠들은 그런 아내를 극성스럽고 아이에게 지나친 욕심을 부린다고 생각한다. 따라서 아내와 협조나 협력관계를 유지하기보다 비난을 하든지, 못마땅해하면서 뒷짐만 지고 바라본다. 그런데 대개 문제는 돈으로 불거진다. 아내의 행동이 마음에 들지 않지만 이야기를 할 수 없으니까 "생활비를 펑펑 쓰는 거 아냐! 돈 좀 아껴 써라" 하고 말하고, 엄마들은 "나를 위해 쓰는 것도 아니고 다 아이들한테 쓰는 거야"라며 충돌한다. 영유아기의 아이를 둔 아빠들은 아내가 아이 교육을 위해서 하는 행동이 대부분 불필요하고, 본격적으로 교육비가 들어가기 전에 돈을 모아야 한다고 생각한다.

아이가 초등학생인 경우, 엄마는 뭐든 많이 시키려고 한다. 영어, 수학 학원은 물론이고, 중학교에 가면 시간이 없다는 이유로 예체능 학원에도 보낸다. 이에 대해서도 아빠들은 여전히 불필요하다는 입장이다. 아이가 이 학원, 저 학원 다니다 아프거나 힘들어하는 상황이 벌어지면 아빠들은 이때가 기회다 싶어 "당신이 너무 애를 돌리니까 이렇게 됐잖아" 하며 비난한다. 사실 아빠들의 속마음은 경제적인 걱정이 앞서기 때문이다. 교육비가 많이 드니까 줄이자고 하면 평생 지울 수 없는 궁지에 몰릴까 봐 다른 핑계를 둘러대는 것이다. 초등학교에 다니는 아이를 둔 아빠들은 아이가 학교에서 문제를 일으켜도 "나도 그랬으니까 아무 걱정하지 마. 괜찮아"라며 심각하게 받아들이지 않는다.

부모가 아이의 공부나 학교생활에 실망하게 되는 시기가 바로 중고등학교 때인데, 엄마들은 아이의 공부가 뒤처지거나 학교생활에 적응을 못하거나 문제를 일으키면 빨리 인정하고 받아들인다. 오히려 아이를 안쓰럽게 생각한다. 그런데 아빠들은 이전까지는 너그러운 입장으로 아이 교육이나 학교생활을 바라보다가 갑자기 엄격해진다. 아이가 어릴 때는 '내가 힘들게 돈을 벌어서 아내가 유난을 떨면서 키웠으니 잘하겠지' 하는 나름의 기대를 걸고 있다가 아이의 성적이 뚝 떨어지거나 학교에서 문제 행동을 일으키면 자신의 기대가 저버린 것에 분노하고, 공격적인 형태로 그 분노를 표현한다. 드러내놓고 아이에 대한 애정을 철회하기도 하고,

강압적으로 아이를 다그치거나 화를 내고, 입에 담을 수 없는 심한 말을 퍼붓기도 한다. 아빠들은 이제라도 내가 나서서 이 문제를 해결해보고 싶지만 방법이 올바르지 않아 아이와 극도로 사이가 나빠진다. 어떤 아빠는 사교육비에 극도로 수동적인 입장이 되어, 자신의 능력으로는 어떻게 안 되니 빚을 내든 당신이 알아서 하라는 입장이 된다. 이 아빠가 어쩌면 무관심해 보이지만 이 또한 아이를 사랑하는 마음이다. '내가 빠지는 것이 차라리 낫지' 하는 생각에서 하는 행동이기 때문이다. 하지만 이 또한 바람직한 방법은 아니다.

# 유아 교재교구

**DADDY'S THINK**

벌이도 시원찮은데 능력 없어서 못 사준다는 말은 못하겠고, 그냥 사자는 대로 다 사다 가는 마이너스가 되는 건 뻔한데 어쩌지? 이러다가 내가 우리 가족도 못 벌어 먹이는 것 아니야. 꼭 필요한 것만 저렴한 것으로 사면 안 될까? 아빠라는 이름이 정말 버겁구나. 아내가 살뜰히 보살펴주던 연애 시절이 그립다. 아, 옛날이여!

**MOMMY'S THINK**

아이를 정말 잘 키우고 싶어. 그런데 솔직히 어떻게 해야 할지 모르겠어. 하루에도 열두 번 아이를 제대로 키우지 못할까봐 겁도 나. 그래서 일단 아이한테 좋다는 것은 다 시켜주고 싶어. 그렇지 않으면 내 마음이 불편하거든. 그런데 남편은 왜 내 말은 들으려고도 하지 않고 뭘 좀 시키자고 하면 무조건 "필요 없어. 하지 마" 하는 걸까. 내 불안한 마음도 몰라주고 정말 속상해.

## 그게 지금 꼭 필요해? VS 남들도 다 사줬대.

유아 교재나 교구로 갈등을 겪는 부모들의 나이를 보면, 대개 서너 살 아이를 둔 30~35세 미만이 많다. 외벌이라면 이런 갈등은 더 많이 발생한다. 남편 혼자 벌어서 각종 대출금을 갚고 나면 어느 집이나 빠듯한 살림이다. 그런데 이 나이의 엄마들은 대부분 대학을 나오고, 아이 교육에 대한 열의가 넘친다. 내 아이의 행동 하나하나가 천재처럼 보이고 아이가 유학이라도 원한다면 무슨 수를 써서라도 보내겠다고 생각한다. 물론 본인이 공부를 더 하고 싶었는데 좌절했던 과거가 있다면 그 마음은 더욱 강해진다. 자신의 옷은 안 사도 아이의 교육이나 발달에 필요한 물건을 구입하는 데 쓰는 돈은 하나도 아깝지 않다. 굉장히 적극적이고 부지런하며 정보검색이나 습득도 빠르다. 이들의 머릿속에는 '훌륭한 아이는 부모가 만든다'는 명제가 들어 있다. 엄마들의 행동은 앞서 말한 우리나라 엄마들이 평균적으로 갖는 불안감과 관련이 깊다. 세상에 떠도는 정보가 너무 많기 때문에 그것을 못 따라가면 아이한테 엄마로서 잘 못해주는 것 같은 미안함과 죄책감이 있다. 혹시 타고난 우수한 유전자를 내가 망칠까봐 불안한 것이다. 엄마가 가지고 있는 불안감이 아이에 대한 교육적 지원을 과도하게 부추긴다.

아빠 역시 아이를 사랑하지만 나이나 시기로 보나 아직 아빠로서의 정체성이 분명하지 않은 때다. 유치해 보이지만 아빠들은 아이와 먹을 것이나 TV 리모컨을 가지고도 곧잘 싸움을 한다. 엄마들은 아이를 열 달 동안 뱃속에 품고 있는 동안, 몸의 변화와 함께 여자에서 엄마로 정체성이 순식간에 바뀐다. 반면 아빠는 아직 신혼을 즐기고 싶은 마음도 있고, 또 한편으로는 아이한테만 몰두하는 아내에게 서운한 마음도 있다. 아내가 아이에게 열심인 것에 협조하는 것이 아니라 약간 삐딱하게 바라본다. 아빠들의 무의식에는 아내에 대한 서운함과 아이에 대한 질투가 자리 잡고 있기에 아내가 아이한테 하는 행동이 더욱 극성으로 느껴진다. 하지만 지탄을 받을까봐 의식적으로는 절대 그렇게 생각하지 않으려고 한다.

또 다른 사정도 있는데, 이 세대의 아빠들은 능력이나 가능성에 비해 수입이 가장 적은 시기이다. 수입은 적은데 지출만 늘어나니 아빠들은 불안해한다. 원시시대의 아빠들은 사냥을 하고 맹수와 싸우는 것으로 가족을 안전하게 지켰지만, 요즘 아빠들은 경제적인 부분을 책임지는 것으로 가족을 안전하게 지키려 한다. 하지만 아빠들은 자신들의 속마음을 아내와 솔직하게 의논하지 못한다. 이 문제를 가지고 대화라도 하려면 엄마들의 결론은 "당신은 아이한테 들어가는 돈이 그렇게 아까워?"이거나 "돈이 아이보다 중요해?"이기 때문이다. '어떠한 열악한 상황에서라도 수단과 방법을 가리지 않고 아이를 뒷바라지해야 한다'는 명제로 단단히 무장되어 있는 아내에게, 자신의 불안은(그것이 정말 중차대한 문제임에도 불구하고) 대화의 거리도 되지 않는다.

아빠들은 자신을 논리적이고 합리적인 사람이라고 믿는다. 그래서 나름대로 합리적이지 못한 아내를 논리적으로 설득하려고 시도한다. "우리 아이 나이에 이 교육이 꼭 필요해? 꼭 필요하다면 내가 아무 말 안 해"라든지, "이런 거 하는 아이가 얼마나 돼? 아이가 도움을 받는 것에 비해 비용이 너무 비싸지 않아?", "별 필요도 없는데 남들 한다니까 하고 싶은 거 아니야?"라고 말한다. 남편의 말에 아내가 고분고분하게 "정말 그럴 수도 있겠네. 그럼 이 정도의 효과가 있는 다른 것을 찾아볼까?" 하고 말해주면 좋을 텐데, 엄마들은 그것이 안 되기 때문에 "남의 집 아이라면 나도 남편처럼 객관적으로 말할 수 있을 것 같아요. 하지만 우리 아이가 남들과 비교를 당하거나 공부 못해서 자존심이 상하거나 놀림을 당한다고 생각하면 등골이 오싹해요"라고 말한다.

그렇다면 왜 친구의 아이라면 "좀 늦게 시켜도 돼!" 또는 "좀 더 저렴한 것을 찾아보지 그러니?"라고 말해줄 수 있는 엄마들이, 유독 내 아이한테만은 그것이 안 되는 걸까. 불안 때문이다. "요즘 엄마들은 모두 이걸 시키고 있다"는 말을 들으면 거기에 몸을 담고 있어야 덜 불안하기 때문이다. 교재교구도 어떤 교구가 공간 지각 능력 향상에 좋다고 하면 몇 백만 원을 주고라도 그것을 사야 마음이 놓인다. 사실 엄마가 교재교구를 사는 이유는, 아이를 위한 의미도 있지만 자신의 불안을 낮추기 위한 행동이기도 하다. 때문에 그것을 못 사주면 아빠들과의 갈등이 심해진다.

아이에게 교재교구를 사주는 것은 자기의 불편함에서 출발한다. 그런데 그 불편함이 해결되지 않으니 마음이 괴롭고, 자신의 불안한 마음을 배우자가 알아주지 않으니 화가 난다. 처음에는 아이의 교재교구로 싸움이 시작되었지만, 엄마의 무의식 속에는 '당신은 내가 이렇게 불안한데, 어떻게 내 마음을 몰라줄 수 있어. 어떻게 나한테 당신이 그래?' 라는 마음이 있다. 겉으로 노출된 주제는 아이지만 실은 자신의 마음을 몰라주는 것에 화가 난다. 그리고 이후 사사건건 아빠들의 행동을 걸고 넘어선다.

아이가 주제가 되어 대치하고 있는 엄마 아빠의 갈등. 그리고 오고가는 대화가 "애가 중요해? 돈이 중요해?"일 때, 엄마 아빠의 속사정이야 어떻든 아이는 커다란 충격에 휩싸인다. 이제 막 말을 알아듣는 아이가 봤을 때, 엄마는 자신에게 헌신하는 사람이고 아빠는 엄마가 자기를 위해 해주려는 일을 반대하는 사람이기 때문이다. 따라서 아이는 '아빠는 나를 사랑하지 않나?' 라는 생각을 하게 된다. 사실 부모가 자식을 사랑하는 것은 절대 선이다. 그것에 대해서는 논할 필요도 없고, 의심을 해서도 안 된다. 그것은 같은 저울 위에 절대 올려놓을 수 없는 문제임에도 엄마들은 그것을 저울 위에 올린다. 그 명제를 저울에 올리게 되면 상황이 극으로 치달으면서 엄마가 승리한 듯 끝나기 때문이다. 하지만 그 순간 아이가 느끼는 아빠의 가치가 평가 절하됨을 잊지 마라. 엄마들은 자기 마음이 불편해서 남편이 절대 거절할 수 없는 조건을 내걸지만 아이는 자신에 대한 아빠의 사랑을 의심하게 된다. 아빠의 "그것을 통해 얼마나 배우겠어?" 라는 말을 어렴풋하게 '아빠는 성과나 효과가 있어야 나에게 무언가를 해주는구나' 라고 받아들인다. 아빠의 사랑을 생산성을 전제로 한 조건 있는 사랑으로 느낀다. 엄마의 말은 아이와 아빠 사이를 멀어지게 하고, 아빠의 말은 아빠의 사랑을 조건 있는 사랑으로 비춰지게 한다.

# 유아 교육기관

**DADDY'S THINK**

솔직히 어디가 좋은 곳인지도 모르겠고, 다 비슷비슷해 보이는데 아내가 알아봤으니 그 곳이 좋은 곳이겠지. 이왕 보내는 거 좋은 데 보내는 것이 좋겠지. 그런데 결정적인 건, 내가 경제적으로 여유가 없다는 거야. 이런 말을 내 입으로 하는 것이 굉장히 창피하지만 우리 상황에서 그렇게 비싼 곳에 보내는 건 무리야. 큰 차이가 나지 않으면 아내가 좀 합리적으로 생각했으면 좋겠는데….

**MOMMY'S THINK**

자꾸 극성이라고 말하면 나도 화가 나. 문화센터에 좀 가봐! 놀이터에도 좀 나가보고. 정말 아이를 키우고 있는 사람들 말을 들으면 이건 극성도 아니야. 난 아이를 천재로 키우겠다고 유난을 떠는 게 아니야. 다만 부모로서 아이에게 좀 더 좋은 기회를 주고 싶을 뿐이야. 무조건 비싼 곳을 선호하는 것도 아니야. 상황이 된다면 괜찮다고 알려진 곳에 보내고 싶을 뿐이야.

잘 놀면 그만이지, 뭘 벌써 보내? vs 좋은 교육기회를 주는 건 부모 의무야. 부부 상담을 받기 위해 병원을 찾은 한 남편은 아내가 20만 원인 어린이집을 놔두고 부득불 60만 원 하는 어린이집을 보내겠다고 고집을 피운다며 한숨을 쉬었다. 초등학교에 입학한 것도 아니고 아이의 교육에 왜 이리 열을 내는지 모르겠다는 것이다. 본인이 봤을 때는 순전히 엄마의 욕심 같다는 것이다. 사실 엄마가 집에서 잘 놀아주면 그게 교육이지, 저런 꼬맹이를 두고 벌써부터 어린이집, 문화센터, 놀이학교 등을 알아보는 것도 이해가 안 되었다. 저러다 아이가 초등학교에라도 가면 집이라도 팔아 학원에 보낸다고 할 것 같단다. 아빠들은 종종 아이를 위해 헌신한다고 믿고 있는 엄마를 자기 욕심에 낭비를 일삼는 여자로 몰아간다. 아빠가 이렇게 말하면, 옆에 있는 엄마들도 한마디 거들고 나선다. "그러는 당신, 언제 일찍 들어와서 아이랑 놀아주었어?"

아빠는 엄마가 좋다는 교육기관에 보내고 싶을수록 경제적 압박이 늘어나는 것이 불안하다. 하지만 아빠들은 앞뒤 자르고, "아껴 써" 이 한마디로 끝낸다. 아빠들의 의사소통에도 분명 문제가 있는데 이렇게 말했어야 했다. "나도 솔직히 좋은 곳에 보내고 싶어. 그런데 우리 집 상황이 이 정도 여유밖에 없어. 경제적인 면도 고려해서 합리적으로 생각해보면 어떨까?" 남편이 이렇게 얘기하면 엄마는 남편이 자신의 마음을 몰라준다는 배신감 내지는 서운함에 시달리지는 않는다. 그런데 아빠들은 경제적으로 힘든 것을 자신이 역할을 다하지 못한 것으로 여겨서 부끄러운 마음에 그렇게 말하지 못한다.

이런 갈등이 발생하는 것은 원시시대부터 남여의 역할 탓도 있지만, 뇌의 차이 때문이기도 하다. 남자의 뇌는 결과물, 효과, 생산성, 효율성 등에 더 가치를 부여하지만 여자의 뇌는 정서적인 교류, 교감, 공감, 과정 등을 더 중요하게 생각한다. '문제해결의 뇌' 를 가진 아빠는 회사에서 경제원칙을 따지듯 엄마의 행동 하나하나에 생산성을 따지고 효과를 묻는다. 그리고 들어간 비용만큼 결과가 나오지 않는다고 판단되면, 필요 없는 일이라고 결론 낸다. 엄마의 뇌는 '공감의 뇌, 과정의 뇌' 이다. 아이에게 교육적 지원을 하는 그 과정만으로도 만족감을 얻는다. 엄마는 아이가 교육적 효과를 내지 않더라도 배우는 과정만으로도 무언가를 얻었다고 생각한다. 그리고 이런 자신의 마음이 아빠에게 공감되기를 바란다. 혹여 자신이 보내고 싶었던 교육기관에 보내지 못하더라도 아빠가 엄마의 마음을 충분히 공감해주면 그것으로 만족감을 얻기도 한다.

만 3세 이전의 아이들은 부모와의 양자관계가 무엇보다 중요하다. 만 3세 이전의 아이들은 또래와의 다자관계나 병렬관계가 잘 이루어지지 않기 때문이다. 이 시기의 아이들은 친구와 놀아도 한 공간에 있을 뿐이지, 어울려 노는 것이 아니다. 예를 들어, 좋은 놀이학교에 가도 엄마는 사회성을 배우기 위해 갔다고 하지만, 아이는 선생님이나 엄마하고만 교감한다. 엄마는 아이가 다른 아이들과 어울려 놀고 있다고 느끼지만, 아이는 엄마랑 둘이 논다고 느낀다. 집과 다를 바가 없다는 것이다. 아이가 매우 흥미를 느낀다면 하나 정도는 아이와 놀아주는 법도 배울 겸해서 괜찮지만, 교육이라는 이름 아래 너무 가르치려 하지 않았으면 좋겠다. 미술이든, 음악이든, 영어든 아이는 그저 엄마랑 둘이 놀았다고만 생각한다. 만 3세 이전에는 엄마와 함께 시간을 많이 보내서 안정된 애착을 형성하는 것이 전체적인 아이 발달에 도움이 되기 때문이다.

너무 어릴 때부터 또래관계를 걱정하는 부모들이 많지만 사회성이 좋은 아이가 되기 위한 제1조건은 부모와의 안정된 관계이며 아이들은 그것을 기본으로 타인과 관계를 맺어간다. 교육기관이 절대 필요 없다는 말은 아니지만, 엄마가 집에서 놀아주기가 심심해서 교육기관에 다니는 정도로만 생각했으면 한다. 엄마들도 아이와 하루 종일 있게 되면 힘이 드니까 그 시간만이라도 휴식을 취한다는 의미로 말이다. 그런데 만 3세 이후에는 교육기관이 중요하다. 이제는 부모와의 안정된 관계를 기본으로 해서 다른 사람 즉 또래, 교사들과 관계를 맺는 것을 배워야 한다. 그때는 체계적인 교육에 들어가서 '모델링' 이 되어야 한다. 다른 아이들이 춤을 추는 모습도 관찰하고, 함께 쓰는 화장실에서는 줄을 서서 기다린다는 것도 배워야 한다. 사회적 규범이나 규칙을 배워야 한다. 때문에 인성이 좋은 교사가 여러 명 있는 교육기관이 좋지만 특별한 교육 프로그램은 아직은 중요하지 않다. 초등학교 이전의 교육은 사회적 지침을 만들어가는 데 필요한 정도면 충분하다.

아빠들이 걱정하는 것처럼, 아이가 자랄수록 정말 많은 비용이 드는데 그때를 위한 대비가 필요하다. 엄마와 아빠는 무슨 교육을 시킬까, 교재를 사줄까, 어디를 보낼까 등의 문제로 갈등하기에 앞서 우리 집의 수입과 지출에 대해 명확히 파악하고, 미래를 위한 대비를 하고, 현재 지출할 수 있는 교육비를 책정해놓는 것이 좋다. 적정한 교육비를 정해두지 않으면 이 비용이 하염없이 늘어날 수 있다. 보통 경제 전문가들은 가정의 소득수준에 따라 다르겠지만 아이가 취학 전일 경우, 사교육비가 총수입의 5~10%를 넘지 않아야 한다고 충고한다. 중고등학교라도 10~20%를 넘지 않도록 권고하고 있다.

# 초등 성적

**DADDY'S THINK**

난 아이가 공부의 노예가 되는 것은 바라지 않아. 초등학교 때는 좀 놀아도 되지 않나. 성적은 중간 정도만 하고 친구들이랑 신나게 뛰어놀 수 있게 해주는 게 더 바람직하지 않나. 나는 초등학교 성적이 그렇게 중요한지도 모르겠어. 요즘 애들이 어떻게 지내는지 실질적인 정보가 없는 것은 사실이지만 애들은 그저 뛰어놀면 되는 거 아닌가.

**MOMMY'S THINK**

난 사실 불안해. 초등학교 성적이 대학 입학을 좌우한다는 이야기를 너무 많이 들었거든. 다른 아이들이 학원 다니고 공부하는 것을 보면 장난이 아니야. 우리 아이가 학원 3개 다니는 건 노는 거나 다름없다고. 이러다 우리 애만 나머지 공부해서 친구들이랑 선생님한테 공부 못하는 애로 찍힐까봐 얼마나 불안한지 몰라. 남편이 현실을 알았으면….

## 80점이면 됐지. 웬 호들갑이야! vs 학원에 보내야 하는 것 아닐까?

초등학교 5학년인 민수는 지난번 중간고사에서 수학점수를 80점 받아왔다. 민수 엄마는 퇴근해서 들어온 민수 아빠에게 민수 이야기를 꺼냈다.

"이번에 민수 성적표 나왔는데 수학이 80점이야. 무슨 대책을 세워야 하지 않나?"

"80점이면 수우미 중 '우' 잖아. 그 정도면 잘한 거 아닌가. 난 그보다도 못했는데, 괜찮아."
"괜찮긴 뭐가 괜찮아? 반 평균이 87점이야. 우리 민수는 평균 이하고."
"초등학교 성적으로 대학 가나 뭐. 초등학교 때까지는 열심히 뛰어놀아도 돼."
"이 사람이 정말 모르는 소리하시네. 이러다 여차하면 나머지 공부하게 생겼어."
"내 친구는 초등학교 때 공부 진짜 못했거든. 근데 지금 변호사야. 고등학교 때부터 미친 듯이 공부해서 서울대 갔잖아."
그런데 요즘은 초등학생들이 공부를 정말 잘한다. 더구나 60점 미만인 아이는 교육청에서 의무적으로 나머지 공부를 시키고 있다. 그러다 보니 예전에는 성적 하면 중고등학교만 생각했는데, 요즘에는 초등학생 아이를 둔 엄마들도 성적에 민감하다. 반평균이 90점에 가까워 80점이면 못하는 축에 속하는 경우도 많다. 하지만 아빠들은 극단적이고 희귀한 사례를 일반화시키며(꼴찌가 갑자기 공부해서 서울대 갔다는 식의) 지나친 낙관주의로 일관한다. 엄마들은 현실을 모르는 남편의 말에 가슴이 답답해진다. 엄마들은 아빠들이 교육이나 육아에 기여하는 시간은 없으면서도 자신들의 걱정과 불안을 공유하거나 의논하려고 들지 않는다고 말한다. 그리고 현실을 무시한 극단적이고 이상적인 예로 지금의 문제를 덮어버리려고 한다고 말한다.
엄마들이 아이에 대해 과잉 걱정하는 것은 당연하다. 그러던 차에 아이가 평균도 안 되는 성적을 들고 오면, '내가 너무 신경을 안 썼구나' 하는 생각이 든다. 본인이 지금까지 시나리오처럼 생각했던 불안이 현실로 나타나고, 자신의 불안에 확신이 생긴다. 엄마들은 더 불안해져서 어떻게 해서라도 이 문제를 해결해야겠다는 생각을 한다. 우리나라 엄마들은 불안이 생기면 발 빠르게 움직여 해결하려는 경향이 많다.

우리나라 엄마들은 아이를 키우는 데 필요한 정보에 있어서 얼리어댑터(Early Adapter: 신제품, 새로운 정보, 새로운 기술을 누구보다 빨리 접하고 적응하는 사람)가 되는 경우가 많다. 아빠들은 교육에 대한 실질적인 정보에 어둡고 아이와 보내는 시간도 많지 않아 시대가 변했음에도 아이 교육의 모든 기준을 여전히 자신의 어린 시절에 두고 있다. 하지만 엄마들은 얼리어댑터라 교육에 대한 기준이 언제나 가장 최신 정보이다. 어떤 분야에 얼리어댑터가 되려면 그 분야에 일가견이 있는 전문가여야 가능하다. 아빠는 이미 존재하는 정보는 물론 현재 아이의 상황도 모르고, 새로운 정보에 대한 욕구도 엄마에 비해 부족하기 때문에 아이 교육의 변화를 잘 받아들이지 못한다. 엄마들이 지금보다 5~10년 앞선 기준을 가지고 있는 반면, 아빠는 지금보다 20~30년은 옛날 것인 기준을 가지고 있다. 그러다 보니 아이 교육에 있어 엄마와 아빠 생각이 차이가 클 수밖에 없다.

이렇게 말하면 아빠들이 "우리도 요즘 돌아가는 세태를 잘 알고 있습니다"라며 항변할 수도 있겠다. 물론 잘 알기도 하겠지만 그 통로가 대부분 신문이나 뉴스라는 것이 문제다. 신문이나 뉴스에는 "어떻게 저런 일이 있어?" 하는 극단적인 소식이 주로 실린다. 엄청난 역경을 딛고 훌륭해진 사람이라든지, 지나친 사교육으로 정신적인 문제를 일으킨 아이들도 보도된다. 아빠들은 극단적인 정보를 기본으로 받아들이고, 98%의 아이들이 어떻게 지내는지에 대해서는 잘 알지 못한다. 때문에 엄마들에게 제안하는 의견이 무시당하기 일쑤다.

기준은 현실에 맞춰져야 하고, 그렇다고 너무 과잉 반응해서도 안 된다. 아이의 성적이 반평균보다 못한 것은 호들갑을 떨 일은 아니지만 관심을 갖고 주시해야 하는 것이 맞다. 아이가 틀린 문제에 대해 개념을 알고 있다면 괜찮지만 모른다면 가장 기본이 되는 기초학력에 문제가 있음을 의미한다. 기초학력에 문제가 있으면 앞으로 공부를 해나가는 데 많은 어려움을 겪을 수 있다. 따라서 평균보다 좀 떨어지는 성적이라면 부모가 적극적으로 도와주어야 한다. "초등학생인데 벌써부터"라고 생각할지 모르지만 공부는 누적의 결과이기 때문이다. 탑이나 계단을 쌓듯이 기초가 흔들리면 그 다음 층을 쌓기가 어려워진다. 부모의 자존심과 무관하게 아이의 기본적인 학습은 인지능력 발달에 있어서 중요한 과정이다. 아이의 인지능력이 균형 있게 발달할 수 있도록 돕는 것이 부모의 몫이다.

아이가 인지능력 중 어느 부분의 발달이 떨어지고 지연되고 있다면 부모가 개입해서 그 부족한 부분을 채워줘야 한다. 90점 맞는 아이를 100점 맞게 하자는 말이 아니라 공교육의 교육 프로그램에서 평균 정도는 할 수 있게 도와야 한다는 말이다. 만약 아이의 평균 이하 성적을 계속해서 방관하면 성장발달 과정에서 꼭 필요한 요소에서 결손이 발생할 수도 있다. 엄마들을 극성 바가지라고 말하기에 앞서, 아이와 틀린 문제를 같이 풀어보는 노력을 해야 한다. 아이의 성적에 지나치게 민감한 엄마들은 아이의 성적을 높이고 싶은 이유가 나의 자존심 때문은 아닌지 곰곰이 생각해보길 바란다. 엄마들이 모이는 자리에만 가면 자연스레 아이 성적이 주제가 되는데 이때 아이가 공부를 못하면 본인의 기가 죽고, 왠지 소외되는 느낌을 받는다. 하지만 아이의 공부는 아이 자신의 성장발달을 위한 아이의 과제이지, 부모 자신의 자존심이나 체면과는 아무 상관이 없어야 한다. 부모는 조력자일 뿐, 자신의 자존심을 위해서 아이의 성적을 이용해서는 안 된다.

이런 것도 한번 생각해봐야 한다. 엄마는 "민수야, 꼭 100점 맞아"라고 말하고 아빠는 "80점이면 됐어"라고 말한다. 각각 다른 요구와 지침을 주는 부모를 보며 아이는 무슨 생각을 할까. 어떤 아이는 엄마는 자신에게 부담을 주는 무리한 요구를 하는 사람이고, 아빠는 자기를 편하게 해주는 사람이라고 생각할 수 있다. 또 어떤 아이는 엄마는 내가 그만큼 잘할 수 있다는 능력을 인정하고, 아빠는 나의 능력을 인정하지 않는다고 생각할 수도 있다. 간혹 아빠들은 공부하라고 달달 볶는 엄마들보다 아이가 자신을 더 좋아할지 모른다고 생각한다. 물론 그렇게 생각하는 아이도 있겠지만, 대부분의 아이가 그것만으로 아빠를 더 좋아하지는 않는다. 아이들은 엄마든, 아빠든 자신과 매일 치열하게 상호작용하는 사람과 깊은 정이 있다. "공부 안 해?", "학원 숙제는?"이라는 말도 해주고, 잘 못하면 쥐어박기도 하는 부모와 미운 정 고운 정이 생긴다. 그런 아이는 자기가 싫어하는 공부를 좀 시켜도 마음속에 '우리 엄마가 나를 사랑하는구나' 라는 믿음을 갖고 있다.

아빠들이 놓치지 않도록 주의해야 하는 것은 바로 그런 부분이다. 사랑하고 걱정하고 안타까워하는 것도 표현하지 않으면, 아내뿐만 아니라 아이도 아빠의 많은 행동을 '무관심' 으로 받아들이게 된다. 아빠는 상대적으로 아이와 상호작용하는 시간이 부족하기 때문에 표현하지 않으면 절대 모른다. 아무 표현도 하지 않으면서 "나는 무관심한 게 아니야"라고 아무리 말해도 상대는 그 말을 그대로 받아들이기 어렵다. 아이들이 항상 엄마 편인 이유가 바로 이 때문이다. 싸우기도 하고 혼나기도 하고 칭찬도 받으면서 하루 종일 엄마랑 상호작용을 하고 있기 때문이다.

아빠들도 아이의 초등학교 성적에 관심을 가져야 한다. 아빠들은 초등학교 성적에는 관심이 없다가 고등학교에 가면 아이 성적에 갑자기 관심을 보인다. 그리고 성적이 좋지 않으면 불같이 화를 내고 아이를 들볶기 시작하는데 고등학교 성적이 대학입시에 중요하다고 생각하기 때문이다. 교육은 언제는 중요하고, 언제는 중요하지 않은 것이 아니다. 초등학교 때부터 아이의 성적에 관심을 가져야 내 아이의 수준을 제대로 알 수 있어 아이를 그대로 인정하는 마음도 생긴다.

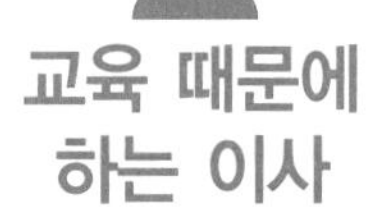

# 교육 때문에 하는 이사

**DADDY'S THINK**

어떻게 마련한 집인데 집을 팔고 전세를 간다고? 꼭 강남에 가서 공부를 시켜야 하나? 거기 가면 교육비도, 생활비도 많이 들 텐데 내가 감당할 수 있을까. 난 아빠인데 왜 이러지? 너무 이기적인 게 아닌가? 부모라면 아이를 위한 희생이 전혀 힘들지 않아야 하는데…. 왜 선뜻 마음이 안 움직이는 걸까.

**MOMMY'S THINK**

맹자 엄마는 아이를 위해 세 번이나 이사를 했다는데 아이를 교육하기 좋은 환경이라면 당연히 집이라도 팔고 가야 하는 거 아니야? 물론 나도 겁이 나. 거기에 가서 아이가 공부를 못하거나 생활이 어려워질 수도 있거든. 하지만 내가 불편해진다고 아이의 앞길을 막을 수는 없잖아.

## 지방 사는 애들도 공부만 잘해! vs 강남만큼 좋은 교육환경이 없다는데….

민영이의 엄마 아빠는 요즘 냉전 중이다. 엄마가 강남으로 이사를 가겠다고 선포한 이후 아빠는 엄마와 말도 안 한다. 초등학교 6학년 민영이는 과천에 사는데 아빠의 회사도 과천이다. 민영이는 이곳에서 공부를 잘하는 편이지만, 엄마는 산 너머 더 좋은 교육환경이 조성된 강남권에서 학교를 보내고 싶어 한다. 강남으로 가게 되면 지금 사는 아파트를 팔고 평수를 줄여 전세로 가야 하고 아빠 회사도 멀어진다.

나에게 진료를 받던 민영이는 결국 과천에서 반포동으로 이사를 했다. 민영이는 상당히 자신감이 넘치고 공부도 잘하는 아이였는데 이사를 한 후 상대적 열등감에 시달리기 시작했다. 그 전 학교에서는 성적이 최상위권이었지만, 여기서는 중위권밖에 되지 않았다. 그 전 집은 넓은 평수라 친구들이 와도 불편함이 없었는데, 지금은 좁아진데다 혼자 쓰는 방이 없어서 왠지 창피했다. 그 전 학교에서는 영어를 잘한다고 칭찬받았지만, 여기에는 외국에서 살다 온 아이들이 너무 많아 명함도 못 내미는 상황이었다. 민영이는 나에게 옛날보다 사는 것도 불편하고, 재미도 없다는 말을 했다. 이사 후 민영이 아빠 역시 교통이 막히기로 유명한 강남에서 출퇴근을 하다 보니 도로가 밀려서 짜증이 났고 몸은 몸대로 녹초가 되었다.  그러다 보니 아이와 보내는 시간이나 여가 시간도 줄어들 수밖에 없었다. 주유비는 물론 생활비도 늘어나 경제적으로 쪼들려서 이런 저런 걱정이 떠나지 않았다. 예전에는 집에 오면 편안했다면 지금은 집이 좁아서 오히려 답답해졌다.

아빠는 끝까지 반대하다 '아이 교육을 위해서' 라는 아내의 말에 어렵게 이사를 결정했다. 그런데 이사를 하고 나서 오히려 아이에게 문제가 생기기 시작했다. 그동안 공부도, 영어도 잘했던 아이가 이곳에서는 지극히 평범한 아이로 묻혀버렸다. 자신감이 부쩍 없어지고 기가 죽은 것이 우울증이 생긴 듯도 보였다. 아이는 아빠만 보면 "아빠, 우리 다시 옛날 집으로 이사 가면 안 돼?"라고 말했고, 엄마의 상황도 좋지 않기는 마찬가지였다. 처음부터 좋은 결과를 예상하지는 않았지만 중간고사에서 처음으로 80점대를 두 과목이나 받았다. 엄마는 그럴수록 사교육을 더 시켜서라도 예전 학교 때의 성적을 받기 위해 아이를 닦달했다. "너 때문에 집까지 팔고 이사 왔는데 네가 이렇게밖에 안 하면 어떡해?"라는 잔소리에 아이는 아이대로 "누가 이사 오자고 했어? 엄마 맘대로 왔잖아?" 하면서 소리도 질렀다.

교육환경이 좋은 곳으로 이사하는 것은 나쁜 것이 아니다. 하지만 교육환경 하나만 보고 가족 구성원에게 많은 희생(?)을 요구하는 이사는 옳지 않다. 교육환경 하나만 좋아지고 나머지는 모두 나빠진다면 바람직한 선택이 아니다. 이사는 가족 구성원들의 동의하에 삶의 질을 높이고 가족의 안정을 위해 결정되어야 한다. 가족 구성원들이 약간의 불편함이 발생해도 이 정도면 감수할 수 있겠다는 합의가 되어야 한다. 단지 좋은 학군이라는 하나의 목적만 가지고 이사하는 것은 무리수가 있다. 한 가지 기억해야 할 것은, 아이에게 지나친 투자를 하게 되면 부모도 무의식적으로 아이에게 보상을 원하게 된다. 아이에 대한 부모의 기대치가 지나치게 높아진다. 부모도 사람인지라 무심결에 "너한테 들어간 돈이 얼마인데…"라는 말을 하고, 지속적으로 그런 메시지를 보낼 가능성이 크다. 투자하는 만큼 뽑아내고 싶다. 그것이 성적이든, 아이가 미친 듯이 열심히 공부하는 모습이든. 물론 부모의 말이 돈이 중요하다는 것이 아니었지만 아직 어린 아이들은 어쩌다 내뱉은 말을 오해할 수도 있다. 부모가 대가를 바라면서 교육적 지원을 하는 상황 또한 좋은 교육환경이라고 보기 어렵다. 이런 상황이 되면 아이도 부담스러워서 잘하던 공부도 못하게 될 가능성이 크다. 초 · 중 · 고등학교에 다니는 아이들이 학습능력을 잘 발휘하려면 정서적인 안정이 가장 중요하다. 이 시기의 아이들은 친구나 선생님과의 관계가 삐거덕거리거나 부모님과의 관계가 불편해서 정서적으로 안정이 되지 않으면 똑똑한 아이도 공부를 잘하기 어렵다.

엄마가 집을 팔고 8학군으로 이사를 가자고 하면 아빠의 머릿속에는 많은 생각이 든다. 집을 팔고 전세로 가면서까지 이렇게 해야 하나 하는 생각을 하면서, 한편으로는 이런 생각을 하는 자신이 이기적인가, 부모라면 아이를 위해 희생하는 것이 당연하지 않나 하는 생각도 하게 된다. 또한 아내에 대해서는 내가 결혼을 잘못했나, 저 여자는 왜 저렇게 자식 교육에 물불을 못 가릴까 하는 마음이 든다. 아빠들은 자산이 줄어드는 것에 대해 엄마들보다 훨씬 불안해하지만 자기가 좋은 아빠가 아닌 것 같아 강하게 반대하지도 못한다. 이사를 거부하면 아내가 "혼자 집이나 끼고 평생 살아봐. 자식이야 어떻게 되든 말든" 하고 말할 것이 뻔하기 때문이다. 논쟁의 주제는 이사에서 벗어나 엄마는 자식을 위해 희생하지만, 아빠는 자식보다는 자산이 중요한 사람으로 치부될 테니 말이다. 이렇게 자기의 생각을 숨기고 있다가 주변에서 "아이 교육 때문에 무슨 이사까지 해?"라고 말하면 아내가 과하다는 생각이 점점 강해진다. 이사 후 이런저런 짜증이 늘어나는 상황에서 아이마저 좋은 성적이 못 나오면 아내에게 "당신 때문에 이렇게 됐다"는 비난을 하는 사태까지 벌어진다. 아이도 엄마로부터 "너 때문에 이사를 가려고 한다"는 말을 들으면 참으로 난감하다. 아이는 여기에 좋은 친구도 많고, 인정도 받고 있는데 '꼭 가야 하나?' 라는 의문도 생기고, '왜 가야 해?' 라는 반감도 생긴다. 자신도 가고 싶은 마음이 있더라도 한편으로는 '엄마 아빠의 기대만큼 못하면 어쩌지?' 라는 불안감도 든다. 이미 전학도 가기 전부터 스트레스를 받는 상황이 되는데 이런 상황에서는 진짜 실력도 제대로 발휘하기 어렵다. 때문에 아이는 전학을 가서 오히려 성적이 나빠지는 사태가 발생한다.

그렇다고 엄마들을 극성이라고 욕하지는 마라. 엄마의 마음속에는 걱정이 되기 때문에 하는 행동이다. 이때 아빠들은 엄마의 불안한 마음을 읽어주는 것이 최우선이다. 엄마들이 아이에 대한 집착이나 자기 만족이 아니라 아이에 대한 걱정 때문에 하는 행동이라는 것을 이해해야 한다. 엄마는 아이가 공부를 잘해도 걱정, 못해도 걱정이다. 아빠들이 그 마음을 읽어주지 않으면, 엄마들은 공감과 이해를 받지 못해 불안이 더 커진다. 불안이 커지면 아예 아빠와 의논하지 않고 혼자 자기 생각대로 고집스럽게 처리해버린다. 그야말로 극성 엄마가 되고 만다.

# 사교육

**DADDY'S THINK**

영어학원, 수학학원, 미술학원 다녀봤자 사회생활하는 데 필요도 없는데 아내는 계속 학원만 늘리려고 한다. 연일 TV에서는 사교육이 문제라는데 우리 집이 앞장서는 것은 아닌지. 난 어쩌다 이렇게 극성인 마누라랑 결혼했을까. 도대체 학교에서는 어떻게 지내길래 학원을 안 다니면 따라가지 못한다는 걸까.

**MOMMY'S THINK**

내가 시키는 사교육이 무슨 사교육인 줄 알아? 이건 최소한의 지원이라고. 남들은 얼마나 시키는지 모르는군. 나는 그래도 한두 개 줄여서 시키는 건데, 남편은 그것도 극성이라고 난리야. 요즘 애들치고 학원 안 다니면서 학교 공부 따라가는 애들 있는 줄 알아? 옆집 동수는 담임선생님이 학원 좀 알아보라고 그랬다는데, 현실을 몰라도 너무 몰라.

## 학교에선 뭐하고 학원을 다녀? vs 그러다 우리 애만 바보 돼!

아이 교육문제에서 '사교육'은 부부가 가장 격렬하게 대치하는 부분이다. 아내가 인터넷 신용대출업체에서 1천8백만 원이나 빚을 졌다며 도대체 그 돈을 어디에 썼는지 알아봐달라며 한 남편이 진료실을 찾아왔다. 남편은 아내가 돈을 헤프게 쓰거나 사치하는 사람이 아니라 전혀 짐작 가는 바가 없다며 답답해했다. 이 집에는 아이가 셋인데 매달 50만~60만 원씩 교육비에서 마이너스가 났는데 그 돈이 1년 반이 지나니 1천8백만 원이 되었다. 아내는 알뜰하고 소심한 성격이라 남편에게 말도 못하고 대출을 해서 교육을 시키고 있었다.

아빠들은 사교육비를 생활비의 필수적인 것이 아니라고 생각하는 경향이 많고 엄마들은 필수적이라고 생각한다. 아빠들이 사교육을 반대하는 이유는 돈은 많이 들면서 성과는 없다는 것이다. 가끔 상담을 하다가 아이가 학원을 끊은 이유를 물으면, 아빠가 수학학원에 다녀봤자 필요 없다고 그랬단다. "성적이 안 오를 바에는 학원을 그만둬라", "앞으로 두 달만 시켜서 성적이 안 오르면 끊을 거야" 하는 아빠의 말에 아이는 '나는 성적을 올리지 못하면 배울 가치도 없는 인간인가. 아빠는 내가 성공하고 돈을 쓴 만큼 결과가 있어야 만족하는구나' 라고 생각하며 절망한다. 교육적 지원이란, 아이가 성장하는 데 필요한 것이지, 그 지원으로 아이의 성적이 오를 때만 가치가 있는 것은 아니다. 성적이 나빠도 아이가 시험기간에 최선을 다했으면 그 과정으로 된 거다.

아빠들이 사교육을 무조건 반대하는 것은 아니다. 아빠들은 고등학교 영어나 수학학원, 초등학교 미술, 피아노, 체육학원 정도는 동의한다. 이 아빠들의 불만은 한두 개만 시키면 될 것을 너무 많이 시킨다는 것이다. 그런데 엄마들은 7~8개의 학원을 다녀도 매일 가는 게 아니기 때문에 절대 많지 않다고 항변한다. 학원을 안 가면 매일 게임만 하고 TV만 본다는 것이다. 아빠는 아이가 하루 종일 어떻게 지내는지는 생각도 하지 않고, 가짓수만 듣고 극성이라 몰아붙인다며 억울해한다. 초등학생이라도 학습이 많이 부진하고 문제가 있다면 문제가 쌓여서 커지기 전에 빨리 도와주어야 한다. 수학이 평균보다 떨어지면 수학학원에 보내든, 엄마나 아빠가 가르치든 대책을 마련해야 한다. 그것은 해도 되고 안 해도 되는 문제가 아니라 꼭 필요한 지원이다. 단, 부모가 끼고 가르칠 때는 절대 화내지 말아야 한다. 화내면서 가르칠 것 같으면 애당초 손을 떼야 한다. 수학을 가르치기는커녕 아이와 사이만 나빠질 수 있다. 학습이 지니는 의미는 성적이나 대학진학만이 목적이 아니다. 긴 기간 동안 인지발달과 더불어 정서적 인내심과 끈기 등을 기르는 중요한 성장발달의 과정이기도 하다. 때문에 '초등학생이기 때문에 필요 없다, 사회에 나오면 별 도움이 안 되더라' 식의 아빠들의 시각에는 문제가 있다.

문제는 사교육이 너무 과해서는 안 된다는 것. 사교육은 학교의 진도나 수준을 따라가기 위한 지원이어야 한다. 초등학교 3학년 정도면 독서나 우리말의 말하기, 듣기, 쓰기 공부를 하는 것이 더 중요하다. 또 하나, 사교육이 너무 지나친 선행학습이어서는 안 된다. 몇 년 것을 앞당겨 배우는 것은 아무리 머리가 좋아도 제대로 이해할 수 없다. 모든 학습은 인지적인 것과 정서적인 것의 조합이다. 예를 들어, 중학교 교과서에 나오는 시를 암기력이 좋은 아이는 초등학교 4학년도 외울 수 있지만 그 시를 이해하지는 못한다. 머리가 나빠서 이해하지 못하는 것이 아니라 정서적 발달이 그 수준이 아니기 때문이다.

나는 공교육과 관련된 것이 부족하다면 사교육을 시켜서라도 부족한 것을 메워줘야 한다고 생각한다. 그것은 부모의 의무이지만 나머지 것들은 모두 선택이어야 한다. 아이가 "엄마, 컴퓨터 게임이 더 재미있어서 나 학교 안 갈래"라고 말했다고 그것을 허용할 수는 없다. 힘들어도 참아야 한다고 말해야 한다. 하지만 피아니스트가 될 생각이 전혀 없는 아이가, "엄마 나 피아노학원 안 갈래" 하면 좀 쉬게 해도 된다. 이럴 때도 엄마들은 아이가 뭐든 끝까지 못하고 쉽게 포기하는 아이가 될까 하는 불안감에 끝까지 할 것을 강요한다. 물론 틀린 말은 아니지만, '넌 힘들어도 반드시 참고 가야 해' 식의 반드시 해야 하는 것과 '그래, 하기 싫으면 잠시 쉬어도 돼' 식의 선택할 수 있는 것이 분명히 나눠져 있어야 한다. 그렇지 않으면 아이는 엄마가 뭘 배우라고 하면 자신의 의지와는 상관없이 무조건 끝까지 해야 한다는 생각에 모든 것을 부담으로 받아들인다. 따라서 교과과정 이외의 사교육은 아이의 의사를 적극 존중해야 한다. 아이가 피아니스트가 되겠다며 피아노를 배우는 거라면 아이가 그 고비를 넘을 수 있도록 도와주어야 하지만 취미라면 아이가 편안하고 즐거운 마음으로 할 수 있도록 배려해주어야 한다.

## 어학연수

**DADDY'S THINK**

아내랑 아이를 2~3년이나 못 보게 된다고? 말도 안 돼. 아이들에게 살갑게 대하지는 못해도 아이들 크는 낙에 일할 맛이 나는데 어떻게 그 긴 시간을 혼자 있어? 난 그 외로움을 견딜 자신이 없어. 더구나 아이가 어학연수에 간 동안 회사라도 잘리면 어떻게 해? 난 남들 다 보내는 어학연수 하나도 못 보내는 아빠인가.

**MOMMY'S THINK**

지금 돈이 좀 많이 드는 것이 문제야? 우리 가족이 좀 불편한 것이 문제야? 부모라면 남들 하는 만큼은 해줘야지. 요즘 어학연수는 특별한 것도 아닌데 남편은 자기가 겪을 불편 때문에 가지 말라고만 하네. 부모 맞아? 나는 뭐 좋아서 가는 줄 아나? 나도 겁나지만 어쩌겠어. 우리 애만 뒤처질 수는 없잖아. 어학연수는 요즘 대세인걸.

### 공부할 아이들은 여기서도 잘만 해. vs 무슨 소리야! 해줄 수 있는 것은 다 해줘야지.

세준 엄마는 올해 초등학교 6학년인 세준이를 데리고 어학연수를 가겠다고 선포했다. 아빠는 노발대발 난리가 났다. "어학연수? 공부할 놈들은 여기서도 잘만 하더라. 우리 때는 학원도 안 다녔어. 무슨 어학연수야?" 세준 엄마는 갖은 자료를 내놓으며 세준 아빠를 설득했지만 복지부동이었다. 세준 엄마는 "당신이 뭐라고 해도 내가 머리카락이라도 팔아서 갈 줄 알아!"라고 소리를 질렀다. 세준 아빠는 "그래, 머리카락을 팔든, 마늘을 까든 어디 내가 허락하나 봐라. 내 허락 없이 가면 십 원 한 푼도 없어."

어학연수는 보통 엄마들은 보내고 싶어 하고, 아빠들은 반대한다. 엄마들은 해줄 수 있을 때 하나라도 더 가르치자는 입장이고 그래야 엄마 역할을 다하는 것 같다. 하지만 아빠들의 입장은 어학연수를 부담스러워한다. 그 이유는 첫째, 아빠들은 '그 돈을 과연 댈 수 있을까?' 하는 걱정과 '아내와 아이가 외국에 간 사이 회사에서 잘리면 어쩌나' 하는 불안감에 시달린다. 그렇지만 한편으로는 남들도 다 보낸다는데 그런 능력도 안 되나 하는 자괴감을 느끼기도 한다. 하지만 어떤 걱정도 무능한 아빠라는 말을 들을까봐 아내한테는 말을 못한다. 둘째, 혼자 살 자신이 없는데, 의식주가 불편해지는 것도 걱정이다. 셋째, 외롭기 때문이다. 혼자 남겨진 남편은 미묘하게 서운하고 소외감을 느낀다. 자신도 고민스럽고 힘들 때 가족으로부터 위로도 받고 아이들의 모습을 보면서 잊고도 싶은데 아내가 무턱대고 떠나겠다고 하니 서럽고 외로워진다. 덜컥 화가 나기도 한다. 그럼에도 솔직하게 그런 마음을 표현하지 못하고 다짜고짜 못 가게 막는다.

아빠들은 이런 다양한 심리적 이유가 있음에도 불구하고 밖으로는 현실을 모르고 무조건 고집만 부리고 툭하면 소리만 지르는 사람으로 비춰진다. 아이들 입장에서는 아빠가 돈을 번다는 이유로 경제권을 쥐고 엄마랑 우리를 흔들려 한다고 생각한다. '아빠도 나를 사랑한다면 당연히 그런 기회를 줘야 하는 것 아니야. 혼자 밥 해먹기 싫으니까 괜히 우리 걱정하는 척하면서 못 가게 한다' 라고까지 생각한다. 아이들의 생각이 다소 충격적일지 몰라도 사실이다. 아빠들은 조금 쑥스럽더라도 자신의 감정을 솔직하게 말해야 아내나 아이가 본인의 마음을 오해하지 않는다.

나는 해외 어학연수를 그렇게 찬성하지는 않는다. 얻는 것보다 잃은 것이 훨씬 많기 때문이다. 아이를 혼자 떨어뜨려놓는 어학연수는 아이들이 상처받을 확률이 높다. 한창 사춘기에 접어드는 아이들을 부모와 너무 빨리 떨어뜨리면 부모와 의논하고 의지하고 지지받아야 할 때 그런 대상이 없어 혼란을 겪는다. 학습과 관련된 문제도 생길 수 있다. 보통 초등 5~6학년이나 중학교 때 해외연수를 많이 가는데, 이 시기에는 논리적이고 체계적인 학습능력이 발달한다. 이 시기는 모국어로 여러 가지 주제를 깊이 사고하고 추론하고 탐구하는 학습을 해야 한다. 그런데 이 학습을 잘 알아듣지도 못하는 외국어로 하다 보니, 학습의 깊이가 굉장히 얕아진다. '사고력의 발달' 이라는 큰 고기를 놓치게 된다. 결국 어학연수로 얻은 영어실력에 비해 아이가 잃은 것이 너무 크다. 영어 하나만 두고 본다면 짧게 갔다 오는 어학연수는 비용대비 효과가 별로 없다. 나는 누군가 단기 어학연수에 대한 자문을 구하면 차라리 해외여행을 보내라고 조언한다. 여행만을 목적으로 한다면 많은 세계 유적지를 둘러보며 훨씬 더 많은 것을 배울 수 있다. 영어는 언어이고 언어라는 것은 결국 모국어를 잘해야 잘할 수 있다. 발음이 좋아야 영어를 잘하는 것이 아니다. 영어로 의사소통을 잘한다는 것은 무슨 말인지, 문자적인 의미뿐 아니라 내포된 의미까지 제대로 알아듣고 그것에 대한 자기 생각을 말이나 글로 표현할 수 있어야 하는데, 우리는 그 사실을 많이 간과한다.
엄마가 함께 가는 경우, 아이를 혼자 떨어뜨려놓는 것보다는 낫지만 이번에는 부부가 떨어져 지내는 문제가 발생한다. 아내와 아이를 해외연수를 보낸 모든 가족이 그런 것은 아니지만, 나는 진료실에서 해외연수를 가 있는 동안 부부 사이가 나빠져서 찾아오는 경우를 너무나 많이 봤다. 교육이란 안정되고 건강한 부모 밑에서 부모의 삶을 모델링하고 문제가 있을 때는 부모와 의논하고 시행착오를 통해 사회에 적응하는 과정이다. 그런 의미에서 가족이 떨어지면서까지 영어를 배워 오는 것이 과연 얼마나 아이에게 교육적일까. 보통 아이들이 영어연수를 가는 시기는 사춘기를 맞이하는 때로 이때는 부모의 역할이 절실하게 필요한 시기이다. 아이에게 바른 시각으로 세상 돌아가는 이야기도 들려주고 어떻게 행동하는 것이 옳은지, 어떤 가치관으로 살아가야 하는지를 부모가 알려주어야 하는 시기다. 사실 함께 있어도 부모가 아이를 서먹서먹하게 느끼는 때가 사춘기다. 그러한 시기에 2~3년 어학연수를 갔다 오면 너무 변한 아이의 모습에 낯설고, 아이도 부모가 낯설게 느껴질 수 있다. 엄마가 아이와 함께 어학연수를 간다면 아빠가 아이에게 느끼게 될 서먹함에 대해서도 생각해봐야 한다. 또한 초등학교 고학년인 10대가 되면 친구관계가 굉장히 긴밀해진다. 또래 간의 상호작용이 강화되고 깊어지고 질적으로도 좋아진다. 이러한 변화는 아이의 성장발달에서 꼭 필요한 변화이고, 꼭 겪어야 할 감정이다. 이런 감정을 제대로 겪어야 인간에 대한 친밀감도 가질 수 있다.

아이가 어학연수를 다녀 와서 공부를 잘하냐 하면 그것도 아니다. 많은 경우 어학연수를 갔다 와서 학교 공부를 따라가기 어려워한다. 아이는 모국어로 학습에 기본이 되는 중요한 인지적 능력을 발달시켰어야 했는데, 그것이 뻥 뚫리듯 비어버렸기 때문이다. 아이는 영어 말고 다른 과목을 잘 따라가지 못한다. 예를 들어 영화를 볼 때 문자적인 것은 알아들을 수 있지만 심오한 의미는 이해하지 못하고, 그렇다고 한국어 자막으로도 그 심오한 의미가 이해되지 않는 것처럼 마치 한글을 빨리 뗀 아이가 중학교 국어 교과서를 읽을 수는 있지만 무슨 뜻인지 모르는 것과 같다.

# 갑자기
# 성적이 떨어졌을 때

**DADDY'S THINK**

내가 이럴 줄 알았어! 공부하는 꼴을 못 보겠더니…. 아니 책을 읽을 때는 소리를 내서 읽고 써야지 매일 눈으로만 쓰윽 보니 머릿속에 뭐가 남겠어. 그나마 그 점수를 받아오는 게 신기했다니까. 그런데 무슨 학원을 또 보내? 그나저나 나는 안 그랬는데 쟤는 누굴 닮아서 저래?

**MOMMY'S THINK**

곧잘 하던 아이 성적이 왜 갑자기 떨어진 거지? 혹시 무슨 말 못할 걱정이 있는 건 아닐까? 누가 괴롭히나? 이럴 아이가 아닌데…. 영수 엄마 말이 지금 만회하지 못하면 대학 갈 때까지 성적을 끌어올리기 힘들다고 하던데, 우리 애가 그러면 어쩌지? 정말 불안해. 학원이라도 하나 더 보내야 할까?

## 내가 공부 안 할 때 알아봤어! vs 갑자기 왜 그러지? 혹시 무슨 일이 있나?

공부를 잘하던 아이의 성적이 갑자기 떨어졌을 때 부모는 많이 불안해한다. 서로 불안하여 배우자에게 상처를 주는 말도 서슴지 않아 아이의 문제가 정작 부모들의 갈등으로 발전하는 경우도 종종 있다. 엄마는 아이가 떨어진 성적을 회복하지 못하면 어쩌지 하는 마음에 불안해진다. 이럴 때 다른 엄마들을 만나면 아이를 걱정해준답시고 불안을 더욱 부채질한다.

"중학교 2학년 성적이 정말 중요한데 정신 바짝 차려야겠네. 그러다 미끄러지면 한순간이야. 그러면 헤어나지 못하더라고" 등의 대화를 나누다 보면 더욱 불안해진다. 엄마들 중에는 이유 없이 아이의 성적이 떨어졌을 때 병원에 데려오기도 한다. 선생님과 관계가 안 좋은가, 친구랑 잘 못 어울리나, 무슨 사고를 쳤나 하는 등의 걱정을 하기 때문이다.

아빠들은 뭐 그런 것 가지고 병원까지 데려가냐 하면서 아이가 공부를 열심히 안 해서 떨어졌다고 생각한다. 그래서 아이에게 "내가 너 공부하는 꼴을 본 적이 없어! 너 왜 공부 안 해? 빨리 들어가서 공부해"라는 말을 입에 달고 산다. 성적이 떨어진 것을 아이의 '불성실'로 생각한다. 그런데 재미있는 것은 엄마나 아빠 중 한쪽 배우자가 가정에 충실하지 않을 때 아이 성적이 떨어지면 "당신이 그렇게 집안에 신경을 안 쓰니까 그렇지" 하면서 상대를 탓한다. 부모가 합심을 해서 아이의 실패를 딛고 나가기보다 은근히 배우자를 탓하는 기회로 활용하는 경우도 많다. 배우자에게 쌓인 것이 많은 사람은 무의식적으로 이 문제가 빨리 해결되지 않기를 바란다. 엄마들은 아이 성적이 떨어지면 이런저런 걱정을 하지만, 아빠들은 성적이 떨어진 이유를 범인을 잡는 형사처럼 찾아내려 한다. 공부를 곧잘 하는 아이임에도 불구하고 한 번의 실수에 아이 공부방법 자체를 의심하고 개입한다. 그리고는 자기가 제시하는 방법을 따를 것을 요구한다. 아이가 그 방법을 따르지 않거나 저항하면 '너 그러니까 못하지!' 하는 식으로 나온다. 성적이 떨어진 것이 아이의 공부방식이 틀렸다는 증거라고 생각한다.

아이는 열심히 공부했지만 자신도 알 수 없는 이유로 성적이 떨어졌을 수도 있다. 아이 자신도 그 이유를 잘 알지 못해 혼란스러운데, 아빠는 자신의 방식이 틀렸다고 한다. 아이는 아빠가 자신의 방식을 부인한 것에 반항심이 생겨 아빠의 방식을 따르고 싶지 않다. 또한 자기 방식대로 계속했다가 '또 떨어지면 어쩌나?' 하는 불안감이 생기고 또는 실패가 두려워서 공부를 하지 않는다. 어떤 아이는 열심히 한다고 해서 언제나 결과가 좋은 것은 아닌데도 조금만 떨어져도 아빠가 자신을 신임하지 않으니 아예 공부하기가 싫어진다고 말하기도 한다. 아이의 성적이 떨어졌을 때 가장 좋은 방법은 한두 번의 실패는 대범하게 넘어가는 것이다. 호탕하게 "실패하면서 배우는 거야. 떨어질 때도 있어"라고 말해줄 수 있어야 한다. 아빠처럼 아이의 공부방법(공부하는 태도나 학습방식)에서 원인을 찾거나 엄마처럼 정서적인 문제(공부를 방해하는 어떤 심리적인 어려움)에서 원인을 찾는 것이 나쁜 방법은 아니지만, 잘하던 아이가 성적이 떨어졌을 때는 부모가 최대한 예민하지 않아야 한다. 부모가 너무 예민하면 아이도 자신의 상황을 예민하게 받아들여 상황이 더 악화될 수 있다. 아이는 작은 실패를 어떤 습득의 과정으로 소화시키지 못하고, 불편한 기억으로 간직하게 된다. 성적이 떨어지고 실패할 때마다 불편한 기억이 떠올라 지나치게 긴장하게 되고 무기력해질 수 있다.

아이의 성적이 떨어져도 무조건 괜찮다는 말이 아니다. 원인을 분석하는 것도, 객관적으로 말해주는 것도 필요하지만 세밀한 것에 집착해서 과민반응을 하지 말라는 것이다. 그러지 않으려고 해도 자꾸 과민 반응을 하는 이유는 불안하기 때문이다. 불안하면 자꾸 넘치는 행동을 하게 된다. 이럴 때는 아이에게 "왜 성적이 떨어졌는지 혹시 생각해봤니?" 하고 물어보라. 그러면 아이가 "일단 공부를 좀 안 했고요"라면서 이야기할 것이다. "공부에는 왕도가 없어. 할애한 시간이 적으면 아무래도 그렇지"라고 말해주면 의외로 아이들이 순순히 인정한다. 하지만 "내가 그럴 줄 알았어. 너 집에 오자마자 컴퓨터부터 켜더라"라고 비난하는 투로 말하면 "나 그전까지는 공부 엄청 많이 했거든요!"라고 반항하듯 대답한다. 아이가 이렇게 반항하면 부모는 "했는데 그렇게 떨어져?"라고 말하면서 아이를 더 자극한다.

성적이 떨어졌을 때는 아이가 한발 물러서서 자기 문제를 객관적으로 바라볼 수 있게 해주고, 스스로 답을 찾을 수 있게 도와주어야 한다. 아이의 자존심을 자극하여 주관적인 감정에 휩싸이게 해서는 안 된다. 부모가 답을 알려주거나 부모가 나서서 처리하는 것은 도움이 되지 않는다. 아이가 시험 준비를 미리 하지 않았다고 말하면, 부모는 "좋은 걸 배웠어. 다음부터는 시간을 가지고 공부하면 되겠네"라고 말해주면 된다. 그러면 아이도 금세 그 상황을 긍정한다. 혹은 아이가 "이번엔 유난히 실수가 많았어요"라고 말하면, "거봐. 엄마가 문제 똑바로 읽으라고 그랬지?"라고 말하지 말고, "왜 실수를 한 것 같은데?"라고 물어봐야 한다. 이렇게 물어보면 아이도 곰곰이 생각해볼 것이다. 그러면 아이는 자신이 실수했던 문제점을 고민하고 스스로 그에 대한 해답을 내놓고 실수했던 상황을 개선해 나갈 것이다.

그런데 우리 부모들은 아이에게 이렇게 물어보지 않는다. 아이를 무시해서가 아니라 아이를 너무 사랑해서 아이와 자신이 분리되지 않기 때문이다. 아이와 나의 경계선이 없다. 옆 집 아이 같으면 “왜 그렇게 하는데?” 라고 물어볼 수 있는 일도 내 아이라면 다 생략하고 부모의 생각만 말하는 경우가 많다. 아이가 성적이 떨어진 문제는 엄마 아빠의 문제가 아니라 아이 자신의 문제이다. 부모가 아이 문제의 해답을 알고 있는 것이 핵심이 아니다. 아이 스스로 자신의 문제를 객관적으로 보고 해답을 찾을 수 있도록 해야 하고 그럴 수 있도록 인도하는 것이 부모가 할 일이다.

# 공부를 안 할 때

**DADDY'S THINK**

죽어라 돈 벌어다주는데 아이 하나 제대로 못 가르치나? 나는 저만할 때 모든 걸 알아서 했는데. 학원 보내주고 해달라는 것 다 해주는데 공부도 하나 못해? 너무 오냐오냐 해서 애가 정신을 못 차리는 건 아닐까. 저렇게 널브러져서 제 할 일도 안 하는 거 보면 내 자식 같지 않단 말이야. 처가 쪽 피가 많이 흐르나?

**MOMMY'S THINK**

우리 애는 왜 공부에 관심이 없을까? 학원을 바꿔볼까? 뭐 아이가 좋아하는 것을 해줘볼까? 달래볼까? 혼내볼까? 무슨 일 있나? 이러다 대학도 못 가고 밥벌이도 못하면 어쩌지? 그게 다 내가 잘못 기른 탓이잖아. 아 불안해. 힘들어. 누가 좀 도와줬으면 좋겠어. 남편은 "공부도 하나 못 가르쳐?"라고 말하지만, 그게 정말 마음대로 안 된다고.

## 애를 어떻게 가르쳤기에 이래? vs 도대체 왜 공부를 안 할까?

공부하기 정말 싫어하는 아이들이 있다. 시험 때만이라도 책상에 좀 앉아 있으면 좋으련만, 그조차도 안 하는 아이들이 있다. 이런 아이의 모습을 지켜보는 엄마 아빠의 마음은 어떨까? 많은 아빠들이 이럴 때 아이를 미워한다. 아이를 보면 화를 내고 아내가 아이를 잘못 가르쳤다고 생각한다. 아빠는 '죽어라 돈 벌어다주는데 아이 하나 제대로 못 가르치나?' 라고 생각한다. 그런데 이런 생각을 하는 아빠들은 대부분 평소에는 아이의 가정교육에 관여를 하지 않는 사람들이다. 평소에 내가 신경을 못 써서 그런가, 하고 생각하기보다 어릴 때 장모님이 봐주셨는데 그때 버릇없이 키우셔서 아이가 저렇다고도 생각한다. 의사소통을 많이 하고 관심이 많은 아빠들은 대개 아이의 문제를 바라볼 때 엄마의 시각과 별로 차이가 없다. 아이에게 무슨 걱정이 있는 건 아닌지 염려하고 어떻게 지원을 해야 할지 고민한다.

엄마들은 아이가 공부 안 하는 것을 엄마 탓만 하는 남편을 보면, 그 무책임한 모습이 무책임하게 공부를 하지 않는 아이와 닮았다고 느낀다. 또 '돈만 벌어다주지, 언제 아이한테 신경 한 번 써봤어?' 라고 생각한다. 그런데 외벌이를 하는 아빠들은 자신이 돈 버는 것을 어마어마한 일이라고 느끼기 때문에 종종 "돈도 벌어다주는데 그것도 못해?"라는 말을 한다. 하지만 엄마들이 집에서 살림하고 아이를 키우는 일 역시 충분히 힘들다. 엄마들은 남편이 집안일을 폄하하면 "돈만 벌어다주면 다야?"라며 날선 공격을 한다. 이렇게 한판 싸우고 나면, 엄마 아빠들은 '아이가 누굴 닮아서 공부를 안 할까? 우리 집안에는 이렇게 공부 못하는 아이가 없는데?' 에 집중하기 시작한다. 상황이 여기까지 이르면 아이의 공부 문제가 단순히 부부싸움을 넘어 집안싸움의 수준이 된다. 어떤 아빠는 자신은 공부를 잘했는데 아이가 공부를 못하면 '이 아이가 내 자식이 맞나?' 라는 의구심도 살짝 갖는다.

이에 대응하는 대책 또한 다르다. 엄마는 아이가 공부를 안 하면 뭔가라도 해야 불안하지 않으니까 학원을 늘리는 방법을 많이 쓴다. 그런데 아빠는 엄마의 그런 방법이 마음에 들지 않는다. 이미 아이가 미워졌기 때문이다. 엄마들은 못난 자식을 더 애틋하게 보살피지만, 아빠들은 능력 없는 자식을 미워하는 경향이 있다. 아빠들은 아이가 마음에 들지 않는 행동을 하면 아이에 대한 규제를 강화한다. 엄마들은 반찬값이라도 아껴서 하나라도 더 지원해서 공부를 잘하게 하려는 반면, 아빠들은 하나씩 규제를 강화해서 '잔말 말고 내 말을 들어' 식으로 분위기를 만들어 간다.

두 사람의 대책 모두 문제가 있다. 가뜩이나 공부하기 싫어 죽겠는데, 학원만 계속 늘려가는 엄마나 억지로라도 하지 않으면 너의 특권을 모두 박탈하겠다는 아빠 모두 잘못됐다. 아이는 엄마에게는 거짓말이라도 해서 학원에 안 가려 할 것이고, 아빠에게는 더더욱 반발할 것이다. 사람은 누구나 누르면 누를수록 튕겨나가고 싶어 하는 심리가 있다. 사춘기 아이라면 그 심리가 더욱 강해 규제가 강하면 강해질수록 아빠에게 반항하고 싶어 공부를 더 안 한다. 아빠의 요구에 수긍하면 왠지 자신이 굴복한 것 같아 자존심을 지키기 위해 끝까지 공부를 안 하고 버틴다. 문제를 해결하려면 엄마 아빠는 아이가 왜 공부를 안 하려고 하는지에 대한 본질을 고찰해야 한다. 아이에게 "공부 빨리 안 해! 공부 안 하면 어쩌려고 그래?"라고 말하지 말고, "왜 공부를 안 하려고 하니?"라고 진지하게 물어봐야 한다.
공부의 사전적 의미는 '학문이나 기술을 배우고 익히는 것'을 말한다. 그런데 학문이나 기술을 배우고 익히는 목적은 점수나 등수를 높여서 좋은 학교, 회사에 가기 위한 것이 아니다. 그 과정을 통해 재미없고 힘든 것을 이겨내고 최선을 다하고 무언가 열심히 하는 것을 배우기 위함이다. 현대사회에서는 그러한 경험을 가르치기 위해 교과과정을 공부하고 시험을 치르는 방법을 사용하는 것이다. 피겨스케이팅 선수 김연아도 학교 공부는 열심히 하지 못했지만 그녀는 공부를 통해 배워야 할 것을 스케이팅을 통해 배웠다. 스케이팅을 통해 힘든 것을 이겨내고 고비를 견디고 나한테 주어진 것에 열정적이고 최선을 다해야 한다는 것을 배운 것이다.

공부를 안 하려고 하는 아이에게 "너 이렇게 공부 안 하면 나중에 밥도 못 먹고 거지 된다"라고 협박하지 말고, 아이에게 공부의 의미를 가르쳐야 한다. "네가 학교에서 하는 공부가 맞지 않더라도, 그걸 통해 쉽게 포기하지 않고 열심히 최선을 다하고 힘든 것도 참아내는 것을 경험해야 하는 거야. 반드시 잘해야 하는 것은 아니지만, 하기 싫다고 안 해서도 안 되는 거야." 어떤 부모들은 아이가 공부를 못하면 이것저것 막 시켜본다. 뭐라도 아이가 잘하는 것을 찾기 위해서다. 하지만 별로 좋은 방법이 아니다. 학교 공부를 통해 배워가는 기쁨이나 하기 싫은 일이라도 최선을 다하는 것을 배우지 못한 아이는 요리를 배우든, 음악을 시키든, 미술을 시키든 어떤 것도 열심히 하지 않는다. 그럴 때는 학원을 늘리는 대신 아이가 뭐든 열심히 찾아가며 배우는 기쁨을 한 번이라도 맛보게 해줘야 한다. 아이와 대립하기보다 부모가 아이와 함께 배워가는 과정에 참여해야 한다.

나는 아이가 공부를 못해서 밉다고 말하는 아빠들에게 종종 묻는다. "자동차 딜러 중 실력이 좋은 분들이 어느 대학을 나왔는지 아세요?" 대부분 모른다고 대답한다. 그들은 비 오면 비 온다고, 눈 오면 눈 온다고 안부문자를 보내면서 열심히 고객을 관리한다. 그래서 다음 거래를 성사시키고, 최고의 딜러가 된다. 우리 아이들이 공부를 해야 하는 이유는 '열심히 하는 태도'를 배우기 위해서다. 어차피 공부로 먹고사는 사람은 소수이다. 아이가 이 다음에 무엇을 할지는 아무도 모른다. 아이는 요식업을 할 수도, 장사를 할 수도, 회사에 다닐 수도, 엔지니어가 될 수도 있다. 그때 필요한 것은 지금 배우는 지식의 양이 아니라 '열심히 하는 태도'이다. 그러한 태도를 가르치기 위해 가장 많이 쓰는 방법이 학교 교과과정을 통한 시험이라는 것을 잊지 말았으면 좋겠다. 학교 공부를 절대로 못 따라가는 아이라면 다른 방식으로라도 그것을 가르쳐주어야 한다. 다행스러운 것은 어떤 것이든 아이가 열심히 하는 태도, 즉 탐구하고 탐색하는 능력이 생기면 다른 것도 '어, 이것은 왜 그렇지?' 하는 의문을 품게 되고 그것을 알아보고 싶은 마음이 생긴다. 스스로 공부하고 싶은 욕구가 생기는 것이다. 때문에 어떤 것을 통해서든 열심히 하는 태도를 가르치면, 아이가 학교 공부를 대하는 자세도 달라진다. 사실 아이들이 공부를 하기 싫어하는 가장 큰 이유는 '공부=혼나는 것'이라는 공식을 가지고 있기 때문이다. 항상 듣는 말이 '이번에 평균 85점 못 받으면 아무것도 없을 줄 알아' 하는 식으로 말이다. 한 번도 공부를 즐겁게 해본 적이 없는 아이는 공부를 떠올리면 자동적으로 싫다, 지겹다라는 감정이 떠오른다. 공부가 의미하는 것은 절대 등수나 점수가 아니다. 기본적으로 삶을 열심히, 치열하게 사는 이치와 태도를 배우는 것이다. 공부는 정서적 만족감이 충만하고 누군가에게 감화를 받으면 그것을 닮고 싶고, 시행착오의 교정을 경험하는 것이다. 영어단어 몇 개 더 외우는 것이 아니다. 부모가 주는 정서적인 안정, 편안한 경험은 공부의 토양이 된다. 때문에 부모 사이에 갈등이 심하거나 부모와 아이가 갈등하고 있는 상태에서는 아이가 공부를 잘하기가 쉽지 않다.

공부를 안 하는 아이의 머릿속에는 안타까운 무기력감도 있다. 한 아이가 이런 말을 했다. "선생님, 제가 지난번에 공부를 하고 시험을 봤는데 53점 나왔어요. 그런데 이번에는 공부를 하나도 안 했는데 60점이 나왔어요. 저는 공부 안 하고 시험 보는 것이 성적이 더 잘 나오는 것 같아요." 실소를 자아내는 아이의 말 속에는 사실 '무기력'이 숨어 있다. 자기는 공부에 있어서 아무것도 할 수 없다고 생각한다. 부모들은 열심히 공부하라는 의미에서 신문이나 뉴스를 보다가 "미국에서 박사학위까지 따 가지고 왔는데도 취업도 못하고 환경미화원 시험을 봤대. 너도 정신 바짝 차려. 그렇게 공부해서는 아무것도 못해"라는 말을 한다. 세상은 정말 가혹한 곳이니 열심히 살아야 한다는 메시지를 주고 싶어서 하는 말이지만, 아이는 그 말을 듣고 '그래. 성공하려면 정말 열심히 해야겠어'라고 절대 생각하지 않는다. '미국 유학까지 갔다 온 사람이 저렇다는데, 나 정도가 뭘 하겠어. 힘들게 뭐 하러 공부해. 어차피 하나마나일 텐데…' 하고 자포자기하고 만다. 자신의 미래에 대한 희망을 잃어버리는 것이다. 공부를 안 하는 아이에게 학원을 늘리거나 규제를 강화하면서 "좋은 대학에 가고 좋은 회사에 취직하려면 성적을 올려라"라고 말해서는 안 된다. 지나치게 성적이나 등수를 강조해서는 안 된다. 아이에게 공부를 함으로써 얻어야 하는 것이 무엇인지, 공부의 참된 의미가 무엇인지를 가르쳐야 한다.

## 친구관계에 대한 엄마, 아빠의 생각은…

아이가 초등학생일 때는 친구관계를 중요하게 생각한다. 초등학교에 입학하는 아이를 둔 부모들에게 아이의 학교생활에서 무엇이 가장 큰 걱정이냐고 물으면 공부일 것 같지만 의외로 친구라고 대답하는 사람이 많다. 많은 부모가 아이가 친구들과 잘 어울리고 학교에서 원만하게 지냈으면 좋겠다고 대답한다. 아이가 학교에서 외톨이가 되거나 괴롭힘을 당할까봐 걱정을 많이 한다. 그런데 아이가 중고등학교에 가면 부모의 생각이 좀 달라진다. 친구가 공부에 방해된다는 생각이 커지면서 친구를 적당히 사귀는 것은 좋지만, 너무 친하게 지내는 것을 별로 좋아하지 않는다.

아이들에게 친구의 의미는 무척 크다. 인간은 사회적 발달이 이루어져야 다른 사람과 어울려 사는 사회화가 가능해진다. 가정에서 부모와 얼마나 안정된 관계를 갖느냐가 건강한 사회적 발달에 결정적인 역할을 한다. 부모와의 관계가 단단해졌을 때 아이는 소아기, 청소년기에 들어서면서 나와 피가 섞이지 않고 의식주를 같이 해결하지 않는 타인, 즉 친구와 좋은 감정을 나누는 것을 경험한다. 아이는 이 경험을 통해 사회화에 필요한 문제해결 방식과 타인에 대한 공감, 배려, 우정 등을 배워간다. 친구와 좋은 경험을 쌓아야 성인이 되었을 때 인간에 대해 친밀감을 느끼는 사람이 될 수 있다. 그래야 이성을 만나서 사랑도 하고 결혼해서 아이도 낳을 수 있으며 아이를 낳아 예쁘다는 생각도 할 수 있으며 남남이지만 시댁이나 처가 사람들과도 친밀감을 형성하게 된다. 친구관계에서 가장 중요한 것은 교환이다. 우정과 마찬가지로 갈등도 교환해봐야 한다. 친구관계는 부모와의 애착 다음으로 중요한 아이들의 발달과제이다.

아빠와 엄마가 아이의 친구에 부여하는 의미도 조금은 차이가 난다. 아빠들은 사회생활을 하다 보니 사람관계가 중요하다(엄마들은 사회생활을 하더라도 아빠만큼 생각하지 않는다). 아빠들은 문제가 있는 친구도 있기 마련이라고 여긴다. 하지만 엄마들은 아이가 물들까봐 두려워한다. 아빠들은 아이가 다양한 친구를 사귀는 것을 좋아한다. 다양한 친구가 그만큼 인생을 경험하는 데 도움이 된다고 생각한다. 아이가 공부에는 탁월한 재능이 없더라도 다양한 친구랑 잘 지내는 것을 보면 내심 '이 다음에 장사라도 해서 먹고살겠지' 하고 흐뭇해한다. 아주 심각하게 질이 나쁜 아이가 아닌 이상, 아이가 문제가 있는 친구를 사귀어도 그다지 크게 걱정하지 않는다. 이에 비해 엄마들은 보살핌 본능 때문에 질이 좋지 않는 친구와 친하게 지내는 것을 무척 불안해한다. 나에게 상담을 받던 한 아이의 엄마는 자기 아이가 치료에 진전을 보이자 아이와 가장 친한 친구 두 명의 치료도 함께 의뢰했다. 그 아이들이 좋아지지 않으면 우리 아이가 다시 나빠질 거라는 걱정 때문이었다.

# 왕따 · 괴롭힘을 당할 때

**DADDY'S THINK**

우리 아이가 왕따를 당했다고? 누군가의 희생자였다고? 그렇다면 누군가에게 만만하게 보였다는 말이잖아. 그럴 리가 없어. 내 아이가 그렇게 나약할 리가 없어. 아마 아이들끼리 장난이 좀 심한 걸 가지고 아내가 흥분해서 저러는 거겠지. 남들이 때리면 저도 좀 때리고 그러지 약해빠져서 엄마가 그런 오해나 하게 하냐!

**MOMMY'S THINK**

어떻게 다른 아이가 우리 아이를 괴롭혔다는 데 가만히 있지? 아빠 맞아? 당장 학교로 쫓아가서 가해자를 잡고 교사들에게 지금 일어난 문제를 명명백백하게 밝혀야 하는 거 아니야. 우리 애가 얼마나 억울하고 가슴이 아프겠냐고? 이럴 때 앞장서서 가족을 보호해주는 게 아빠의 역할 아니야? 그래야 우리가 아빠를 믿고 살지.

## 왕따 맞아? 애들끼리 장난한 거 아니야? vs 우리 애가 왕따를? 얼마나 힘들었을까!

잊을 만하면 한 번씩 사회면을 장식하는 기사가 있다. 친구들한테 왕따를 당하거나 집단 따돌림을 당한 아이가 스스로 목숨을 끊는 끔찍한 사건들이 매년 끊이지 않는다. 부모들은 '혹시 우리 아이도?' 라는 생각에 가슴이 철렁 내려앉는다. 물론 우리의 아이가 왕따를 당할 수도 있다. 한국청소년정책연구원이 2009년 발표한 자료에 따르면 초등학생의 8.3%가, 중고등학생의 3.9%가 왕따를 경험한 것으로 나타났다. 100명 중 8명, 10명 중 1명꼴로 왕따를 당한다는 이야기다.

왕따라는 말은 1990년대 중반부터 시작되었으며 그 전까지 우리나라에는 왕따라는 개념이 없었다. 영화 〈친구〉에서처럼 다른 학교의 아이들과 싸울지언정 자기 반 아이를 괴롭히는 일은 없었다. 같은 학교에서 선배가 후배를 집단 폭행하는 경우도 없었다. 우리나라의 왕따는 일본의 왕따를 이르는 '이지메'가 나타난 이후로 시작되었다고 보인다. 다양한 일본 문화의 영향(특히 애니메이션이나 만화)을 받다 보니 아이들의 모방행동이 나타난 것이다. 그런데 한번 시작된 왕따 문화는 시간이 갈수록 그 피해가 심각해졌다. 아이들은 단순히 학교에 가기 싫어하고 정신과 치료를 받는 것을 넘어, 폭력성이 점점 심해지고 자살까지 시도하기에 이르렀다.

상황이 이렇다 보니 진료실에도 왕따 때문에 찾아오는 아이들이 늘고 있다. 아이가 왕따를 당한다는 것을 알았을 때, 엄마들은 너무너무 안쓰럽고 속상해서 이성을 찾기 어려울 정도로 격분한다. 피해자의 아이 엄마가 흥분해서 가해자 아이의 부모를 찾아가고, 가해자 부모가 두 손을 싹싹 빌어도 속이 풀리지 않을 판에 사과하는 기색이 없으면 고소하겠다는 말까지 나온다. 그런데 의외로 아빠들은 대부분 차분하다. 그렇게 흥분할 일이 아니라며 이성적으로 나온다. 아내가 고소를 한다고 하면 "고소가 그렇게 쉬운 줄 알아? 좋게 해결하자구" 라며 아내를 달랜다. 그러면 엄마는 "당신, 내 남편 맞아?" 하면서 아이의 문제가 다시 부모의 갈등을 심화하는 주요 요인이 된다.

아빠들은 왜 그럴까. 아빠들은 문제를 해결해야 한다는 생각과 함께 우리 아이는 왜 이렇게 나약할까라는 생각에 화도 나고 아이가 조금 미운 마음도 있다. 아빠들은 강인함과 힘을 중요하게 생각하기 때문에 자신의 아이가 친구들과의 힘겨룸에서 밀렸으며 변변치 못하게 여겨지는 측면도 있다. 내 아이가 안쓰럽고 왕따시킨 아이에게 화도 나지만, 한편으로 다른 아이들은 괜찮은데 너만 당하냐 하는 마음도 있다. 그러다 보니 "너도 덤벼. 아빠가 다 책임질게. 그 아이가 세 대 때리면 한 대라도 때려. 아빠가 치료비고 뭐고 다 물어줄게" 하는 식의 조언을 많이 한다. 왕따를 당한 아이는 그것이 안 되는 아이들이다. 힘으로 누르는 아이를 힘으로 맞서는 것이 안 된다. 그런데 아빠가 자꾸 자신이 할 수 없는 것을 하라고 조언하니 아이는 더 외로워진다. 자신을 제대로 이해하지 못한다는 생각이 들고, 아빠의 조언을 따르지 못하는 나를 아빠가 얼마나 못난 아이로 볼까 창피해한다. 물론 왕따를 당한 자식이 딸이냐, 아들이냐에 따라 아빠의 반응은 좀 다르기는 하다. 딸이 왕따를 당하면 아빠들은 절대적으로 아이를 보호하려 하고 아들의 경우는 좀 못나게 보는 경향이 있다. 여자아이는 보호를 하고, 보호를 받아도 부끄럽지 않은데 남자는 강인해야 하고 나약하면 창피하다고 생각하는 사회문화적인 관념도 아빠의 반응에 한몫하는 것 같다.

엄마 아빠의 갈등은 여기서부터 시작된다. 아빠들은 문제를 적극적으로 해결하려기보다 아이한테 “그러기에 왜 맞아? 너도 좀 때리지”라는 말을 툭툭 던진다. 엄마들은 아빠의 이런 태도를 아이를 충분히 이해하고 보호해주지도 못하면서 안쓰러운 내 자식만 탓하는 것으로 본다. “왜 아이한테 그런 소리를 해? 때린 놈이 나쁜 놈이지”라며 아빠에게 쏘아붙인다. 엄마들은 아빠가 학교에 가서 교사들을 만나고 가해자 아이의 부모를 만나 속 시원하고 따끔하게 혼내주기를 바란다. 아빠가 가장으로서 가족의 든든한 울타리가 되어주기를 바란다. 그것을 아빠가 따라주면 문제가 없는데, 적극적으로 대처하지 않으면 아빠가 방관자처럼 보이고 서운하고 배신감마저 느껴진다. 그렇다면 아빠들은 왜 이렇게 문제를 축소하려는 걸까. 아빠들은 사실 아이가 왕따를 당했다는 그 자체를 인정하기가 싫다. 내 아이가 왕따를 당했다는 것을 인정하는 순간, 우리 아이가 누군가의 만만한 대상이라는 것을 인정하는 것이기 때문이다. 그래서 가해자 아이가 한 행동을 따돌림이 아니라 장난이라고 축소해버린다. 가해자 아이 편을 드는 것이 아니라 내 자식이 변변치 않다는 것을 인정하고 싶지 않다.

그럼 왕따를 당한 아이의 마음은 어떨까? 왕따의 피해 당사자인 아이들은, 자신의 상황을 절대 가족들에게 알리고 싶지 않아한다. 6개월 동안 왕따를 당해 상담을 받으러 온 고등학교 1학년 아이는 엄마에게 울면서 말했다. “아빠한테 절대로 얘기하지 마. 아빠가 알면 나는 죽어버릴 거야. 형한테도 말하면 안 돼. 엄마도 학교에 아는 척하지 마.” 나는 아이가 원한다면 그렇게 해주기로 했다. 엄마만 알고 있고 주위 사람들은 모두 모르는 것으로 했다. 그 아이의 아빠는 전형적인 아빠라고 할 만한 평범한 사람이었다. 그런데도 아이들은 엄마는 괜찮지만, 절대 아빠한테는 자신의 문제를 노출하지 않으려고 한다. 엄마는 나를 위해 희생하는 사람이라는 이미지가 있지만 아빠는 나의 약점을 노출하면 안 되는 사람이라고 생각한다. 아이와 아빠, 특히 아들과 아빠 사이에는 본능적으로 미묘한 '파워 개념'이 존재한다. 남자 대 남자로서 자신이 유약하고 힘이 없는 존재인 것이 드러나는 것을 부끄럽고 수치스럽게 생각한다. 이것은 아이의 무의식에서 일어나는 반응이다. 이 아이의 경우도 아빠가 모르는 척은 했지만 엄마와 상의해서 가해자 학생도 만나보고 나에게 상담도 받으면서 문제를 해결했다.

아이가 왕따를 당했을 때는 철저하게 아이 중심이 되어서 해결해야 한다. 아이는 희생자이고 어떤 이유에서건 아이가 가장 힘들다. 부모는 철저히 아이를 이해하고 보호해야 한다. 아이에게 "어떤 이유에서도 사람이 사람을 괴롭히는 것은 있을 수 없다"는 명제를 이야기하고, "네가 어떤 식으로든 나한테 신호를 보냈을 텐데, 내가 그것을 몰라서 정말 미안하다. 이제라도 알았으니 앞으로 보호해줄게"라거나 "지금 마음이 많이 아플 텐데, 그럼에도 불구하고 나에게 말해준 것이 참 고맙다. 엄마 아빠는 어떤 방법을 동원해서라도 다시는 이런 사태가 재발되지 않도록 적극 대처할 거야"라고 말해야 한다. 왕따나 성폭행을 당한 아이나 대처하는 부모의 반응은 굉장히 적극적이어야 한다. 창피하다고 숨기거나 그 문제 안에 혹시 아이의 책임이 있는지 추궁해서는 안 된다. 잘못은 반드시 가해자에게 있다. 부모도 그렇게 생각하고, 아이도 당연히 그렇게 생각하게 도와야 한다. 부모가 적극적으로 나서서 대처하는 모습을 보여야 아이의 상처도 치유된다. 따라서 아빠도 자기 자신의 체면보다는 아이의 마음을 헤아려 적극적으로 나서야 한다.

초등학교 저학년에는 왕따라기보다 짓궂은 장난인 경우가 많고 조직적인 왕따는 초등학교 고학년부터 중학교 1, 2학년이 가장 심하다. 중학교 3학년이 되면 좀 가라앉기 시작해서 고등학교에 가면 생각이 많이 자라 대부분 사라진다. 왕따를 만드는 주동자는 대개 성격적으로 문제가 있는 아이들이다. 그런 아이들은 치료를 받지 않는 이상 고등학교에 가도 변하지 않는다. 생각이 자라는 것은 지금까지 침묵하고 방관하던 주변 아이들이다. 지금까지는 친구가 왕따를 당하면 자기도 당할까봐 침묵하고 방관했다면, 고등학생 정도 되면 "야, 그만 좀 해라" 하는 아이들이 늘어나기 시작한다. 반 분위기가 이렇게 되면 주동자도 친구들 눈치를 보느라 활개를 못 쳐 왕따가 줄어든다.

왕따 문제로 개인적으로 내게 자문을 구하면, 나는 부모가 적극적으로 나서는 것이 가장 좋다고 말한다. 부모가 가해자 아이를 직접 만나 담판을 짓는 것이다. 왕따는 짓궂은 장난이 아니라 피해아이에게는 크나큰 정신적 상처를 남기는 문제 행동이기 때문이다. 아이를 괴롭히는 주동자 아이를 조용히 알아내 학교 교문 앞에서 기다렸다가 만난다. "네가 철호지? 내가 누군지 아니?" 하면 아이가 당황해서 "몰라요" 그럴 거다. 그러면 소리를 지르거나 위협적으로 말하지 말고 단호하고 침착하게 "나는 민수 부모야. 내가 너를 찾아 온 이유는 네가 민수에게 어떤 행동을 하는지 알고 있어서야. 너 왜 그런 행동을 했니?"라고 묻는다. 아이는 그냥이라고 대답할 수도 있고 아니라고 잡아뗄 수도 있다. 이 아이에게 "우리 아이하고 앞으로 잘 지내라"라고 말해서는 안 된다. 그렇게 해서는 절대 해결되지 않는다. "내가 이 사실을 알고 있었지만 지금까지 기다린 것은 네가 지금 어리고, 반성할 시간을 주려고 했던 거야. 이제는 더 이상 기다릴 수 없어. 이게 마지막 기회야. 다시 한 번 그런 일을 하면 나도 너에게 똑같이 해줄 거야. 똑같이 해주겠다는 게 우리 아이한테 했던 것처럼 쫓아다니면서 때린다는 것이 아니라 너도 그만큼 힘들어할 각오를 해야 한다는 의미야. 학교를 못 다니는 것은 말할 것도 없고 경찰에서 조사도 할 거야. 학교폭력으로 신고를 할 테니 각오하고 있어. 네가 오늘 너에게 한 말이 기분이 나쁘면 너의 부모한테 가서 얘기해. 우리 집 알려줄 테니까." 그리고 마지막으로 "앞으로 우리 아이하고 친하게 지내지 마라. 네가 좋은 마음으로 우리 아이 옆에 와도 이 시간 이후로는 무조건 괴롭히는 것으로 간주할 거니까"라는 말도 꼭 해줘야 한다. 왕따를 시키거나 괴롭힘을 주도하는 아이들이 가장 잘 하는 말이 "친하게 지내려고 장난친 거예요"이기 때문이다.

# 다른 친구를 괴롭힐 때

**DADDY'S THINK**

집에서는 애기 같은데 나가서는 아닌가 보네. 남들한테 당하고 오지는 않는 걸 보니. 그래도 그렇지 내가 저한테 얼마나 공을 들이고 있는데 남을 괴롭힌다는 게 말이나 돼! 남들이 아빠인 나를 어떻게 보겠어?

**MOMMY'S THINK**

절대 그럴 리가 없어. 우리 애처럼 착한 애가 다른 아이를 왜 괴롭히겠어? 뭔가 잘못된 거야. 만약 우리 애가 그랬다면 이유가 있을 거야. 혹시 내가 뭘 잘못했나? 부모한테 무슨 불만이 있나? 뭔가 말 못할 힘든 일이 있었나? 아이를 자극할 것 같아 직접 물어볼 수도 없고 정말 답답하네.

## 할 짓이 없어 남을 괴롭혀? vs 절대 그럴 리가 없어.

'우리 아이가 설마 다른 아이를 괴롭히겠어?' 라고 많이들 생각하지만, 진료실을 찾은 부모 중에는 우리 아이가 다른 아이를 괴롭히는 것 같다며 상담을 의뢰하는 경우가 무척 많다. 2010년 서울시에서 청소년위기실태 조사를 실시했다. 서울시 초 · 중 · 고에 재학 중인 1만2949명을 조사한 결과, 친구를 따돌린 경험이 10.5%, 친구를 괴롭힌 경험이 9.9%나 되었다. 생각보다 많은 아이들이 왕따를 시키거나 집단 괴롭힘에 참여한 경험이 있었다. 말은 안 했지만 우리 아이도 그 경험을 했을 수 있다. 그런데 왕따에 참여한 아이들의 이유는 의외로 평범했다. 가장 흔한 이유는 상대 아이가 '잘난 척' 을 한다는 것이다. 예쁜 척, 돈 많은 척, 짱인 척, 공부 잘하는 척 등이었고, 친구가 하니까 그냥 따라했다, 재미로 했다는 아이도 꽤 있었다. 그리고 부모들은 대부분 상상도 못하지만 왕따의 주동자가 되는 아이가 의외로 리더인 경우가 많았다. 타의 모범이 되는 아이가 집단에서 튀는 아이를 응징하기 위해 주동자가 되는 것이다.

집단의 리더인 아이가 왕따의 주동자가 되는 이유는 왕따의 메커니즘을 알면 쉽게 이해된다. 우리나라에서 나타나는 왕따에는 몇 가지 특징이 있다. 첫째, '일반성' 을 가지고 있다. 왕따를 당하는 아이를 보면 대부분 그렇게 왕따를 당할 이유가 없다는 생각이 든다. 왕따를 하는 아이도 대부분 다른 사람을 왕따시킬 만큼 나쁜 애가 아닌 경우가 많다.

둘째, '지속성' 을 지닌다. 무슨 말인가 하면 '한 번 왕따는 영원한 왕따' 라는 이야기다. 그 이유가 합리적이든, 그렇지 않든 한 번 왕따였던 아이는 영원히 왕따가 되는 수가 많다. 이것은 우리 사고의 특성과 관련이 있다. 우리 문화의 많은 부분은 충분한 시간을 거치면서 합리적인 사고가 생겨나고 철학적인 이해가 있었어야 했는데 일제 강점기와 6 · 25전쟁을 겪으면서 그러지 못했다. 그러다 보니 사회 전반에 걸쳐 많은 것이 얼리어댑터지만, 눈에 보이는 발전만큼 사회, 문화, 철학의 발달이 그 속도를 못 따라가는 것 같다. 아이들 역시 생명존중(친구를 괴롭히는 것이 왜 안 되는지)이나 다른 사람의 권리존중(나의 권리가 중요하듯 타인의 권리도 얼마나 중요한지)에 대해 제대로 배우고 깊이 생각해서 내면의 가치관으로 사로잡지 못했다. 그리고 한 번 받아들인 정보가 잘못된 것 같으면 자기 안에서 그 오류를 수정하는 과정을 거쳐야 하는데 그런 기반이 없다. '저 아이가 예전에는 왕따였지만 생각해보니 우리가 좀 잘못한 것 같아. 내가 보기엔 아닌 것 같다' 라고 생각하고 행동을 바꿀 수 있어야 하는데, 그럴 만한 자기 안의 철학이나 사상의 기반이 없다 보니 계속 똑같은 실수를 반복한다.

셋째, '집단 압력' 이 있다. 우리 국민은 단일민족이라는 기본 바탕 아래 그 그룹에서 추구하는 어떤 색깔이나 가치에서 벗어나는 것을 바라지 않는 의식이 강하다. 시대가 바뀌면서 개인의 개성이나 창의성 등을 존중하는 시대가 되긴 했지만 여전히 가정, 학교, 사회, 국가에서 기본이 되는 것은 집단의 분위기를 따르는 것이다. 그중 튀는 사람은 리더가 되는 사람에게 서너 번 지적을 받고, 그래도 교정되지 않으면 응징과 처벌로 왕따를 당한다. 그 안에는 적극적으로 주동하고 가담하는 아이가 있고 나머지 아이들은 침묵한다. 이때의 침묵은 무언의 동조로 나도 그 아이가 튀는 것이 싫은 것이다.

따라서 우리 아이가 전혀 문제가 없어도 왕따나 집단 괴롭힘의 주동자가 될 수 있다. 그것이 우리나라 왕따의 메커니즘이다. 하지만 대부분의 부모는 "당신의 아이가 주동자입니다"라고 말하면 "절대 그럴 리가 없다"며 믿고 싶어 하지 않으며, 특히 엄마들은 대부분 인정하지 않는다. 정말 믿을 수밖에 없는 상황이 되면 왜 그랬을까, 혹시 부모한테 불만이 있어서 그랬나, 사춘기를 겪으면서 힘든 일이 있었나, 나한테 말 못할 고민이 있나 등의 걱정을 한다. 그러면서 혹시 아이를 자극할까봐 그 이유를 속 시원하게 물어보지도 못한다. 그래서 "선생님, 우리 아이의 마음 좀 알아봐주세요"라며 전문가를 찾기도 한다. 엄마들의 여기까지의 대응은 바람직하다.

그런데 억울하고 속상한 마음은 남편에 대한 불만으로 터진다. "당신이 매일 술 먹고 와서 소리나 지르니까 아이가 뭘 배우겠어? 당신이 일만 하고 아이한테 신경을 안 쓰니까 이런 일이 생기지"부터 "사춘기 때는 아빠하고 많은 대화를 나눠야 한다던데, 우리 집은 아빠가 아예 없으니 애가 잘 클 수 있겠어!"라며 아빠에게 화살을 쏘아댄다. 그러면서 엄마는 무의식적으로 문제가 빨리 해결되지 않기를 바란다. 아이한테 문제가 있어야 남편한테 항의할 수 있기 때문이다. 아이에게 말끝마다 "네 아빠가 조금만 잘했어도 네가 그러지 않았을 텐데…"라며 아이의 잘못된 행동에 단호하게 대처하기는커녕 오히려 감싸주기까지 한다. 물론 아빠와의 관계를 통해 상처를 받아 그런 행동을 했을 수는 있지만, 지금 일어난 문제의 책임은 분명 아이에게 있지, 아빠는 아니다. 엄마가 자꾸 아이의 잘못된 행동을 보고 아빠 탓을 하면 아이는 '내 잘못이 아니고 아빠 잘못인가' 라는 혼란을 겪을 수도 있다. 엄마의 행동은 아이의 문제행동을 교정하는데 전혀 도움이 되지 않는다.

아빠들은 아이가 다른 아이를 괴롭힌다는 소식을 들으면 두 가지 마음이 든다. 하나는 아이가 미워진다. '내가 저한테 얼마나 잘해줬는데, 할 짓이 없어서 남을 괴롭혀' 라는 마음과 또 다른 하나는 '그래도 당하고 오지 않았으니 다행이네. 사나이라고 싸움도 할 줄 아네' 하는 마음이다. 전자의 마음이 있을 때, 아빠는 아이를 감정적으로 대할 가능성이 크다. "내가 너를 어떻게 키웠는데, 어떻게 나쁜 짓을 하니?"라고 말하면 아이의 자존감은 굉장히 떨어진다. 아이에게 '그 행동은 나쁜 거야' 라는 메시지가 아니라 '너는 나쁜 아이야' 라는 메시지가 전달되기 때문이다. 문제행동에 초점을 두었다기보다 아이 자신에게 초점을 둔 말이다. 문제행동을 고쳐주는 것이 아니라 아이 자체를 비난하는 꼴이 되고 만다. 아이는 더 엇나갈 수 있다. 아이는 '우리 아빠는 나를 좋아하지 않는구나. 나에 대한 신뢰가 없구나' 라고 생각하면서 아빠와 사이가 나빠진다. 후자의 마음은 미묘하게 문제행동을 강화시킨다. 아빠가 "사나이는 그럴 수 있어"라고 말하면 아이는 싸울 때 당한 아이가 남자 같지 않아서 더 무시한다. "사내 녀석이 그럴 수도 있어. 이런 일로 너무 기죽지 마. 하지만 그러면 안 돼"라고 말하면 '그러면 안 돼' 보다 앞에 한 말의 비중이 훨씬 크기 때문에 자신이 잘못했다고 생각하지 않는다. 문제행동을 교정하기는커녕 더 강화시키는 결과를 낳는다.

한 가지 재미있는 것은 같은 훈계라도 평소 아이에게 관심을 가진 아빠와 그렇지 않은 아빠가 갖는 효과가 다르다. 평소 관심이 전혀 없는 아빠가 이런저런 훈계를 하면 사춘기만 돼도 아이들은 '자기가 뭔데? 평소에는 모른 척하고 자기 하고 싶은 대로 다 하다가 웬 참견이야' 라고 나온다. 이런 상태에서는 아무리 좋은 훈계도 먹히지 않는다. 나는 종종 아이의 이런 태도에 충격을 받은 아빠들에게 '훈계의 효과는 아빠가 아이에게 보인 관심, 보낸 시간과 비례한다'는 말을 해준다.

그렇다면 어떻게 해야 할까. 부모는 아이와 그 문제에 대해 단호한 메시지를 전해야 한다. 분명 아이의 행동은 잘못된 것이고 고쳐져야 한다. 아이의 문제를 수정해줌으로써 좋은 교육의 기회로 삼아야 한다. 이런 중대한 문제일수록 아이와 대화를 하려면 환경을 갖춰야 한다. 아이와 앉을 때는 마주 앉는 것보다 ㄱ자로 앉는 것이 좋다, 마주 앉으면 약간 적대감이 생길 수 있기 때문이다. 이야기를 하면서 중간 중간 어깨를 감싸주면 대화의 효과를 더욱 높일 수 있다. 대화를 시작할 때는 아무 데서나 "야, 너 이리 와봐"라고 말하지 말고, 차분한 목소리로 "엄마랑 여기 앉아서 얘기 좀 하자. 엄마가 너에게 할 얘기가 있어"라고 말을 꺼낸다. 아이는 대화를 하러 오면서 마음이 좀 진정된다. 아이가 의자에 앉으면 반드시 아이에게 오늘 이야기하는 목적을 먼저 말해야 한다. "엄마가 오늘 너하고 얘기를 좀 하려고 해. 혼내려는 것은 아니야. 네가 왜 그러는지 엄마도 알아야 너를 도와줄 수 있어서 물어보는 거야. 솔직하게 얘기해준다면 엄마가 정말 고맙겠다"라든가 "이것은 내가 너에게 꼭 가르쳐야 하는 거야. 너의 그런 행동은 그냥 넘어갈 수 없는 문제란다"라고 간단하게 이야기한다. 그래야 아이가 부모가 의도한 대로 듣는다. 그리고 "이것은 두 번 다시 일어나서는 안 되는 문제다. 어떤 경우라도 사람을 괴롭히거나 때리는 것은 안 된다. 네가 이번 기회에 그것을 꼭 배웠으면 좋겠다. 이번 일이 너에게 좋은 경험이 될 것이다. 하지만 두 번 다시 그런 행동을 반복해서는 안 된다"라고 말하면 된다. 부모가 소리를 지르지 않고 진지하게 얘기하면 아이들은 대부분 고분고분 이야기를 듣고 "네"라고 대답하며 수긍한다.

어떤 심각한 문제라도 아이에게 사회적 규칙을 가르쳐주는 교육의 기회로 삼을 수 있다. 너무 흥분하지 말고 차분하게 대처해야 하며 심각한 문제일수록 부모가 꼭 의논해서 다루는 것이 좋다. 한 사람만 신경 쓰는 듯한 인상을 주어서는 안 된다. 두 사람이 모두 나서야 아이가 정말 중요한 문제구나라고 생각한다. 두 사람이 함께 아이와 대화를 나누게 될 때는 미리 만나서 합의를 한다. 그 문제에 대한 정보와 생각을 공유해야 한다. 아이와 대화를 할 때는 정화되지 않은 감정을 분출해서는 절대 안 된다. 그렇게 되면 그 문제를 가르치는 것이 아니라 그 '개인'에게 항의하는 것이 된다. 정화되지 않은 감정 때문에 문제의 핵심은 어디론가 사라지고, 나중에는 짜증과 불쾌한 감정만 남는다.

작년에 우리 아들 반에도 왕따가 있었다. 아들이 어느 날 나에게 그 아이 얘기를 했다. 아이는 전학 온 지 얼마 되지 않았는데, 전 학교에서 일짱(반에서 싸움으로 일등)을 했다며 잘난 척을 했단다. 그러면서 괜히 아이들한테 싸움을 걸어댔다는 것이다. 그런데 싸움을 하면 아이는 일짱이라는 말이 무색하게 형편없이 나가떨어졌다. 그런 일이 반복되자 반 아이들은 점점 그 아이를 왕따시키기 시작했다. 내 아들도 주동자나 적극 가담자는 아니었지만 무언의 동조를 하고 있는 상황이었다. 이 때 아이에게 "그래도 친구를 사랑해야지"라는 말을 해봐야 먹히지 않는다. 한 아이를 왕따시키는 상황은 아이들이 봤을 때 적극적이든 소극적이든 그 아이가 문제가 있다고 보기 때문이다. 나는 아들에게 "그 아이도 분명히 고쳐야 할 점이 있어. 그런데 그 아이를 고쳐줄 사람이 누구지?"라고 물었다. 아들은 내 얼굴을 빤히 보며 곰곰이 생각하고 있었다. "너희야? 선생님이야? 그 아이 부모야?" 그랬더니, "선생님이나 부모님이요"라고 대답했다. "그렇지. 너희들이 직접 응징하려고 하면 안 돼. 물론 너희들도 스트레스도 받고 짜증도 날 거야. 인정해. 하지만 그 아이의 문제행동을 고쳐줄 사람은 너희가 아니야. 너희가 할 일이 아니야"라고 말해주었다. "하지만 그러지 않으면 그 아이가 계속 그런 행동을 한단 말이에요"라고 하기에 "그러면 선생님께 얘기하렴. 절대로 이르는 것처럼 하지 말고, 몇몇이 가서 의논을 좀 하러 왔다고 말해라. 그리고 선생님께 '그 아이가 이런저런 행동을 해서 반 아이들이 다들 힘들어요. 선생님께서 그 아이랑 얘기를 해주셨으면 좋겠어요' 라고 말씀 드리렴" 하고 조언했다.

만약 반 아이 전체가 어떤 한 아이를 왕따시키는 분위기라면, 우리 아이 하나가 절대 해결하지 못한다. 이럴 때는 아이들의 입장에서 우선 이해를 해주고 나서 바람직한 방법을 알려주어야 한다. 누군가 주동이 되어서 한 아이를 왕따할 때 옆에서 동조하거나 웃지 말아야 하고, 왕따를 당하는 아이와 친구가 되어주거나 편을 들어줄 필요는 없지만(내 아이 혼자 전체 분위기를 거스르며 그렇게 하기는 어렵다) 다른 친구들이 그 아이를 때리거나 위험한 행동을 하면 "하지 마" 정도의 이야기는 할 수 있어야 한다고 말해주자. "이런 행동은 심한 거야. 이렇게까지 해서는 안 돼!"라고 말할 수 있는 용기는 있어야 한다고 조언하자.

교육현장에 계신 분들에게 한 가지 당부하고 싶다. 보통 교실에서 왕따가 일어난다는 것을 알게 되면, 왕따 프로그램을 한답시고 반 전체 아이들에게 교육용 비디오를 보여주거나 교육전문가가 와서 강의를 하는 경우가 있다. 아니면 왕따를 당한 아이는 보건실에 가 있으라고 하고 담임교사가 종례시간에 잔소리를 한다. 그런데 이렇게 대응하면 왕따를 시킨 아이들이 절대 반성하지 않는다. 오히려 속으로 '걔 때문에 우리가 지루한 잔소리를 들어야 하는구나' 라고 생각하며 그 아이를 더 미워한다. 왕따 문제를 해결하려면 적극 가담자가 아닌 미안한 마음을 조금은 가지고 있는 무언의 동조자를 잘 포섭해야 한다. 약간 중립적인 아이들을 조용히 불러서 주동자의 행동이 심할 때는 너무 심하다는 말을 좀 해달라고 부탁한다. 그렇게 하면 주변 아이들의 분위기가 바뀌면서 반 분위기가 바뀌어간다. 왕따 문제는 그렇게 해결해야 한다.

## 친구가 너무 많을 때

### DADDY'S THINK

아내는 참 걱정도 팔자다. 친구가 없는 것보다는 많은 것이 좋고 아이들이 어디 갈 때 그래도 같이 가자고 하는 게 낫지. 그게 무슨 걱정이라고. 친구 때문에 공부를 안 한다고? 그거 단속하는 게 엄마가 하는 일 아닌가?

### MOMMY'S THINK

친구가 없는 것보다는 많은 것이 고맙기는 하지만 그 친구들이 어떤 아이들인지 알 수가 없어서 불안해. 우리 착한 애가 그 아이들에게 나쁜 영향이라도 받으면 내가 아이를 통제할 수가 없거든. 난 우리 애가 괜찮은 아이 몇 명만 사귀었으면 좋겠어. 그래야 내 마음이 편안하거든.

친구 많은 게 어때서? 괜찮아! vs
어울려 놀기나 하고 공부는 안 한다니깐. 아이의 친구가 많아서 부부가 갈등을 한다기보다 친구가 많아서 발생하는 2차적인 문제 때문에 갈등한다. 이런 경우 아이가 아들이냐, 딸이냐에 따라 문제를 바라보는 엄마 아빠의 생각도 달라진다. 아들일 경우, 아빠들은 기본적으로 집안에서 일어나는 잘못된 일은 엄마 탓이라고 생각하기 때문에 "집에서 하는 일이 뭐야? 아이 시간 관리 하나도 못해주고"라는 말을 핀잔처럼 한다. 하지만 내심 '친구가 없는 것보다는 많은 게 낫지. 애들이 안 놀아주는 것보단 어딜 가든 불러주는 것이 좋지' 라고 생각한다. 친구가 많은 것을 다른 측면에서 아이의 능력이라고 본다. 엄마들은 아빠와 같은 생각도 있지만, 그보다는 아이에게 친구가 많으면 자신이 통제할 수 있는 선을 벗어나게 될까봐 불안해한다. 아이가 친구를 만나서 무슨 일을 하는지 알 수도 없고 아이의 친구를 모두 관리할 수도 없기 때문이다. 친구가 많다 보면 그중에 약간 문제가 있는 아이도 있게 마련이다. 그러다 문제가 발생하면 엄마도 "당신이 친구 좋아해서 매일 술만 마시고 다니니까 당신 닮아서 그런가 보네"라며 아빠를 비난한다. 그런데 아이가 딸일 경우 엄마와 아빠는 똑같이 친구가 많은 것을 싫어한다. 정확히 말하면 친구가 많음으로써 파생되는 어떤 문제도 딸의 경우 너그럽게 봐주지 않는다.

부모들은 대개 자신이 알고 있는 아이의 친구는 허용한다. 아이의 심성과 부모님, 그 집안을 알고 있으면 만나도 안심한다. 부모가 불안해하는 친구는 자신들이 잘 모르는 친구들이다. 부모들은 공부 잘하고 착한 친구를 선호하기보다 아이가 내 통제권을 벗어났을 때 좋지 않은 영향을 줘서 허용되지 않는 행동을 하게 하는 친구를 싫어하는 것이 먼저다. 욕하는 아이, 컴퓨터 게임을 너무 오래 하는 아이, 놀러 와서 시간 맞춰서 안 가는 아이, 말을 거칠게 하는 아이, 학원 빼먹게 하는 아이, 늦게까지 돌아다니는 아이, 가족관계가 평탄하지 않은 아이 등을 싫어한다. 그러다 보니 부모는 아이의 친구를 자꾸 관리하려 든다. 아이들은 이런 부모의 행동을 "우리 엄마는 내가 친구 만나는 것을 싫어해요"라든지 "공부가 친구보다 중요하대요"라고 오해한다.
앞서 말했듯이 부모들은 아이의 친구를 싫어하는 것이 아니라 친구로 인해 발생하는 2차적인 문제를 싫어할 뿐이다. 그런데 아이들은 부모가 자신의 친구를 싫어한다고 오해한다. 이런 오해는 반드시 풀어주어야 한다. 부모가 아이의 친구에 대해서 이야기할 때는, 친구는 굉장히 중요하고 필요하며 친구와 노는 것은 좋은 것이며 너희 나이에는 친구관계가 중요하며 친구는 없는 것보다 많은 것이 좋다는 메시지를 반드시 전달해야 한다. 그런데 문제는 그 좋은 친구를 조절을 못하거나 시간 약속을 못 지키는 것이지, 친구 자체를 만나지 말라는 것은 절대 아니라는 부모의 의사를 명확하게 전달해야 한다.
결론적으로 말하면 아이의 친구는 많을수록 좋다. 꼭 많아야 하는 것은 아니지만, 많은 것이 나쁜 것은 아니다. 아이에게 친구는 부모만큼이나 중요한 존재이다. 만 2세 미만의 아이는 부모와의 안정된 애착을 통해 자존감을 높이고, 자기가 사랑받는 존재라는 것을 확인한 후 세상에 대한 안정감, 신뢰감을 얻는다. 또래는 그것이 확장된 형태이다. 친구는 심심한 시간을 때우는 존재가 아니라 친구 간의 관계를 통해 자존감이 좋아지고 자기의 존재도 확인하게 되고 타인의 감정을 공감하는 능력도 배우고 타인과 공명하는 것도 배우며 사회 일반적인 공통성을 배우고 인내하는 것도 배운다. 부모와 아이는 동등한 관계가 아니기 때문에 부모는 아이에게 져주거나 참아주는 것이 많다. 하지만 친구는 동등한 관계이다. 아이는 처음으로 동등한 관계에서 객관적으로 살아가는 방법을 배우게 된다. 그 나이 또래가 하는 일반적인 생각과 행동양식도 배운다.

인간은 부모와 친구를 통해 사회적 동물로 타인과 관계하는 양식을 배워 간다. 그 사회적 발달의 기본이 '친구관계' 이다. 그래서 친구는 꼭 좋은 친구만 있을 필요는 없다. 친구관계는 늘 주고받는 것에서 생겨난다. 우정이든, 배려든, 사랑이든, 갈등이든, 싸움이든 다양한 감정을 주고받아야 한다. 그래야 사람이 발달해 나간다. 따라서 하루 종일 말 한마디 안 하고 친구가 한 명도 없는 아이보다는 싸우고 맞고 들어오는 아이가 더 나으며 발전적이다. 싸우고 맞는 식의 문제가 발생하면 부모나 전문가가 나서서 아이 안에서 그 문제를 찾아내게 하고 그로 인해 더 나은 사회적 발달을 가능하게 하기 때문이다. 물론 일부러 싸우고 다닐 필요는 없지만, 친구관계가 부모가 생각하는 것처럼 늘 모범적이고 아무 문제없는 것이 반드시 좋은 것만은 아니다.

# 외톨이

**DADDY'S THINK**

맞는 친구가 없나 보지. 혼자 지낸다고 그걸 꼭 외톨이라고까지 말하면서 걱정할 필요가 있을까. 혼자 논다고 무슨 문제를 일으키는 것도 아니고, 공부를 안 하는 것도 아니잖아. 가끔 보면 아내는 정말 긁어 부스럼 만들기 대장이야. 때 되면 친구를 사귀겠지. 부모가 친구 사귀는 것까지 챙겨야 하는 건가.

**MOMMY'S THINK**

하루 종일 학교에서 혼자 밥 먹고, 혼자 공부하고, 혼자 놀았을 생각을 하면 정말 가슴이 찢어지는 듯해. 얼마나 외로웠을까? 도대체 왜 친구를 사귀지 못할까? 아이가 이렇게 힘든데 나는 도대체 뭘 하고 있는 거지? 내가 아이 친구를 만들어줘야겠어.

## 외톨이? 그게 왜 문제가 되는데? vs 얼마나 외로울까? 내가 나서야겠어.

아이가 외톨이로 있는 것을 좋아하는 부모는 없다. 문제는 아빠들은 외톨이로 인해 어떤 문제가 발생하지 않으면 그것을 문제로 받아들이지 않는다는 점이다. 아이가 누군가에게 부당한 대우를 받거나 맞고 들어온 것이 아니면 아이가 외톨이일지라도 '조용히 있다가 온 것이 뭐가 문제냐'는 식이다. 그래서 아내가 "우리 애가 친구들이랑 말도 잘 못하고 외톨인 것 같아"라고 걱정스럽게 말하면, "왜? 선생님한테 물어봤어? 선생님이 문제 있대?"라는 식으로 되받아친다. 아내가 "학교에서는 그냥 잘 지낸대"라고 하면 "그럼 됐어. 별것도 아닌 것 가지고 문제 만들지 말고"라고 말한다. 아빠들은 문제가 밖으로 드러나지 않으면 심각하게 생각하지 않는다. 엄마들은 아빠의 이런 태도를 무책임하다고 받아들인다.

엄마들은 아이가 학교에서 친구들과 잘 지내지 못하는 것 같으면, 하루 종일 얼마나 힘들었을까를 생각하며 속상해하거나 불쌍해서 눈물이 나기까지 한다. 본인의 어린 시절이 아이와 비슷한 상황이면 그 당시의 고통까지 가중되어 더 슬퍼진다. 적극적인 기질의 엄마들은 아이가 외톨이면 해결 방법을 찾아 나선다. 아이 생일날, 카드를 만들어 반 아이들에게 보내고 아파트 단지에서 또래 엄마들을 사귀어 내 아이와 어울려 노는 자리를 만든다. 아이와 비슷하게 소극적인 기질의 엄마는 자신도 여리고 사람을 못 사귀니까 이 상황을 어떻게 해결해야 할지 몰라 전전긍긍한다. 아이나 엄마나 똑같기 때문이다.

소극적인 엄마는 보통 적극적인 기질의 남편과 결혼하는 수가 많다. 이때 아빠가 보면 엄마와 아이의 행동이 잘 이해가 되지 않는다. 소극적이고 선뜻 못 나서는 모습을 보면 '그걸 왜 그러고 있어? 그냥 하면 되지' 이런 식이다. 아이가 맞고 들어온 것도 아니고 주뼛주뼛하는 정도는 심각하게 받아들이지도 않는다. 엄마가 "우리 애가 다른 아이한테 말을 못 걸더라고"라고 말하면 그 상황을 이해하지 못한다. 아빠는 그 마음이 얼마나 불편하고 괴로운지 한 번도 경험한 적이 없기 때문이다. 엄마의 설명만으로는 절대 아이의 상태나 심각성을 알지 못한다. 아이의 상황을 촬영해서 보여주거나 직접 목격하게 해주어야만 아이에게 그게 얼마나 어려운지, 아이가 얼마나 힘들어하는지 알게 된다. 사람은 누구나 생각이 다른데 기질이 다르면 생각은 더 다를 수 있다. 아무리 사랑하는 부부라도 서로 다른 개체이기 때문에 생각이 다르다. 상대편 배우자는 당연히 나와 생각이 다를 수밖에 없다는 전제를 잊지 말자. 부모의 의견은 다를 수 있다. 하지만 분명히 아이의 문제를 도와주는 데에 있어서는 동지가 되어서 같은 측면을 바라봐야 한다. 아이 문제에 있어서 부부는 맞서고 있어서는 안 된다는 생각을 두 사람 모두 가지고 있어야 한다.

내성적이고 소극적인 아이들을 다룰 때 가장 중요한 첫 단계는 아이가 내성적이고 소극적인 것을 인정하고, 그것이 문제가 있거나 약한 것이 아니라는 것을 분명히 이야기해주는 것이다. 사람마다 기질이 다르고 저마다 장점이 있기 때문에 나름대로 해결해야 할 숙제가 있을 뿐이다. 소극적이면 소극적인 대로, 적극적이면 적극적인 대로 장점과 단점이 있다고 말해준다. 아이에게 "네가 사람을 싫어하는 것이 아니라면 너는 사람을 사귀는 데 시간이 걸릴 뿐이야"라고 말하면서 그것을 인정한다. 더불어 엄마의 경험담을 들려주는 것도 좋다. "엄마도 어릴 때는 너처럼 좀 그런 면이 있었는데, 이렇게 하니까 친구 사귀는 게 좀 낫더라"라며 자신의 성공적인 경험을 알려준다. 아이에게 친구를 빨리 못 사귀고 소극적인 것이 문제고 반드시 개선해야 할 점이라는 식으로는 말해서는 안 된다. 그 점이 너무 부각되면 아이가 노력한답시고 친구를 빨리 사귀려고 과한 행동을 해버린다. 원래는 굉장히 내성적이지만 명랑한 척하며 친구를 사귄다. 자신의 문제점을 극복해보려고 하는 행동이지만 결국 자기에게 맞지 않은 옷을 입는 결과가 된다. 왜냐하면 그렇게 며칠 만에 사귄 친구는 대개 적극적이기 때문에 내성적이고 소극적인 아이와 오래가지 못할 가능성이 높다. 같이 있어도 기질이 같지 않기 때문에 내성적이고 소극적인 아이는 오히려 더 외로워진다.

부모는 아이가 자신에게 맞는 방법으로 친구를 사귈 수 있도록 도와주어야 한다. 아이가 책을 좋아한다면, 독서교실 같은 곳에서 기질이 비슷한 아이 2~3명을 모아 함께 책을 보면서 생각을 공유하게 해주어도 좋다. 혹은 엄마가 아이와 친한 친구(물론 부모의 동의를 얻는다)를 데리고 박물관을 견학시켜준다든지 놀이동산에 가도 좋다. 이럴 때도 아이가 부담을 갖지 않도록 '너와 맞는 친구를 찾기 위해 노력은 하지만 지나치게 애쓸 것까지는 없다' 는 조언이 필요하다.

# 질 나쁜 친구

**DADDY'S THINK**

아내는 사서 걱정하는 편이라 아이 친구가 조금만 질이 나빠도 불안해하지만, 나는 다양한 친구를 사귀는 것이 좋다고 생각해. 하지만 내 아이가 질이 떨어지는 아이랑 어울리는 모습을 보면 사실 한심하고 실망스러워. 내 아이 수준이 저것밖에 안 되나 싶고. 만나지 말라고 해도 아이가 말을 안 듣네. 모든 지원을 끊어버려야지 안 되겠어.

**MOMMY'S THINK**

나는 내 아이를 결점 없이 완벽한 환경에서 키우고 싶어. 아이가 나쁜 환경에 물들지 않게 지키는 것은 내 의무라고. 그래서 우리 아이가 조금이라도 질 나쁜 아이랑 어울리는 것은 불안해. 아무래도 내가 아이를 철저하게 관리해서 그 아이랑 놀지 못하게 해야겠어.

## 한심하군. 저런 애랑 어울리다니! vs 저러다 나쁜 물이 들면 어쩌지?

부모들이 생각하는 질이 나쁜 아이는 가출을 일삼는 아이, 담배나 술을 하는 아이, 문란한 성생활을 하는 아이, 입에 담을 수 없는 거친 말을 하는 아이, 학생답지 않은 복장을 하는 아이, 화장을 진하게 하는 아이, 집에 잘 들어가지 않는 아이, 학교를 무단으로 빠지는 아이, 거짓말을 잘하는 아이, 아이를 꼬드겨서 안 좋은 행동을 일삼는 아이들이다. 내 아이가 질 나쁜 아이나 어울리는 것에 대해서는 엄마나 아빠 모두 이견이 없이 걱정한다. 그런데 엄마와 아빠가 보는 '질이 나쁘다'의 수준에는 조금 차이가 있다. 엄마는 조금만 그런 기미가 보여도 좋지 않은 아이라고 여겨 내 아이에게서 떨어뜨려놓는 반면, 남자들은 '뭐 그 정도 가지고 그러냐'는 입장이다. 특히 담배나 술 같은 경우는 물론, 아들에 한해서지만 비교적 허용적이다. 아빠들은 자신도 어린 시절 했던 가벼운 일탈 정도는 별로 질이 나쁘다고 보지 않지만, 엄마들은 상태가 경미해도 과하게 생각한다. 엄마는 조금만 문제가 있어도 문제가 있는 아이라 생각하고 아빠들은 엄마들의 그런 시각을 불편하게 생각하는 경향이 있다.

엄마는 머릿속이 온통 '내 아이가 나쁜 물이 들면 어쩌지?' 하는 걱정으로 가득 차고, 아빠들은 '저런 아이랑 어울리다니 한심한 자식'이라고 생각한다. 엄마는 걱정하지만, 아빠는 실망을 먼저 한다. 엄마들은 질 나쁜 아이와 우리 아이를 떼어놓는 것에 급급하다. 학교 앞에서 지키고 서 있다가 아이를 데려오고, 학원에도 열심히 데려다주고 데려온다. 아빠들은 아이가 한심하니까 징벌한다. 징벌은 바로 내 휘하에서 네가 가졌던 특권을 모두 회수하겠다는 것이다. 특권을 다시 누리고 싶으면 내 밑으로 들어오라는 것이다. '너 이것밖에 안 돼? 실망했다, 머리를 박박 밀어버리겠다, 외출 금지다, 용돈 없어, 휴대폰도 정지야'라며 강하게 나온다.

인간은 본능적으로 상대가 너무 강하면 숙이고 들어오는 경우가 거의 없다. 마지못해 숙이고 들어갈 때는 내가 독립할 수 있을 때까지 당신을 이용하겠다는 마음을 품고 있다. 그렇다고 엄마의 대응이 좋은 것도 아니다. 아이가 일정한 나이가 넘으면 부모는 보조를 맞추고 도와주는 조력자가 되어야 한다. 그 이상이 되면 아이는 스스로를 돌보고 조절하는 법을 배우지 못한다. 문제는 친구가 나쁜 것이 아니라 상황 파악과 판단, 수위 조절을 못하는 것이기 때문에 그 문제에 대해 아이와 충분히 대화를 나누고 아이 스스로 해결책을 찾도록 도와주어야 한다. 매번 옆에서 제어하고 차단하고 관리하면 아이는 자율적인 의지와 자기조절 능력을 키우지 못한다. 이럴 경우 잠시 엄마가 원하는 대로 질 나쁜 아이와 접촉을 끊을 수는 있지만 아이는 언제든지 기회만 되면 그 아이와 만날 기회만 노린다.

아빠들은 흔히 아이가 말을 듣지 않으면 "내 자식으로 인정하지 않겠다"면서 아이가 누리고 있는 권리를 박탈하고 아이를 보지 않겠다고까지 말한다. 하지만 아버지와 자식 관계가 말로 끊는다고 끊어지는 것은 아니다. 아빠들의 이런 강력한 대응은 어찌 보면 '나 몰라' 하는 회피와 부인일 수도 있다. 엄청난 걱정과 그 걱정 뒤에 따라오는 감당할 수 없는 감정 때문에 아예 그 문제에서 도망가버린다. 이런 아빠들의 태도는 아이한테 절절 매며 걱정하는 엄마들보다 더 나약한 모습으로, 가장 바람직하지 않은 대응방법이다.

아이와 친구 문제로 대화를 할 때 엄마가 나서서 그 친구 흉만 보면, 아이는 친구와의 관계나 친구를 한발 물러서서 객관적으로 보지 못하고 자꾸만 한 덩어리로 본다. '친구=나'가 되는 것이다. 아이 스스로 친구에 대해 생각하고 문제를 해결할 수 있도록 도와주어야 한다. 아이들 문제는 항상 햇볕이 나그네의 옷을 벗기듯 스스로 하게 해야 한다. 강한 바람은 나그네의 옷을 더 여미게 할 뿐이라는 것을 잊지 말자.

# 이성친구

**DADDY'S THINK**

내 딸에게 남자친구가 생겼다고? 어떤 놈이야! 믿을 만한 놈일까. 우리 딸을 꼬드겨서 내 영역을 침범하는 건 아닐까. 난 왜 알지도 못하면서 그 아이가 벌써부터 싫지? 그 아이 얘기만 들어도 화가 나지? 요즘 딸이 내 말을 통 듣지 않는 것이 그 아이 때문인 것 같아 불안하다. 아예 못 만나게 해야겠어.

**MOMMY'S THINK**

내가 어떻게 키웠는데, 어떤 여우 같은 것이 우리 아들을 꼬인 걸까? 진짜 우리 아들을 좋아하는 걸까? 집안은 어떨까? 공부는 잘하나? 어떤 생각을 가졌을까? 어떻게 자란 아이인지 알 수 없으니 불안해. 내 귀한 아들을 오염시킬 것 같아. 아무래도 그 아이 뒤를 캐봐야겠어.

## 내 귀한 딸한테 남자친구라고? 안 돼! vs 내 귀한 아들을 오염시키는 건 아닐까?

아이가 이성친구가 생겼다는 것은 이제 성적인 어떤 역할을 하는 데 문을 열었다는 의미이다. 그 순간 부모는 어떤 생각이 들까? 나는 일단 걱정이 될 것 같다. 이론적인 것을 떠나 우리 아들에게 여자친구가 생겼다면 어떤 아이인지 궁금하고 불안할 것 같다. 그 마음은 아이가 질 나쁜 친구를 사귀는 것과는 또 다르다. 좀 더 원색적으로 이야기하면 어떤 여우같은 것이 순진한 내 아들을 꼬드긴 건 아닐까, 겉으로만 착한 척하는 건 아닐까, 그 아이가 여우같아서 우리 아이 시간을 뺏고 괴롭히고 힘들게 하는 건 아닐까 하는 걱정이 생긴다. 대부분의 엄마가 이런 마음일 가능성이 크다.

과거의 우리나라는 가부장적이고 보수적인 나라였다. 아들을 낳았다는 것만으로 여자는 집안에서 위치나 입지가 든든해졌다. 엄마에게 아들은 파워였고, 보호를 보장받는 수단이었다. 우리 엄마들에게 아들이란 여전히 나를 특별하게 만들어주는 존재이다. 이런 소중한 아들에게 여자친구가 생겼다? 엄마들은 최선을 다해 키운 나의 신성하고 고귀한 아들을 그 여자가 오염시킬까봐 불안해한다. 아들을 뺏길까봐 불안한 게 아니고, 오염될 것 같아 불안하다. 시어머니와 며느리가 하는 갈등 중에 너랑 결혼하기 전에는 우리 아들이 안 그랬다, 너를 만나면서 재가 이상해졌다는 말이 가장 많이 나오는 것은 어찌 보면 그런 맥락이다. 아들의 이성친구를 대하는 엄마의 마음도 그와 비슷하다. 단일민족인 우리나라 사람, 특히 엄마들은 뭔가 섞이는 것에 대한 불안감이 크다. 엄마들은 불안감을 해결하기 위해 아들이 여자친구가 생겼다고 하면 어떤 여자인지 확인하고 싶어 한다. 그런데 재미있는 것은, 확인하기 전까지는 의심스러운 눈초리였지만, 일단 확인하고 나서(사람에 따라 정말 많은 것을 확인할 수도 있다) 여자아이가 똘똘하고 인성도 괜찮으면 이번에는 아예 아들을 맡겨 버린다.

그렇다면 딸은 어떨까. 아들만큼 심리적인 갈등이 심하고 괴롭지는 않다. 속된말로 '이 늑대 같은 놈이 내 딸을 잡아먹을까봐' 걱정한다. 요즘은 2차 성징이 빨라져 부모들은 더 예민해질 수밖에 없다. 그래서 자꾸 통금시간을 정해놓고 철저하게 시간을 관리한다. 아빠들은 아들의 이성친구에 대해 허용적이다. 아들이 여자친구를 데려왔는데 날씬하고 예쁘게 생겼으면 좋아한다. 아빠들이 민감한 것은 딸의 남자친구이다. 아빠들은 딸한테 이성친구가 생기면 그 남자아이를 싫어한다. 아들의 이성친구는 좋아하면서 딸의 이성친구는 미워한다. 아빠는 딸의 이성친구를 나의 울타리 안으로 들어온 이방인으로 간주하는데 동물의 세계로 보면 다른 무리에서 온 수컷으로 보고 경계한다. 그 수컷이 나의 자리를 위협하고 나의 파워에 지장을 줄 수 있기 때문이다. 때문에 아빠들은 딸의 남자친구를 본능적으로 싫어하는데 신뢰가 갈 때까지는 적으로 간주한다. 아빠들이 아들의 이성친구에게 허용적인 것은 아들의 여자친구가 힘이 센 존재라고 느끼지 않기 때문이다. 그러다 딸의 남자친구가 위협적인 존재가 아니라 나의 파워에 힘을 보탤 수 있다는 확신이 들면 그때서야 이성친구 사귀는 것을 허락한다.
엄마들이 자식의 이성친구(특히 아들의 여자친구)에게 불안해하는 이유가 순수한 혈통, 내가 만든 순수 결정체, 내 보물이 오염될까 걱정하는 마음 때문이라면, 아빠들이 자식의 이성친구(특히 딸의 남자친구)에게 불안해하는 것은 자신의 파워를 잃을까봐 걱정하는 마음 때문이다. 하지만 엄마들은 불안하면 뭐든 나서서 알아보고 해결하는 것이 몸에 배어 있어 아들의 이성친구에 대해서도 괜찮은지 알아보고야 만다. 그 아이가 의젓하고 믿을 만하면 어떤 면에서는 내 아이를 맡기기도 한다. 딸의 남자친구도 괜찮으면 몇 가지 주의사항을 주고 만나더라도 선을 지킬 것을 부탁한다. 이에 반해 아빠들은 철저하게 무관심으로 일관한다. 딸의 남자친구에 대해서 알아보기보다 그 아이로부터 내 딸을 지켜야겠다는 생각에 무조건 못 만나게 하고 통금을 정해 혼내기까지 한다. 아빠들은 딸이 마음에 안 드는 이성친구를 만나서가 아니라, 이성친구의 존재만으로 화를 낸다.

딸의 이성문제로 광분하는 아빠들이 꼭 기억해야 할 것이 있다. 딸 앞에서 딸의 이성친구 문제로 아내와 절대 언성을 높이며 싸우지 말아야 한다. 솔직히 중고등학교 시기의 이성친구는 그리 오래가지 않는다. 그런데 아이의 첫 이성친구에 너무 민감하게 반응하여 지나치게 화를 내면 아이는 본격적으로 이성친구를 만날 때 절대 부모와 상의하지 않는다. 아이는 자신이 10대일 때 아빠가 보였던 모습으로 인해 이성친구가 생기면 일단 '숨겨야겠구나' 라고 생각한다. 아빠가 또 화를 낼 것이 두렵기 때문이다. 또한 '남자친구를 사귀는 것이 혹시 나쁜 행동은 아닐까' 하는 마음도 있다. 자신의 남자친구 때문에 아빠와 엄마가 싸울 때, 아이는 '내가 남자친구를 만나는 것이 나쁜 짓인가?' 하는 죄책감을 학습했기 때문이다. 일정한 나이가 되면 건전한 이성교제는 필요하다. 이성에 대한 아이의 불필요한 죄책감은, 정작 이성과의 교제가 필요할 때 올바른 조언을 받아들이고 좋은 배우자를 고르게 하는 것을 방해할 수 있다.

한 아빠가 고등학교 3학년인 딸을 데리고 진료실을 찾았다. 아이의 엄마는 동생을 데리고 미국으로 어학연수를 간 상황이었고, 아빠가 딸의 뒷바라지를 하고 있었다. 그런데 얼마 전 딸아이가 남자친구를 사귀기 시작했는데 도통 공부를 하지 않는다는 것이다. 미술을 전공하는 아이라 학교가 끝나고 학원에 갔다 10시쯤 집에 오는데 그때부터 12시까지 남자친구랑 통화만 한다는 것이다. 아빠는 딸아이가 남자친구를 사귀면서부터 자기 말을 도통 듣지 않는다고 걱정했다. 남자친구를 만난 후로 학교 성적도 말도 아니게 떨어졌다고 말했다.

"너 걔 만나더니 성적 떨어진 것 좀 봐. 남자친구가 아빠 말 듣지 말라고 그래?" 아빠들은 남자친구가 생기고 난 이후 딸한테 일어난 문제를 모두 남자친구로 귀결시켰다(물론 엄마들도 그런 면은 있다). 부모들은 이런 행동을 조심해야 한다. 아이의 아주 작은 문제도 모두 '걔랑 사귀어서 그런 거야' 하는 식으로 몰고 가서는 안 된다. 그렇게 되면 아이와 부모의 신뢰가 깨진다. 아이는 "아니에요. 왜 나를 못 믿어요"할 테고, 아빠는 "네가 그 따위로 행동하는데 내가 어떻게 너를 믿어!"라고 대답할 것이다. 이렇게 되면 아빠는 딸에게 '너를 믿지 못한다'는 메시지를 전달하게 된다. 이럴 때는 '나는 너를 믿는데, 이런저런 것을 조심했으면 좋겠다'는 식으로 말하는 것이 좋다. 어떤 상황이라도 아이를 못 믿는다는 말을 해서는 안 된다. 걱정이 되면 딸의 남자친구가 어떤 아이인지 파악하고 화를 내지 않고 차분하게 "네가 동성친구를 만나든 이성친구를 만나든 엄마 아빠하고 약속한 것은 꼭 지켜주면 좋겠다. 약속만 잘 지킨다면 나도 찬성이다"라고 이야기한다.

'약속'으로는 최소한으로 두세 가지를 제시한다. 첫 번째는 시간이다. 예를 들어, "10시까지는 들어왔으면 좋겠다. 그 시간은 네가 여자친구를 만나도 들어와야 하는 시간으로 남자친구를 만나도 지켰으면 좋겠다"고 말한다. 그런데 이 말을 "남자친구를 만날 때는 꼭 10시까지 들어와라"라고 말해서는 절대 안 된다. 아이는 "걔랑 내가 무슨 나쁜 짓을 한다고 그래?"라며 반발한다. 두 번째는 전화통화이다. 대개 아빠들은 딸이 시도 때도 없이 문자를 주고받고 밤새도록 전화통화하는 것을 가장 힘들어 한다. '전화통화는 누구와 하든지 10분을 넘지 않았으면 좋겠다. 남자친구도 마찬가지다. 문자도 자제했으면 좋겠다' 하는 식으로 제한한다. 마지막으로 어떤 말을 해도 딸에 대한 남자친구의 불만으로 들리게 해서는 안 된다. 아빠가 갈등상황에서 무언가 지시하는 듯한 분위기가 되어서도 안 된다.

아이가 이성친구를 사귄다는 것을 알았을 때, 부모는 그 아이가 어떤 인성의 아이인지는 어느 정도 알아야 한다. 아이에게 반드시 건전하게 사귀라는 말도 해준다. 당연히 성적인 조언도 해야 하는데, 이때 에둘러 하지 말고 직접적으로 말하는 것이 좋다. "너희들 나이는 원래 충동이 강해지고 성호르몬도 굉장히 많이 나온단다. 그런데 너희 나이에는 성장발달상 그런 것을 조절할 능력이 미숙해서 참을 수 없을 정도로 성적인 본능이 올라갈 수도 있어. 그러다 보니 10대 때 성관계를 하면 임신이 상당히 잘되는 편이야. 왜냐하면 너희가 성적 접촉을 하고 싶을 때가 대부분 배란기거든. 여자는 배란기일 때는 성적인 욕구가 본능적으로 많아져. 그래서 딱 한 번 성관계를 했는데도 임신이 되기도 하는 거야. 그러니 조심해야 한단다"라고 이야기를 해준다. "좋으면 만지고 싶고 그렇지? 하지만 생각해보렴. 네가 지금 아빠가 된다면 어떻겠어? 아빠가 되면 누구나 자식을 위해서 열심히 돈을 벌어야 하고, 우는 아기도 달래야 돼." 이런 식으로 실질적인 이야기를 해준다. 협박하지 말고 너희 몸이 그렇게 움직일 수밖에 없으니 조심해야 하고, 임신을 하게 되면 엄마 아빠가 되거나 불쌍한 한 생명을 죽이게 될 수도 있으니 정말 조심해야 한다고 현실적인 이야기를 해준다. 중학교 2, 3학년만 돼도 이렇게 직설적으로 말해주는 게 바람직하다.

# 친구와의 싸움

**DADDY'S THINK**

애들 싸움은 애들 싸움으로 해결해야지. 애들이 크면서 싸울 수도 있고 맞을 수도 있는 거지. 그럴 때마다 예민하게 굴면 되겠어. 그런데 우리 애는 왜 매일 맞기만 하는 거야. 내가 창피해서 말야. 뭐가 억울하다고 짜증이야.

**MOMMY'S THINK**

가장이면 집안에 일이 생기면 당장 앞장서서 나서야지. 위로해줘야 할 애를 혼이나 내고 무슨 남편이 이래. 내가 얼마나 속상한지, 우리 아이 마음이 얼마나 억울할지 전혀 모른다니까. 난 아이가 당한 일만 생각하면 이렇게 화가 나는데….

## 애들 싸움인데 좋게 해결하지. vs 아이 마음이 어떨까? 얼마나 속상할까?

아이들은 싸울 수 있고, 아직 미숙해서 의외로 심각한 장난을 하기도 한다. 그럴 때 부모가 어떻게 나서서 해결하느냐에 따라 아이와 부모와의 관계, 부부간의 관계는 달라진다. 아이 싸움에서 엄마 아빠가 보이는 모습은 참 많이 다르다. 아이 문제만 나오면 점잖던 사람이 돌변해서 "누가 내 새끼를 건드려?" 하면서 난폭하게 나오는 사람도 있다. 자기 자식이 잘못한 상황임에도 불구하고 가족이기주의 수준으로 "뭘 그런 것 가지고 그러냐. 애들이 다 그럴 수도 있지?"라고 나온다. 자기 자식한테 무슨 일이 생길까봐 혁명투사처럼 군다. 이런 엄마 아빠들은 자기 자식을 보호하기 위해서는 체면이고 뭐고 없다. 아이는 그 당시는 어리기 때문에 '부모가 내 편을 들어주는구나' 하고 기분이 좋을 수 있다. 하지만 아이가 자라 올바른 생각을 갖게 되면 부모의 비이성적인 행동이 창피하고, 왜 나에게 옳고 그른 것을 제대로 가르쳐주지 않았는지 항의할 수도 있다. 자신을 보호해준답시고 항상 이런 식으로 행동하는 부모가 존경스럽지 않을 수 있다. 혹 부부 중 남편이 혁명투사이고 아내가 점잖은 편이라면 아내는 남편의 이런 가벼운 행동이 반복될수록 남편을 존경하는 마음이 사라진다. 대부분 이런 부부는 남편과 아내의 의견 차이가 있을 때 아내는 말리고 남편은 생각대로 밀고 나가는 경우가 많은데(이런 남편들은 아내가 말린다고 말을 듣지 않는다) 결국 아내는 남편을 존경하지 않을뿐더러 자신의 의견을 존중하지 않는 남편에 대한 미움을 키우게 된다.

그런데 아빠들의 유보적인 태도도 바람직하지 않다. 본인은 이성적이고 현실적인 태도를 취한다고 생각하지만, 아이와 아내는 이런 아빠의 태도를 보면서 엄청난 피해의식을 느낄 수 있다. 아내는 이런 남편을 보면서 '가족을 전혀 돌보지 않는 사람이다. 남편을 믿고 살지 못하겠다. 우리를 보호해주는 가장이 아니다' 등의 불신감을 갖는다. 서운함이 커지다 못해 불신감마저 생긴다. 아이가 느끼는 감정 또한 똑같다. 만약 자신의 생각이 확고하여 유보적인 태도를 취하는 것이라면 아내와 아이에게 유보적인 입장을 취하는 이유를 정확하게 설명해야 한다. 이 과정이 빠지면 부부 사이나 부모와 아이 사이나 모두 문제가 생긴다. "내가 신중한 이유는, 이 일이 가벼운 일이어서도 아니고, 너를 사랑하지 않아서도 아니야. 아빠도 굉장히 마음이 아픈데 이런 일일수록 너무 흥분하면 오히려 다른 문제가 생길 수도 있어. 그 아이가 잘못한 것은 분명해. 하지만 아직 어린아이이기 때문에 어른들은 그 아이가 너에게 사과하고 다시는 그런 일을 안 하도록 교육을 시켜야 하는 거야. 모두 흥분해버리면 우리가 그런 것들을 제대로 못할 수 있으니까 조금만 차분해지자"라는 말을 해주어야 한다.

## 인성 · 건강 · 안전에 대한 엄마, 아빠의 생각은…

우리나라 아빠들은 약간 대문 밖에 나가 있는 느낌이다. 우리나라 아빠들의 모습을 그려보면 그렇다. 매일 밖에 나가 사회생활을 하면서 집안에 문제가 생기면 문 밖에서 구경을 한다. '저 집 봐라. 저 집! 어이쿠. 저 집 아이 저렇게 되었네. 저 엄마 저러면 안 되는 거 아냐?' 이렇게 말하고 있는 듯한 느낌이다. 우리 아빠들은 문 안으로 직접 들어와서 하는 행동이 드물다. 열어놓은 대문으로 한쪽 발만 들여놓은 상태에서 집 안을 들여다보면서 "저 집은 뒤주가 두 개네. 저 집은 아이가 세 명이구나" 한다. "재는 정말 뚱뚱하다. 왜 저렇게 먹이는 거야?" 딱 이런 느낌이다. 그러다가 자기 구미에 안 맞는 상황이 벌어지면 순식간에 집 안으로 들어와 난장판을 만들고는 다시 나가 버린다.

한 발만 넣고 있는 상황에서 단방향 미디어처럼 끊임없이 논리적이고 이론적인 얘기만 해댄다. 버릇없는 아이는 어쩌고저쩌고, 항생제는 이러쿵저러쿵, 면역력은 궁시렁궁시렁, 소아비만은 어쩌고저쩌고, 식사예절은 이러쿵저러쿵 식이다. 이렇게 되면 엄마들은 대부분 서운하다. '직접 해보고 말 좀 해. 나도 알아. 당신 말한 대로 당신이 좀 해보지' 이렇게 나온다. 아빠들은 내 아이를 속속들이 안 상태에서 이론이나 논리를 융통성 있게 적용하는 것이 아니라 종종 제3자의 입장을 취한다. 너무나 걱정스러운 엄마들 뒤에서, 무심한 듯 판결을 내린다. 마치 중계석에 앉아 아내가 아이를 키우고 있는 것을 지켜보는 느낌이다. 엄마들이 더 답답해 하는 이유는 그 이론이나 논리가 그나마 요즘 것이라면 봐주겠는데, 그조차 옛날 것이라는 사실이다. 그들이 생각하는 이상적인 양육방식은 자신을 키웠던 어머니의 방식인 경우가 많다. 옛날 자신이 키워진 양육방식을 이상화시키고, 거기에 신문기사를 가미시켜 아내의 양육방식에 태클을 건다. 아빠들의 이런 태도는 변해야 한다. 아빠도 아이의 지금 모습에 대해 배워야 한다. 옛날 양육방식이나 극단적인 이론으로는 아이와 좋은 유대관계도, 아내와 좋은 부부관계도 유지할 수 없다.

인성 · 건강 · 안전에 있어서 엄마들은 지나치게 걱정하고 과도하게 완벽하고자 한다. 아이와 자기 자신을 분리하지 못해 자칫 과잉 개입이나 과잉 통제를 한다. 아빠들이 양육에서 제3자처럼 행동하는 것이 문제라면 엄마들은 아이가 자신인 것처럼 느낀다. 둘 다 문제다. 때문에 엄마들은 좀처럼 아빠들의 조언이나 참여를 달가워하지 않는다. 아빠들의 육아 참여를 바라지만 그조차도 자신들이 바라는 방식으로 참여하기를 원한다. 말은 "아이는 함께 키워야지"라고 하면서, 남편이 다른 의견을 내면 '내 일에 왜 참견이냐. 당신이 뭔데 내 자식을 혼내느냐'는 식이다. 아빠들은 이것을 '집착'이라고 말한다. 엄마가 아이를 분리하지 못하고 자기와 동일시하는 것은 생물학적인 현상이다. 아이는 엄마와 아빠에게 유전자를 반반씩 받고 태어났지만, 아빠는 이 아이가 내 아이가 아닐 수도 있다고 생각한다. 그래서 못난 모습을 보이면 더 객관적으로 보고 야멸차게 대할 수 있는지도 모른다. 하지만 엄마는 아이가 내 아이라는 것을 확신한다. 내 뱃속에서 나왔기 때문에, 그래서 분신이라는 느낌이 있다. 게다가 열 달 동안 함께 다니고, 출생 후 2~3년 동안은 어디든 짝이 되어 다녔기 때문에 아이를 자신과 분리해서 생각하는 것이 어렵다. 하지만 엄마도 변해야 하고 배워야 한다. 사랑해서 분리하지 못한다고 하지만 아이를 한 사람의 개체로 인정하지 못해서 오는 폐해가 너무나 많다. 사랑해서 오히려 망칠 수도 있다.

# 체벌

**DADDY'S THINK**

말로 해서 안 들으면 때려서라도 가르쳐야지. 귀한 자식일수록 제대로 가르치는 것이 부모의 의무라고. 자꾸 싸고돌기만 하면 아이를 제대로 키울 수 없는데 아내는 만날 오냐오냐하기만 해. 혼낼 때는 정말 따끔하게 해야 하는데, 아내가 말리는 바람에 이도저도 안 되네.

**MOMMY'S THINK**

미안해. 엄마가 아까 정신이 어떻게 되었었나봐. 내가 너를 때리다니, 조금만 참을걸. 요즘 왜 이렇게 화를 조절하지 못하는지 몰라. 나 엄마 맞아? 어떻게 홧김이라도 자기 아이를 때릴 수 있어!

## 때려서라도 가르쳐야지! VS 내가 애를 때리다니! 때리지 말걸.

부모는 아이를 왜 때릴까? 아마 "아이를 바르게 키우기 위해서"라고 대답할 것이다. 대부분 아이의 나쁜 행동은 때 · 려 · 서 · 라 · 도 반드시 고쳐야 된다고 생각한다. 때리는 부모에게는 이런 명제가 일종의 신념이다. 때리는 부모는 체벌을 교육이라고 생각한다. 일명 '가정교육'이다. 결론부터 말하자면 나는 체벌로 하는 가정교육에 반대하며 체벌은 백해무익하다고 본다.

체벌을 반대하는 이유는 크게 세 가지다. 첫 번째, 체벌만큼 아이를 불안하고 공포스럽게 하는 것은 없다. 사람은 누구나 지켜져야 하는 안전한 경계선이 있다. 누구와 관계를 맺든 심리적인 경계선이 보호되어야 안정된 정서 상태로 정상적인 상호작용이 가능하다. 혹 경계선을 침범당하면 상상도 못할 불안감과 공포감을 느낀다. 누군가 경계선을 넘어오면 적으로 인식하고 공격을 준비하는 것이 인간이다. 그런데 이 경계선을 아무렇지도 않게 침범하는 것이 바로 체벌이다. 게다가 부모나 교사가 체벌을 하면 더욱 문제가 심각해진다. 부모와 교사는 아이를 안전하게 보호하고 사랑해주어야 할 사람들이다. 아이가 믿고 의지해야 할 사람들이다. 그런데 부모와 교사가 체벌을 함으로써 나의 안전을 위협하면 아이는 굉장히 혼란스러워진다. 왜냐하면 자신에게 사랑을 주는 인물과 공격하는 인물이 같기 때문이다. 아이는 안전한 경계선이 침범당했다는 불안에, 나를 지켜줘야 할 사람이 나를 공격했다는 불안감이 겹쳐져 극도의 불안감에 시달린다. 누가 하는 체벌도 안 되지만 교사나 부모가 하는 체벌은 더더욱 안 된다.

둘째, 체벌은 전혀 교육적이지 않다. 때려서라도 아이를 바르게 키우겠다는 생각으로 체벌을 한다지만 때려서는 아이를 절대 바르게 키울 수 없다. 왜냐하면 체벌이 반복될수록 아이들은 시쳇말로 매로 때우려 하기 때문이다. 때리는 사람이 아무리 '사랑의 매' 라 해도 매를 맞으면 두렵고 아프다. 어린아이일수록 그렇다. 그래서 아이들은 그 아픈 것을 맞음으로써 자신이 한 잘못을 상쇄해버린다. 부모나 교사의 생각처럼 '아프니까 다시는 그런 행동을 하지 말아야지' 라고 생각하는 것이 아니라 '맞았으니까 이제 계산 끝났지' 하는 식으로 나온다. 자신의 잘못된 행동을 고치기는커녕 되돌아보지도 않게 된다. 더 심각한 것은 체벌에 익숙해진 아이들은 누군가 자기 마음대로 해주지 않으면 일단 때리고 보는 심리가 생긴다. 체벌에서 폭력성을 배우는 것이다. 또한 아이가 부모가 되었을 때 아이와 대화를 하기보다 매부터 드는 사람이 될 수도 있다.

셋째, 체벌은 아이와의 관계를 망친다. 아이가 잘 자라기 위해서는 무엇보다 부모와의 애착이 중요하다. 부모와의 좋은 경험은 아이가 살아가는 과정에서 중요한 밑거름이 된다. 어떠한 위기도 어린 시절 부모가 보내준 미소와 웃음, 격려와 칭찬, 무한한 사랑으로 극복해 나가게 된다. 그런데 체벌은 그것을 방해한다. 체벌할 때 부모들은 험악한 얼굴이 되어 소리를 지르고 무서운 분위기를 만든다. 아이는 성인이 될 때까지 어쩔 수 없이 부모의 보살핌과 보호를 받아야 한다. 아이는 부모가 없으면 살 수가 없는데 그 부모가 나를 버릴 것 같은, 나에 대한 사랑을 회수할 것 같은 분위기를 만든다. 아이는 그 순간 상상도 못할 엄청난 공포를 경험하게 된다. 하지만 부모가 자신을 때리고 소리친 것을 계속 생각하면 살 수가 없기 때문에 잊어버린다. 무의식적인 갈등은 남겨놓겠지만 일단은 살기 위해서 빨리 잊어버린다. 그러면서 그때 부모가 했던 교육적인 말들, 부모가 매를 들었었던 구체적인 이유는 깡그리 잊어버린다. 그 순간 부모에게 느꼈던 두려운 느낌, 기분 나쁜 느낌만 남긴다. 이러한 느낌은 아이가 부모와 좋은 관계를 맺는 것을 방해하고, 심한 경우 부모와 아이 사이의 유대관계를 끊을 수도 있다.

이쯤해서 체벌을 찬성하는 부모나 교사에게 한 가지 물어보고 싶은 것이 있다. 체벌을 하는 순간, 자신이 지금 교육을 하고 있다고 느끼는가? 부모나 교사 자신의 공격성과 분노를 표현하는 것은 아닌가? 쉽게 말해 혹시 성질을 내고 있는 것은 아닌가? 때리는 순간의 어떤 희열을 느끼는 것은 아닌가? 분명 '절대 아니다' 라고 말하지는 못할 것이다. 체벌을 하는 사람은 때리는 순간의 희열 때문에 자꾸 폭력을 쓴다. 자신이 그 순간 상대를 압도하는 것 같고 통제권을 가진 것 같고 힘이 있는 존재인 것 같아 희열을 느낀다. 자칫하면 그 희열에 중독될 수도 있다. 2002년 미국 콜롬비아대학의 엘리자베스 게르쇼프 박사의 연구에 따르면 아동학대를 범한 부모의 3분의 2가 처음에는 아이를 바르게 가르치기 위해서 체벌을 시작했다고 대답했다고 한다.

그런데 체벌에 대한 엄마 아빠의 생각도 다르다. 엄마의 경우 아이를 가르치기 위해서 체벌이 꼭 필요하다고 생각하는 경우는 드물다. 내가 나를 조절하지 못해 아이를 때리기는 했지만, 때리고 나서 엄마들은 대부분 죄책감을 느끼고 미안해한다. 아빠들의 일부도 가르치기 위해 체벌이 꼭 필요하다고 생각한다. 그리고 아빠들도 체벌한 후에 후회를 하는데 엄마처럼 미안해하며 '하지 말걸' 의 후회가 아니라 "내가 그때 확실히 혼내줬어야 했는데 마누라가 말려서 말야. 아이가 저래서 말을 안 듣는 거 아냐"라고 말한다. 엄마들은 아이와 자신을 분리하는 것이 어렵기 때문에, 남편이 하는 체벌을 마치 자신에게 하는 양 못 보겠다고 말하는 경우가 많다. 그렇다면 엄마가 하는 체벌과 아빠가 하는 체벌을 아이는 어떻게 받아들일까? 부모가 하는 체벌은 누가 하든 아이에게 치명적인 상처를 주지만 굳이 누가 더 심하냐고 묻는다면 아빠다. 아빠는 상대적으로 엄마보다 힘이 세기 때문에 훨씬 무섭다. 게다가 아이와 사이가 좋지 않다면 어린 시절에 겨우(?) 한두 대 맞은 것도 극복하기 어렵다. 평소 가정교육 하면 대부분 아내한테 맡겨놓고 돈만 벌러 다니다 어느 날 '짠' 하고 나타나서 체벌을 한 경우라면 정말 복구가 어렵다.

간혹 아빠들은 본때를 보여준다는 식으로 큰아이를 대표로 체벌하기도 한다. 큰아이가 아들인 경우는 더 심하다. 우리나라는 큰아들을 본보기로 삼아 심리적인 압력을 주는 경향이 있다. 장남이고 부모가 없으면 큰아들이 엄마 아빠 역할을 대신해야 된다는 의미일 것이다. 그런데 이처럼 굉장한 책임감을 부여하려면 책임감을 부여한 만큼 아이의 역할을 존중하고 인정해주어야 한다. 우리나라 아빠들은 큰아이를 존중하지는 않으면서 희생양을 삼는 경우가 많다. 동생들이 '큰형도 저렇게 아빠를 무서워하는데, 우리도 아빠 말을 잘 들어야겠다' 라는 생각을 하게 하려는 의도이다. 그런데 동생들은 아빠의 예상과 달리 어떻게 하면 아빠한테 혼나지 않을까 궁리만 하고, 형을 무시하는 분열이 일어난다. 위계를 잡겠다고 한 행동이 오히려 위계를 무너뜨리는 결과를 낳는다. 나는 부모들에게 종종 "지금까지 우리가 알고 있는 훈육의 방법 중 90%가 잘못되었다"고 경고한다. 훈육의 방법에는 체벌이란 존재하지 않기 때문이다. 반드시 기억하길 바란다.

아직도 우리 사회에서는 아이에 대한 체벌이 쉽게 이루어진다. 내 자식이니까 내가 마음대로 한다는 식이다. 하지만 잊지 말아야 할 것은 역사적인 배경이 있든 없든 서양 아이나 한국 아이나 느끼는 것은 똑같다는 점이다. 체벌은 나를 존중하지 않고 나를 함부로 대하고 나에게 아픔을 주고 나에게 공포감을 주는 것으로 느낀다. 때문에 절대로 안 되는 것이다.

나는 말년에 맹인 인도견을 기르는 것이 꿈이다. 그래서 시간이 나면 이따금 관련 자료들을 찾아보곤 한다. 며칠 전에는 맹인 인도견 훈련 매뉴얼을 보게 되었는데, 참 인상 깊은 구절이 있었다. 첫머리에 '절대 때리지 마라' 라는 말이 아주 진하게 강조되어 있었다. 개를 훈련시킬 때 뭔가 잘못하면 단호하게 "안 돼!" 라고 말해야지 때려서는 어떤 훈련도 제대로 시킬 수 없다고 나와 있었다. 단 한 대도 때려서는 안 된다고 쓰여 있었다. 하물며 교육이라는 미명하에 인간을 때려서는 절대 안 될 것이다.

# 훈육

**DADDY'S THINK**

세상이 얼마나 무서운데, 내 아이는 얼마나 나약한지 몰라. 이런 것도 제대로 못해서 이 다음에 이 험난한 세상을 어떻게 헤쳐 나가려고. 아내도 그렇지. 혼을 낼 거면 제대로 따끔하게 해야지 만날 쫓아다니면서 잔소리나 하니 아이가 말을 듣겠어. 뭔가 가르칠 때는 무섭게 말해야지 아이가 중요한 줄 알지.

**MOMMY'S THINK**

난 아이를 생각하면 늘 불안해. 아프면 어쩌지? 아무거나 먹으면 어쩌지? 나쁜 습관이 들면 어쩌지? 공부를 못하면 어쩌지? 숙제를 안 해 가면 어쩌지? 학원을 빼먹으면 어쩌지? 나쁜 친구랑 어울리면 어쩌지? 그러다 보니 잔소리를 안 할 수가 없어. 내가 잔소리를 안 하면 집 안은 물론 아이도 엉망진창이거든.

## 이렇게 키우면 자기 밥벌이도 못해! vs 잔소리를 안 하면 제대로 하는 게 없어!

아이가 잘못된 행동을 할 때 부모는 올바른 행동을 알려주어야 한다. 아이가 문제행동을 보일 때는 그것을 교육의 기회로 삼아 스스로 문제행동을 교정할 수 있게 해주어야 한다. 그것이 훈육訓育이다. 훈육은 부모가 품성이나 도덕을 가르침으로써 아이의 바람직한 인격형성을 돕는 것을 말한다. 때문에 아이가 올바른 사람됨을 갖추기 위해서 부모의 훈육은 반드시 필요하다. 훈육은 아이의 생활 곳곳에서 이루어진다. 그런데 이 중요한 훈육이 종종 엄마 아빠가 가진 불안에 의해 왜곡된 형태로 나타나기도 한다. 아이를 잘 키워야겠다는 걱정으로 가득 찬 엄마는 '잔소리'로, 양육에 대한 불안을 숨기려고 대범한 척, 힘 있는 척하는 아빠는 '협박과 화'로 아이를 훈육하곤 한다.

아이가 엄마가 가지고 나가지 말라고 한 게임기를 몰래 옷 속에 숨겨서 나가다 들켰다고 하자. 그럴 때는 이렇게 말한다. "너희가 게임을 좋아하는 것 알아. 친구한테 자랑하고 싶은 마음도 이해해. 하지만 거짓말은 안 되는 거야. 내가 게임기를 가지고 나가지 말라고 했던 것은 네가 오늘 게임을 너무 많이 했고, 가지고 나가면 잃어버리거나 고장이 날 수 있기 때문이야. 엄마와의 약속을 못 지킬 것 같았다면 다시 의논을 했어야지. 이렇게 속이는 행동은 옳지 않아." 엄마가 하고 싶은 말을 모두 정리해서 딱 한 번만 하면 된다. 아무리 좋은 훈계라도 여러 번 하는 잔소리가 되면 더 이상 훈계가 아니라 '소음'이다.

엄마들은 아이의 모든 것을 보살펴야 하기 때문에 늘 불안하다. 불안을 해결하기 위해 모든 것을 점검하느라 잔소리가 많다. 하지만 내 잔소리가 소음이 되지 않게 하려면 참아야 한다. 어떤 상황이나 '내가 뭘 가르치려고 하는 건지'를 생각해서 딱 한 가지만 가르쳐야 한다. 자신이 걱정하는 것을 다 말하면 말도 많아지고 자꾸 반복된다. 한 번에 한 가지만 말해야 한다. 나머지는 버려라. 예를 들어 숙제를 안 하려고 하면, "공부는 1등을 안 해도 되는데 숙제는 해야 되지 않겠니? 이것은 공부가 아니라 책임감이야. 이것은 꼭 연습해서 가야 돼"라고 얘기하고 숙제만 시키면 된다. 그런데 보통 엄마들은 이 말보다는 '너는 자세가 틀렸어. 봐라 연필도 하나 없네' 식으로 말한다. 이런 말은 잔소리다. 한 가지를 가르치더라도 자신이 할 말을 기승전결로 간략하게 얘기하는 것이 좋다. 자신이 잔소리를 많이 하는 사람 같으면, 아이에게 할 말이 생겼을 때 잠시 생각한 후 말하면 말투가 훨씬 부드러워진다. 생각하는 시간을 갖지 않으면 따따따따~ 말이 나간다. 이렇게 되면 감정이 에스컬레이터 올라가듯 점점 올라가면서 말을 하는 동안 자기가 흥분하게 된다. 목소리도 점점 커지면서 감정이 격해진다. 그런데 정작 본인은 자신의 변화를 알지 못한다. 아이는 엄마가 흥분하면서 따따따따~ 말을 시작하면 '아, 또 시작이네' 하면서 귀를 닫아버린다. 딴생각을 하면서 건성으로 "아, 네" 하는 대답만 한다.

아빠들의 훈계는 '협박이나 화'의 형태를 띨 때가 많다. 그리고 예상할 수 없는 시점에서 충동적으로 이루어진다. 아빠들은 지친 몸을 이끌고 퇴근해서 돌아오면 집 안 분위기가 평화롭고 안정적이기를 바란다. 그런데 현관문을 여니 엄마는 소리 지르고 아이는 울고 있고 집 안은 난장판이다. 아빠는 쉬고 싶은 마음에 화가 나고 짜증이 난다. 그리고 닥치는 대로 훈계를 한다. 들어가서 공부 안 해? 하루 종일 TV만 봐서 뭐가 되려고 그래? 또 컴퓨터 앞에 앉아 있지. 매일 붙들고 사냐? 이런 식이다. 아빠는 자신이 쉬고 싶은데 자식이지만 문제를 일으켜서 쉴 수 없는 상황을 만든 것이 싫다. 아빠들은 아이가 인터넷이나 TV에 빠져 있는 것이 싫다기보다 아내가 아이에게 그만하라고 잔소리하고 아이는 싫다고 반항하는 상황이 싫다. 아이의 버릇이고 뭐고를 떠나 눈에 보이는 대로 지적하고 야단친다. 그런데 이런 분위기에서 하는 아빠의 훈계는 전혀 교육이 되지 않는다. 아이도 아빠가 자신을 가르치려고 하는 말이 아니라 아빠 자신이 불편해서 하는 말임을 알기 때문이다.
게다가 아빠들의 훈계는 레퍼토리가 늘 정해져 있다. 무언가 훈계하기 시작해 마지막에는 "너 세상이 얼마나 살기 어려운지 알아? 네가 이렇게 해서 제대로 된 대학 나와서 밥 벌어 먹을 수 있을 줄 알아?" 이런 식이다. 아이가 "아빠, 오늘 제가 짝하고 안 좋은 일이 있었어요"라도 말해도 아이가 느끼는 감정은 대수롭지 않게 여긴다. "그까짓 거 때문에 고민하냐? 그런 일에 감정이 휘둘려서 기분 나빠해?"라고 말한다. 그 다음은 "내가 얼마나 힘든 줄 알아? 일하고 들어왔는데 자식새끼는 공부도 안 하고 말도 안 듣고 마누라는 매일 앵앵~ 대고 있고…. 너 이렇게 공부하다 나중에 변변치 못한 어른 되면 그때 나한테 손 벌릴 생각도 하지도 마." 대부분 아빠들의 훈계는 이렇다. 이런 훈계는 아이에게 적개심과 분노를 일으킨다. 아빠는 자신의 훈계에 '사회에 나오면 힘드니까 네가 열심히 해서 좀 잘살았으면 좋겠다' 는 내용이 담겨 있다고 생각하지만, 아이는 아빠가 나를 비난하고 나를 우습게 생각하고 나를 무시하고 나를 협박했다고 여긴다. 아빠의 훈계는 아빠의 의도와 아이가 받아들이는 의미가 엄청나게 다르다. 아이들은 아빠의 훈계를 들을 때마다 자꾸 화가 난다. 어떤 아이들은 아빠가 아예 자신한테 무관심했으면 좋겠다고까지 말한다.

이렇게 각각의 훈육 스타일도 문제지만 아이를 훈육함에 있어서 엄마 아빠가 갈등하게 되는 단골 상황이 있다. 어느 집이나 경험하게 되는 상황으로 '컴퓨터 · TV · 휴대폰 시간 조절에 관한 것'과 '밥상 앞에서 아빠의 훈계'이다. '컴퓨터 · TV · 휴대폰 시간 조절 문제에 있어서는 부모와 아이 간의 갈등도 심하지만 부모 사이의 갈등도 심하다. 왜냐하면 대부분 아빠도 컴퓨터, TV, 휴대폰을 많이 쓰고 좋아하기 때문이다. 엄마들은 아이에게 시간을 조절하라는 잔소리를 하다가 화살을 아빠한테 돌린다. "당신이 매일 집에서 컴퓨터만 하고 있고 TV만 보고 핸드폰만 들고 사니까 아이도 배워서 저러잖아!" 하는 식이다. 이렇게 갈등이 심한 상담가들에게 나는 TV를 없애라는 조언을 한다. 그러면 대부분 엄마들은 수긍하는데, 아빠들의 저항이 세다. 엄마들은 아이를 위한 일인데 그것도 못하냐며 화를 낸다. 엄마들의 마음속에는 늘 '아이를 위한 희생'이라는 단어가 있다. 실제로 많은 엄마들이 아무리 좋은 것이라도 아이를 위해서라면 모두 뒷전으로 내려놓았다. 엄청나게 멋을 부리던 여자도 결혼을 하면 아이를 보살피고 관리하느라 이상한 아줌마로 변해버린다.

하지만 아빠들은 결혼을 해도 놓지 않는 것이 많다. 지금까지 누리고 있던 것을 계속 잡고 있으려고 한다. 그런 자신을 "나는 일하고 사회생활을 하는 사람이잖아"라고 말하며 합리화시킨다. "내가 전쟁터 같은 밖에서 치열하게 일하고 들어와서 좋아하는 프로그램 하나 못 본단 말이야?"라고 항의한다. 그러면서 같이 보는 아이한테는 "너는 들어가서 공부해"라고 훈계한다. 그러면 엄마들은 "당신이 모범을 보여야지. 당신은 마음대로 하면서 아이한테만 하지 말라고 하면 돼?"라고 말하며 싸운다. 컴퓨터나 핸드폰도 모두 마찬가지 이유로 갈등하게 된다.

부모들이 하는 이러한 훈계에는 정말 중요한 사실이 한 가지 간과되어 있다. 부모들이 아이를 훈계하는 상황은 대부분 생활습관이나 예절과 관련된 것이 많은데 생활습관이나 예절을 가르치는 가장 좋은 방법은 훈계가 아니라 모델링이다. 아이를 혼내는 것이 아니라 부모가 모범적인 행동을 보여주는 것이다. 우리는 흔히 훈육은 잘못을 한 바로 그 순간 해야 한다고 알고 있다. 그런데 그것은 서너 살 아이들이 고집이나 떼를 부릴 때 해당하는 말이다. 아이들은 부모가 보기에 아무리 잘못된 행동이라 할지라도 분명 그 행동을 한 자기 의지가 있다. 그것을 존중해야 하기 때문에 그 자리에서 혼내면 안 된다. 그래야 아이가 부모의 훈계를 거부감 없이 받아들여 스스로 문제행동을 고칠 수 있다. 아이의 잘못된 행동에 즉시 개입해야 하는 상황은 뭔가 뜨거운 것을 모르고 만지거나 위험한 것에 노출되어 있는 긴급한 순간밖에 없다.

타이밍이 좋은 때란, 저녁 식사를 마치고 과일 한 쪽씩 먹고 있는 그런 때다. 그런 시간은 일부러라도 만들어야 한다. 평일이 어렵다면 주말이라도 가족들이 모두 모여 식사를 하는 시간을 만들어 평소 생각했던 고쳤으면 하는 점을 조심스럽고 진지하게 말한다. 아침에 아이의 행동에서 문제가 보였다면 퇴근 후 아이 방으로 가서 "아빠가 하루 종일 생각해봤는데, 아침에 네가 한 행동은…" 이렇게 말해야 한다. 그래야 아이의 행동을 변화시키고 교육이 될 수 있다.

아이를 훈육할 때 다음의 여섯 가지는 꼭 기억하자.

첫째, 아이가 너무 몰두되어 있을 때는 그 즉시 혼내지 마라. 대표적인 것이 TV나 인터넷이다. 한참 몰두해 있는 아이를 방해하면 부모가 하는 말에 짜증이나 화만 낸다. 그럴 때 "그만해. 너무 많이 하고 있잖아" 하면 아이는 내내 대답을 안 하다가 "너 빨리 안 꺼?" 하며 부모의 목소리가 커지면 "아, 알았다고요"라고 신경질적으로 대답한다. 아이가 바로 그 행동을 중단하지만 그것은 부모의 훈계를 받아들인 것도, 잘못된 행동이 고쳐진 것도 아니다. 그저 잠시 강제로 중단시킨 것뿐이다. 그렇게 되면 말하는 사람이나 듣는 사람 모두 기분뿐 아니라 사이도 나빠진다. TV나 인터넷, 핸드폰 등 아이가 너무 조절이 안 되는 것 같다면, 너무 많이 하고 있는 그 순간 혼내지 말고 시간을 적어두었다가 다음 날 아이가 아무것도 안 하고 있을 때 대화를 시도한다. "너 어제 컴퓨터 얼마나 했는지 아니?" "1시간쯤이요?" "엄마가 지켜보니까 3시간 정도 하더라." 이렇게 말하면 자신도 몰랐다는 듯이 "그래요?" 하면서 부모의 얘기를 들으려 한다. 이때 그것이 얼마나 문제가 있는지, 왜 조절해야 하는지를 조용하지만 단호하게 설명한다. 그러면 대부분의 아이들이 바로 고치지는 못하더라도 부모의 말을 호의적으로 받아들인다. 그리고 행동을 교정하려는 성의를 보인다.

둘째, 분명한 원칙과 잘못된 이유만 설명해라. 훈계의 강도를 높인다고 아이의 인격을 깎아내려서는 안 된다. 아이의 잘못된 행동을 교정시킬 때는 분명한 원칙을 주고, 잘못된 행동에 대해서 아이가 그런 행동을 하면 안 되는 이유만 설명하면 된다. "너 그 따위로~" 식으로 단어를 쓰면서 감정적으로 혼내서는 안 된다. 그것은 아이의 행동이 아니라 아이의 본질을 혼내는 것이다. '너 그 따위로 해서 뭐가 되려고 그래?' 가 아니라 '네가 그 행동을 해서는 안 되는 거야' 식으로 말한다. 때문에 부모가 감정적으로 화가 나 있거나 불안정하다면 어떠한 훈계도 해서는 안 된다.

셋째, 혼낼 때는 반드시 사무적으로 해라. 젊은 엄마들 중에는 아이가 하지 말아야 할 행동을 할 때 단호하게 제어하지 못하는 경우가 있다. "우리 예쁜 아들, 그러면 안 되지요"라고 아이에게 사정하듯 말한다. 혼낼 때는 사무적으로 해야 한다. 사무적이라는 것은 감정적으로 너무 과잉 반응하지 말라는 뜻이다. 아이가 위험한 곳에 올라갔다면 "내려오도록 해. 위험해"라고 단호하게 말해야 한다.

넷째, 자기 편하자고 혼내는 것은 아닌지 돌아봐라. 부모들 중에 지나치게 도덕적이고 원칙적이고 남에게 피해를 주는 것을 극도로 싫어하는 사람들이 있다. 그런 부모는 아이들을 너무 엄하게 다루어 힘들게 한다. 조금만 뛰어다녀도 못하게 하거나 조금만 거친 말을 써도 야단을 친다. 틀린 이야기는 아니지만 너무 야단을 많이 치면 아이 안에 부모에 대한 분노와 화가 생긴다. 냉정하게 보면 이것은 가정교육이 아니라 부모 마음이 편하고자 하는 행동이다. 너무 원칙적인 사람은 자기가 생각한 상황을 벗어나면 불편해한다. 다른 사람에게 피해를 줄 만큼 지나치면 주의를 주어야 하지만, 그렇지 않을 때는 부모 자신을 뒤돌아봐야 한다. 너무 지나치면 어떠한 훈육도 제대로 된 교육적 가치를 갖지 못하고 교육적 힘을 잃는다.

다섯째, 너무 단정적인 표현보다는 중립적이고 제안적인 표현을 써라. 예를 들어 '이게 문제다'가 아니라 '이런 것은 문제가 되지 않겠니?' 식으로 말해야 한다. 만약 아이가 "저는 괜찮다고 생각하는데요"라고 하면 "웃기고 있네"라고 말하지 말고, "너는 괜찮다고 생각하니? 그런데 그건 네가 좀 더 생각을 해봐야 할 것 같아"라고 중립적인 문장으로 말하는 것이다.

상황을 일반화시켜서 표현하라. 예를 들어 형이 동생을 때렸다면, '동생을 때리면 안 돼'가 아니라 '동생을 포함해서 누구라도 때리면 안 되는 거야' 식으로 부모가 누구의 편을 들어서 혼내는 것이 아니라 사회적으로 해서는 안 되는 행동을 알려주는 식으로 일반화시켜야 한다. 간혹 혼을 내다보면 "엄마도 그렇잖아?"라며 아이가 부모의 잘못을 건드리는 경우가 있다. 이때는 흥분하지 말고, "그래 맞아. 엄마도 잘못했어. 미안하다. 그런데 너는 나의 이런 점을 닮지 않았으면 좋겠어. 그래서 이렇게 가르쳐주는 거야"라고 말해준다.

# 아이가 아플 때

**DADDY'S THINK**

아이가 아프면서 크는 거지. 그럴 때마다 웬 호들갑인지. 무슨 큰 병에 걸린 것도 아니고 조금만 이상하다 싶으면 난리니 어떻게 그때마다 장단을 맞춰주나. 그리고 내가 같이 있다고 해서 상황이 달라지는 것도 아니잖아. 간호는 한 사람만 하면 되는 거 아닌가. 무슨 말만 하면 "서운해. 서운해" 하니 무슨 말도 못하겠고….

**MOMMY'S THINK**

아이가 아픈데 걱정도 안 되나. 왜 회사에 말을 못해. 상사가 무서워서 말을 못하는 것이 아니라 마음이 없는 거지. 잠깐 왔다 간다고 설마 잘리기야 하겠어. 남편은 정말 냉정해. 자기 일밖에 모르는 것 같아. 그나저나 혹시 큰 병이면 어쩌지. 빨리 안 나으면 어쩌지. 내가 뭘 잘못했기에 아이가 아픈 걸까.

## 아이가 아플 수도 있지. 병원에 가봐! vs 이러다 큰 병 되는 거 아니야?

민정이가 열이 40℃ 가까이 오르자 민정 엄마는 회사에 있는 민정 아빠에게 전화를 했다. "여보 어쩌지? 민정이가 열이 많이 나." 민정 엄마는 민정 아빠가 쪼르르 달려와서 병원에 같이 갈 줄 알았다. 그런데 민정 아빠는 "그러면 빨리 병원에 가"라고 시큰둥하게 대답했다. 이럴 때 엄마들은 아빠가 "정말?" 하면서 놀라서 걱정하기를 기대한다. 그런데 아빠들은 내가 옆에 있다고 열이 내릴 것도 아니고, 의사도 아니니 병원에 가라는 말밖에 할 것이 없다고 변명한다. 그러면 엄마들은 "어떻게 그렇게 냉정하게 말해?"라며 화를 낸다. 아빠들은 황당해하며 "그러면 내가 병원에 가라고 하지. 집에서 얼음찜질이나 하고 있으라고 하냐?" 하며 억울해한다. 엄마들은 아빠들도 자기와 똑같이 걱정하면서 얼른 달려와 그 자리에 동참해주기를 원한다. 그래서 회사에 있는 아빠들이 "지금 바쁘니까 못 가"라고 하는 말에 상처받는다. 밤에 응급실을 가야 하는데, 아빠들이 빨리 안 일어나는 것에도 엄마들은 상처를 받는다. 특히 외벌이인 경우 엄마들은 아이가 아플 때 남편이 자기만큼 걱정을 안 하면 아이뿐 아니라 자신까지도 사랑하지 않는다고 느낀다. 엄마는 아이와 자신을 한 덩어리로 느끼기 때문이다.

아빠들은 "아이가 아프면서 클 수도 있지. 왜 그렇게 호들갑이냐"라고 말하지만, 엄마들은 그 어느 때보다 불안하다. 엄마는 기본적으로 아이가 성인이 될 때까지 보살펴야 된다는 것이 유전자에 프로그래밍되어 있는 사람들이다. 아이가 아프다는 것은 자신의 역할에 빨간 경고등이 켜진 상태다. 일을 하는 엄마들도 마찬가지다. 일하는 엄마들은 아이가 아프다고 하면 회사에 양해를 구하고 집으로 달려온다. 하지만 아빠들은 아이 일로 회사를 조퇴하는 것을 굉장히 창피하게 생각한다. 엄마들은 어떤 상황에서라도 양해를 구하는 반면, 아빠들은 자기 선에서 "회사에 있는데 어떻게 가?"라고 말한다. 엄마들은 아이를 아프지 않게 보살피는 것이 자기의 역할이라고 느끼는 반면, 아빠들은 그렇게 느끼기 않기 때문인지도 모른다.

사회가 점점 변하고 있다. 옛날에는 엄마들도 아빠들의 이런 생각을 당연하다고 여기고 바쁘면 못 올 수도 있다고 생각했다. 그런데 요즘은 아이의 양육이 엄마 아빠 두 사람의 몫으로 인식되면서, 아이가 아플 때와 같은 긴급한 상황에서 엄마와 동일한 강도로 걱정하지 않으면 손가락질 받는 세상이 되었다. 사실 아빠들이 이런 역할을 부여받은 것은 고작 100년이지만, 엄마들의 보살핌의 역할은 인류가 생겼을 적부터 해왔으니 아빠들이 이 역할에 익숙하지 않을 수밖에 없다. 엄마들은 노력하지 않아도 웬만큼 보살핌의 역할을 잘해내지만, 아빠들은 노력하지 않으면 잘해낼 수 없다. 물론 회사일을 때려치우고 달려가라는 말은 아니다. "내가 의사도 아니고 직접 간다고 뭐가 달라져? 한 사람만 있으면 됐지 꼭 가야 돼?"라고 말하지 말고, 엄마의 심정을 공감하는 말이라도 해주는 성의가 필요하다. 엄마들 역시 아빠가 달려오면 좋지만 반드시 그렇게 해야 한다고 생각하는 것은 아니다. "어쩌지? 민정이 열나는 것 말고 다른 이상증상은 없어? 열이 너무 많이 나서 걱정이네. 내가 병원에 전화해서 좀 물어볼까?" 하는 식으로 같이 걱정해주기를 원한다.

아빠들에게 개인적으로 부탁하고 싶은 것은, 아이가 아픈 것을 무조건 제1순위로 다뤄달라는 것이다. 아이가 영유아기 때는 특히 그렇다. 자주 걸리는 감기를 제외하고는 아이가 아프다고 하면 큰일이 아니더라도 웬만하면 같이 병원에 갔으면 좋겠다. 그것이 부모의 역할이다. 아이가 아프다고 상사에게 말하면 대개 이해해준다. 아빠들이 지레짐작으로 싫어할 것이라고 생각해 말을 안 할 뿐이다. 회사에 말을 못하는 남편을 보면, 아내 입장에서는 아이의 일을 중요하게 생각하지 않는다고 여길 수밖에 없다. 아플 때 달려와서 아이 아픈 모습도 보고 걱정도 해야 아이를 함께 키운다는 공감대가 형성된다. 잠깐 와서 보고 가더라도 "여보 미안한데, 상황이 이러니까 갈 때는 택시 좀 타고 가"라고 해도 남편의 노력하는 모습에 아내는 고마워하는 마음을 갖게 된다.

엄마들은 아이를 뱃속에 품고 있으면서 아기가 건강하지 않으면 모두 자기 책임이라고 생각하여 임신한 동안 굉장히 몸을 조심한다. 하지만 아빠들은 아내의 뱃속에 아기가 생겨도 기본적으로 자유로운 상태였다. 아기가 건강하게 태어나기를 바라지만 자기 몸 안에서 아기를 품고 있는 사람과 그 깊이가 다르다. 아이가 나이가 들수록 조금씩 옅어지기는 하지만, 엄마들은 아이를  건강하게 지켜야 하는 것은 내 몫이고, 아프면 내가 잘 보살피지 못해 이런 일이 벌어진 것 같은 죄책감을 느낀다. 때문에 아빠들은 엄마의 흔들감과 불안을 이해해주어야 한다.

단, 아이가 아플 때 엄마가 느끼는 불안은 충분히 이해되지만 그 불안한 모습을 아이 앞에서 보여주면 안 된다. 아이가 아픈 것을 숨길 수도 있고, 자기의 상태를 실제보다 더 심각한 것으로 오해할 수도 있다. 예를 들어, 변비로 병원을 찾은 아이는 관장을 하게 될 때 항문으로 뭔가 들어가는 것을 굉장히 공포스러워한다. 이럴 때 엄마가 '괜찮아' 라는 편안한 표정으로 대하면 아이는 '그렇게 걱정할 만한 상황은 아니구나' 라고 생각한다. 엄마가 아이보다 더 공포스러운 표정을 지으면 아이는 감각적으로 '뭔가 굉장히 공포스러운 상황이구나' 라고 생각해 엄마의 불안을 학습한다. 아이가 아픈 것에 엄마가 지나치게 불안한 모습을 보여주면, 아이는 자기가 아픈 것에 굉장히 예민한 사람으로 자란다. 크면서 조금만 아파도 아이는 지나치게 예민해지고 불안해할 수 있다. 또 살아가면서 어려움이나 갈등이 있을 때마다 그것이 신체 증상으로 나타나는 경우도 많아진다. 어릴 때 자신이 아플 때 엄마가 보여준 불안이 '아픈 것=위기=스트레스=고비' 로 각인되었기 때문이다. 이런 사람은 살면서 조금만 위기가 생겨도 몸이 아프다. 자기는 항상 몸이 약하다고 생각하는데, 정작 병원에서 진찰을 받아보면 멀쩡하다는 소견을 받기도 한다.

내게 진료를 받는 고등학교 1학년 남자아이는 올 때마다 여기저기가 아프다고 했다. 그런데 병원에 가서 진찰을 받아도 딱히 나쁜 곳이 없었다. 이 아이는 자신이 신체적으로 약하고 아프다는 것을 방어기제로 사용하는 아이였다. 삶의 고비가 생길 때마다 이 카드를 내밀어 자신을 방어하는 것이다. 아이가 이런 방어기제를 갖게 된 이유는, 그 부모의 양육태도와 관련이 깊었는데 과잉 걱정하는 양육태도가 낳은 결과였다.

아이가 아픈 것을 걱정하는 것은 부모로서 당연하지만, 너무 지나친 것 같을 때는 부모가 자신을 뒤돌아보아야 한다. 지나치게 불안해할 때는 자기의 어떤 문제와 관련이 있을 가능성이 크다. 대부분 걱정이 많은 사람이 건강에 대한 걱정을 많이 한다. 건강하지 않은 것은 곧 '죽음' 을 의미하기 때문이다. 누구에게나 죽음은 굉장한 공포이다. 하지만 매번 조금만 아파도 죽음까지 생각하며 불안해하면서 양육하면 곤란하다. 그것은 사랑이 아니라 부모의 병이다. 적절한 치료를 받는 것이 필요하다. 그런데 반대로 아이가 아플 때 너무 강건하게 이겨내기를 강요하는 부모도 있다. 이런 경우 아이는 기본적으로 자신의 몸을 너무 돌보지 않는 사람으로 자랄 수 있다. 몸이 아프면 아프다고 부모한테 말하는 것이 당연한데, 그런 이야기를 잘 못할 수도 있다.

마지막으로 약에 대한 이야기를 하겠다. 진료를 하다보면 약에 대한 지나친 거부감을 보이는 아빠들을 많이 만난다. 아빠들은 뭔가 자기 안으로 들어오는 것이 침입인 것 같아 불안하고, 약에 의존하면 자기가 왠지 약한 사람 같다는 생각을 한다. 아빠들은 본인이 아파도 약을 잘 먹지 않으려 하고(그래도 이겨낼 수 있다고 생각하나 대부분 초동 대처가 늦어 호되게 당하곤 한다) 아이한테 약을 먹이는 것도 싫어한다. 아빠가 이런 생각을 가지고 있으면 아픈 아이를 돌볼 때 여러 가지 문제가 생겨난다. 필요할 때는 약을 잘 챙겨 먹어야 큰 병이 생기지 않는다. 따라서 부모가 단호하게 아이를 붙잡고 약을 먹이는 것도 교육의 일환이다. 아이들은 대부분 약을 싫어하고 불안한 아이의 경우 알약을 잘 못 삼킨다. 약을 먹으면 꼭 기도에 걸릴 것처럼 불안한데, 기도가 막힐 것 같은 인간의 본능적인 두려움 때문이다. 약을 먹일 수밖에 없을 때는 "먹어야 하는 거야. 너무 걱정 마"라고 안심시킨 후 빨리 먹이는 것이 낫다. 그런데 이때 아빠가 등장해서 "그거 먹이지 마. 뭐 몸에 좋은 거라고" 라고 말하면 아이는 굉장히 혼란스러워진다. 그렇지 않아도 먹기 싫은데 더 먹기 싫어진다. 아이가 치료를 받을 경우, 아빠가 보이는 약에 대한 거부감은 아이의 치료의 경과에 좋지 않은 영향을 줄 수도 있다. 약은 건강에도 영향을 주지만, 약을 먹이는 과정 또한 하나의 교육이기도 하다. '아플 때는 약을 먹어야 한다' 는 것은 아이가 어렸을 때 꼭 가르쳐주어야 하는 가정교육이다. 이 때 엄마 아빠의 의견이 다르면 아이에게 혼란을 주어 제대로 된 훈육을 하기 어려워진다.

## 나쁜 먹을거리

**DADDY'S THINK**

좋은 것만 먹이고 싶은 아내 마음은 알지만 좀 어지간히 했으면 좋겠다. 나쁜 것은 알지만 남들도 다 먹잖아. 그렇게 철저하게 관리하면 본인도 너무 힘들고 나도, 아이도 스트레스 받거든. 적당히 타협 좀 하면 안 될까.

**MOMMY'S THINK**

패스트푸드나 가공식품은 절대 안 돼. 몸에 나쁜 첨가물이 얼마나 많이 들어 있는데 어떻게 한 번이라도 먹이겠어. 그건 엄마 된 의무를 저버리는 것이라고. 그거 먹이면 아토피 피부염도 생기고 소아비만도 될 수 있고 ADHD에 걸릴 수도 있다잖아.

다른 애들도 다 먹는데 그냥 먹여! vs 안 돼! 그건 먹이면 안 된다니까. 부모들 중에 몸에 좋지 않은 음식을 절대 안 먹이는 사람들이 있다. 과자, 사탕, 아이스크림, 초콜릿 등이 몸에 안 좋은 건 사실이다. 그리고 특정 음식에 대한 알레르기가 있거나 건강상의 이유로 절대 먹으면 안 되는 의학적으로 명백한 이유가 있을 때는 절대 먹여서는 안 된다. 그런데 그렇지 않은 경우에도 '절대 못 먹게 하는 것'은 불안으로 인한 과잉 통제다. 아이의 건강이 나빠질 것 같아서 먹을거리만큼은 철저히 통제하겠다는 것은 어떻게 보면 강박적이고 과잉 통제의 측면이 많다. 근원은 엄마 자신의 불안이다. 어릴 적부터의 식습관이 중요하지만 너무 철저하게 관리하는 것은 문제이다. 주변 아이들이 다 먹기 때문에 내 아이도 먹고 싶은 마음이 강하다. 그런데 엄마가 먹지 못하게 해서 못 먹을 때 아이는 결핍을 느낀다. 가장 바람직한 것은 조금은 경험하게 해주면서 "이게 몸에는 안 좋거든. 가능하면 먹지 말자"라고 말해야 한다. 아이들이 단체로 모여 있을 때 사탕을 나눠주는 경우도 있고, 친구 생일 파티에 가면 치킨이나 피자를 먹을 기회도 있다. 그런 상황에서조차 먹지 못하게 하면 내 아이가 왕따가 될 수도 있다. 또한 먹고 싶은 욕구를 못 참고 혹시나 먹었을 때 자신이 나쁜 행동을 했다는 죄책감을 느끼기도 한다. 엄마에게 혼날까봐 안 먹었다고 거짓말을 할 때 아이의 마음은 불편해진다.

아이에게 패스트푸드나 가공식품을 먹이는 것이 나는 너무너무 싫다? 나는 아이가 나쁜 것을 먹고 건강을 해칠까봐 너무너무 불안하다? 이것은 엄마 안의 문제이다. 그 문제는 내 것이다. '절대로, 결단코' 라는 말이 붙는 것은 자신이 해결하지 못한 문제일 가능성이 크다. 자기가 해결하지 못한 어떤 갈등의 요소나 자기를 불편하게 하는 어떤 것이 그대로 표현되지 않고 모양을 바꿔서 극대화시켜서 표현된다. 예를 들어, 어릴 때 자신의 부모에게 제대로 보살핌을 못 받고 자란 사람이 있다. 그녀가 엄마가 되었을 때, 그녀 안에 있는 아이를 잘 돌봐주지 못하면 어떻게 하나 하는 불안과 두려움이 형태를 바꿔서 아이 먹이는 문제로 집약이 되고, 극대화되어서 '절대로, 단 한 숟가락도 안 돼!' 로 표현된다. 엄마는 이러면서 최선을 다해 아이를 보살피고 있다고 생각하지만 먹을거리 문제로 아이와 갈등을 겪으면서 오히려 더 중요한 정서적 측면을 놓치는 어리석음을 범할 수 있다. 자기의 문제인 것을 알았을 때 가장 바람직한 대처방법은 융통성 있고 유연한 사고로 문제를 바라보는 것이다. 예를 들어, 아이가 친구네 집에 생일 초대를 받았다면 "너 가서 절대로 몸에 나쁜 것은 먹으면 안 돼"가 아니라 "오늘은 가서 마음껏 먹고 와"라고 말해주어야 한다. 뭐든 '절대 안 돼' 라는 생각이 먼저 떠오른다면 엄마든 아빠든 '나한테 좀 문제가 있나?' 라고 되짚어봐야 한다. 좋은 먹을거리로 아이를 건강하게 키우겠다는 좋은 의도로 포장되어 있을지라도 실은 나의 불안인 거다. 내 불안으로 문제가 너무 커다랗게 확대되어 보인다. 그것으로 피해를 입고 불편해지는 것은 내 아이와 배우자다.

아이는 부모가 먹지 말라고 하면 할수록 더더욱 원하게 된다. 욕구란 누르면 누를수록 튀어나온다. 일반적인 환경에서 접하는 것들은 과하지 않으면 문제가 되지 않는다. 아이 자신이 판단할 기회를 줘라. 아이가 직접 접해보고 경험의 과정에서 생겨나는 다양한 생각과 감정을 통합할 수 있는 기회를 주는 것이 좋다. 그 기준과 잣대를 아이가 경험하기 전에 미리 강요해서는 안 된다. 단, '입에는 좋지만 몸에는 나쁘다' 라는 분명한 원칙은 미리 설명해준다. "너 이것 많이 먹은 날은 다음 날 배가 좀 아파하더라. 다음에는 안 먹는 것이 좋지 않겠니?" 정도로 먹이고 나서 아이에게 일어난 일에 대해서도 설명해줄 필요는 있다. 분명한 기준은 제시하되, 아이 스스로 앞뒤 재보고 판단할 수 있는 기회를 주라는 것이다.

만약 아이가 엄마 혹은 아빠가 먹지 말라는 것을 모두 안 먹고 자랐다고 가정해보자. 그 아이는 건강하고 튼튼하게 잘 자랐을까? 또래보다 뚱뚱한 아이들은 어린 시절부터 부모로부터 먹을거리에 대한 제한을 많이 받는다. 아이의 비만 정도가 당뇨와 같은 소아성인병을 유발할 위험이 있다면 당연히 의사의 지시에 따라 철저하게 식이조절을 해야 한다. 하지만 체중을 빼기 위해서 음식을 조절하는 것은 어른에게도 힘든 일이다. 이렇게 먹을 것을 제한하면 살은 좀 빠질 수 있지만 잃는 것이 훨씬 많다. 나는 비만한 아이들에게는 운동량을 늘리라고 조언한다. 엄마들에게는 실컷 먹게 해서 포만감을 경험하게 해주되, 칼로리 높은 것은 식단에서 조금씩 빼라고 말한다.

음식을 철저하게 통제했을 때 아이들이 느끼는 결핍과 부모에게 느끼는 분노는 이루 말할 수 없다. 보통 부모들은 아이를 못 먹게 할 때 좋은 말로 하지 않는다. '그만 먹어. 저 배 좀 봐. 이 뚱뚱보야. 또 먹어. 저렇게 뚱뚱하면 친구들이 놀아주겠니' 식으로 비난하듯 말한다. 아이는 부모에 대한 적대감과 자신에 대한 왜곡된 신체자아상을 갖게 된다. 당연히 부모와의 관계도 나빠진다. 키에 몰두되어 있는 부모들도 있다. 자꾸 작다는 것을 강조하고 "너는 키가 커야 돼" 하면서 아이의 모든 면이 키에 맞춰져 있으면 아이는 그럴수록 자신에 대한 자아상이 나빠진다. 설사 부모가 원하는 대로 아이의 키가 크더라도 자존감이 굉장히 낮은 아이가 된다. 아이의 가치를 평가하는 것은 여러 척도가 있는데 그중 아주 일부가 키나 몸무게다. 그런데 그것을 극대화하면 그보다 중요한 아이의 자존감, 부모와의 관계를 잃을 수도 있다.

'아이가 이렇게 자랐으면 좋겠다' 라는 것은 아이를 그만큼 완벽하게 잘 뒷바라지하겠다는 부모의 사랑이 아니라 부모의 욕심이고 요구이다. 부모가 불안해서 아이를 자기 통제하에 두고 자기가 원하는 아이로 만들어 가는 것이다. 그래야 아이가 건강할 것 같고 사람들에게도 인정받을 것 같고 사회생활도 잘할 것 같다고 말하지만, 이렇게 만들어진 아이는 '아이 자신' 이 아니라 부모의 불안이 만들어놓은 꼭두각시 인형이다.

# 외모(비만 · 키)

**DADDY'S THINK**

집에서 애 먹는 것도 관리를 못해주고 도대체 뭐하는 거야? 저 살을 언제 다 빼! 키는 또 왜 이렇게 작아! 나 원 참, 창피해서. 아이한테 먹을거리 하나 제대로 못 챙겨서 저 지경으로 만드는지. 내가 밖에 나가서 힘들게 돈 벌면 됐지, 이런 것까지 신경 쓰게 만들다니.

**MOMMY'S THINK**

남들은 척척 잘하는 것 같은데 난 왜 이렇게 아이를 못 키우는 걸까. 공부는 둘째치고 먹이는 것도 제대로 못하니 엄마 자격이 있는 걸까. 우리 애를 보고 남들이 어떻게 생각할까. 얼마나 나를 한심하게 볼까.

## 당신 엄마 맞아? 애가 이게 뭐야? vs 이렇게밖에 못 키웠으니 난 엄마도 아니야.

누가 보아도 뚱뚱한 은호네 집 식탁에 오랜만에 삼겹살이 올라왔다. 은호가 정신없이 먹기 시작한다. 그런데 그런 은호를 보며 은호 아빠가 한 말씀 한다. "애 좀 봐! 고기만 먹잖아. 그러니까 살이 찌고 배가 나오지. 운동 좀 시켜." 은호의 젓가락이 순간 느려졌다. 은호 아빠는 "너 내일 학교 가면 친구들이 돼지라고 하겠다. 놀아주지도 않을 거야. 누가 돼지랑 놀겠어." 참다 못해 은호 엄마가 말한다. "그만 좀 해. 은호도 많이 조심하고 있어. 은호야, 오늘만 실컷 먹어. 왜 먹는 애를 서럽게 해?" 은호 아빠는 은호가 먹고 있는 삼겹살 접시를 뺏으며 말한다. "당신, 엄마 맞아? 당신 지금 아이를 학대하는 거야. 왜 매일 생각 없이 이렇게 먹이는데?" "그렇게 걱정되면 당신이 데리고 나가서 운동 좀 시켜. 노는 날 리모컨만 끼고 살지 말고."

아빠들은 아이가 뚱뚱하면 아내가 밉다. '도대체 집에서 뭐하기에 아이 하나 건사하지 못하고 이렇게 만드냐' 고 생각한다. 아빠들은 먹는 것과 관련한 모든 책임을 엄마한테 묻는 경향이 있다. 아이가 마르고 뚱뚱하고 작은 것이 모두 아내 탓이다. 아빠들이 그렇게 생각하지 않아도 많은 엄마들은 아이가 먹는 것으로 인해 일어나는 모든 문제를 자기 책임이라고 생각하는 경향이 강하다. 아이가 작거나 뚱뚱하면 자기가 아이를 잘못 키웠다고 생각한다. 주변 사람들이 "애가 왜 이렇게 작아요? 왜 이렇게 뚱뚱해요? 왜 이렇게 말랐어요?"라고 말하면 엄마는 극도로 예민해진다. 자신이 아이의 건강을 해치고 있을지도 모른다는 죄책감을 자극하기 때문이다. 다른 사람이 내 아이를 바라보기만 해도 자신한테 뭐라고 하는 것 같아 마음이 불편해진다.

한편으로는 꾸역꾸역 먹어대는 아이도 밉다. 엄마가 어떻게 해도 아이가 말을 안 듣기 때문이다. 엄마는 엄마로서의 죄책감과 아이에 대한 미움이 합쳐져 아이가 먹는 것을 지나치게 통제하려고 든다. '먹어라. 먹지 마라. 이건 먹어라. 그만 먹어라' 하면서 아이와 하루 종일 실랑이를 벌이고 24시간 내내 '단순히 먹는 것' 에만 몰두되어 있다. 아이가 뚱뚱하면 비만이 건강에 미치는 영향도 알려주고 운동도 함께 해보고 적당히 배는 불리면서 칼로리를 줄일 연구도 해야 하는데, 현실적인 대책은 모두 사라지고 하루 종일 "먹지 마라. 안 돼. 아까 많이 먹었잖아. 저 배 좀 봐…' 라며 아이와 싸우기만 한다.

엄마는 아이와 먹는 것 말고도 학교에서 있었던 일에 대한 이야기도 하고 엄마가 생각하는 여러 가지 가치관도 전해줘야 하는데 아침에 눈을 떠서 잠이 들 때까지 뚱뚱한 아이는 못 먹게 하느라, 마른 아이는 음식을 먹이고 관리하는 데 시간을 다 보낸다. 엄마들은 '공부는 둘째치고 아이한테 먹이는 것조차 못하고 있구나. 나는 엄마 노릇을 제대로 못하는 것 같아. 나는 엄마도 아니야' 라고 생각한다. 사람들의 시선도 부담스럽고 피하고 싶다. 자기는 손 하나 까딱하지 않으면서 매일 비난하고 지적만 하는 남편도 너무 미워진다. 아이의 먹는 것에 대해 죄책감이 생기기 시작하면 엄마들은 정말 괴롭다. 공부야 잠시 잊었다가 성적이 나올 때만 괴롭지만, 아이가 작고 뚱뚱하고 마른 것은 하루 종일 엄마 눈앞에 어른거리며 엄마의 죄책감을 자극하기 때문이다. 예상하겠지만 지나친 책임감도 불안이다. 엄마는 그 불안을 해결하지 않으면 아이를 건강하게 키울 수 없다.

아이들은 자라면서 자신의 자아상을 만들어 간다. 자아상에는 자신이 생각하는 신체 이미지가 중요하다. 너무 뚱뚱하거나 마르거나 작은 아이들은 어린 시절 끊임없이 '넌 너무 작아. 너무 말랐어. 너무 뚱뚱해' 하는 등 자신의 신체 이미지를 평가받는다. 아이는 당연히 왜곡된 자아상, 부정적인 신체 이미지를 갖게 된다. 긍정적인 신체 이미지를 가지려면 귀하게 대접받아서 나 자신을 귀하게 여겨야 한다. 그런데 그 아이들은 그런 말을 들어본 적이 없고 자신을 다른 사람보다 못났다고 생각한다. 그래서 남들 앞에 나서는 것이 겁나고 무엇을 하든 자신감이 생기지 않는다. '저 사람이 나를 어떻게 볼까. 저 사람은 나를 보고 어쩌면 저렇게 뚱뚱할까. 정말 못생겼어라고 생각할 거야' 하는 생각으로 위축되어 자신의 능력을 제대로 펼치지 못한다.

엄마가 키가 작은 아이를 달달 볶는다면 정해진 키보다 2~3㎝는 더 자랄 수는 있다. 하지만 그 시간 동안 엄마가 만들어준 부정적인 자아상은 평생을 간다. 나는 2~3㎝의 큰 키와 건강한 자아상 중 무엇을 고르겠냐고 묻는다면 당연히 건강한 자아상을 택한다. 좀 작으면 어떤가. 키높이 구두도 있는데, 그 몇 센티미터에 내 아이의 평생 행복을 버리고 싶은가. 살을 찌우거나 빼거나 키를 키우는 것에 집착하지 말고, 그럴 시간에 아이가 있는 그대로의 자기 모습을 긍정적으로 생각하고 자신 있게 살아가게 하는 방법을 연구하라고 말하고 싶다. 아이가 자신의 모습을 긍정적으로 바라보게 되면 오히려 살이 빠지고 키가 크고 통통해질 수도 있다. 왜냐하면 아이 스스로 노력하기 때문이다. 자존감이 있는 사람은 뭐든 어려운 과정도 열심히 극복해낸다. 하지만 자존감이 없는 사람은 자신을 위해 노력하지 않는다. 자존감이 있는 사람, 자기 자신을 제대로 이해한 사람일수록 변화를 두려워하지 않는다.

간혹 아이의 체형이나 키가 부부간의 묘한 갈등을 낳기도 한다. 사실 아이의 체형이나 키는 아무리 노력해도 부모가 준 유전자에서 많이 달라지지 않는다. 예를 들어 키가 작은 남자와 키가 큰 여자가 결혼했는데, 아이가 작은 편이다. 엄마는 모든 수단을 가리지 않고 아이 키를 키우는 데 열중한다. 그런 아내를 바라보는 남편의 마음은 그리 편하지가 않다. 아내가 자신을 평가 절하한 것 같고, 열등하게 생각하는 것처럼 느껴진다. 자신도 모르게 아내에 대한 미움을 키울 수 있다. 아내가 하는 일이 매사에 마음에 안 들고, 아내가 자기를 무시한다고 생각하여 자주 화를 낼 수도 있다.

나는 부모들이 요즘처럼 체형이나 키에 집착하는 이유가 매스컴의 영향 때문이라고 생각한다. 수많은 정보는 우리의 말초신경을 자극하도록 대부분 과대 포장되어 있다. 모두 틀린 말은 아니지만, 검증되지도 않는 정보를 '어떻다고 하더라' 하면서 아이에게 적용하려고 든다. 소아비만에 대한 정보 역시 '이럴 수도 있구나. 아이의 식습관을 조금씩 변화시켜야겠다' 라고 이해해야 한다. 그리고 살을 뺄 수 있는 실천 가능한 방법을 찾아야 한다. 목표를 너무 과하게 잡지 말고 아이가 하고 싶은 동기가 생기도록 낮게 정하는 것이 좋다. 그리고 한 달에 한 번 정해진 날 체중을 재보고 목표를 달성했는지 체크한다. 성공했다면 아이를 격려해주고, 실패했다면 '뭐가 문제였을까?' 라며 원인을 분석해본다. 그러면 대부분의 아이들이 자기 나름대로 원인을 분석하여 답을 내놓는다.

우리는 흔히 아이의 부족하고 불편한 것은 강하게 얘기해줘야 한다고 생각한다. 각인시켜야 아이가 정신을 차리고 태도를 바꿀 거라고 여긴다.

그런데 그렇지가 않다. 특히 성격, 외모, 공부 이 세 가지는 절대 부족하고 불편한 것을 강하게 얘기해서는 안 된다. 왜냐하면 아이가 노력해도 단번에 바꿀 수 없는 요소들이기 때문이다. 부모가 강하게 지적할수록 아이는 자신에 대한 부정적인 자아상을 갖게 되고 패배감을 맛보게 되고 자신의 있는 그대로를 인정하지 않는 부모에 대한 불신이 생긴다. 아이가 옷을 아무렇게나 방바닥에 벗어 두었을 때, "너 이게 뭐니? 치워라"라고 말해도 될 것을 부모들은 "넌 성격이 왜 이렇게 이기적이야"라고 해버린다. 옷을 치우는 것은 할 수 있지만, 아이가 자기의 성격은 당장 어떻게 할 수 없는 부분이다. 부모는 아이의 행동 하나만 보고 아이 전체를 부정적으로 몰고 감으로써 아이의 인격을 무시했다. 이런 말을 자주 들은 아이는 자신을 뿌리 깊숙이 나쁜 아이로 생각해 자존감이 점점 낮아진다.

# 편식

**DADDY'S THINK**

얘는 누굴 닮아서 편식이 저렇게 심해! 팍팍 좀 먹지. 저렇게 먹어서 회사에 가서 '이것도 못 먹어요. 저것도 못 먹어요' 하고 앉아 있으면 사람들이 얼마나 덜 떨어지게 볼까. 내가 따끔하게 혼을 내서라도 저 버릇은 꼭 고쳐줘야지.

**MOMMY'S THINK**

성장기 영양이 얼마나 중요한데 우리 애는 이렇게 싫어하는 것이 많을까. 편식하면 키도 잘 안 크고 두뇌 발달에도 안 좋다는데…. 좋은 것은 고사하고 골고루 먹이지도 못하니 남들이 어떻게 생각할까.

## 안 먹으면 주지 마. 우리 때는 없어서 못 먹었어! VS 어떻게 안 먹여? 안 먹으면 키도 안 큰단 말이야.

아이의 편식에는 엄마와 아빠 모두 예민하다. 그런데 예민한 이유가 서로 다르다. 엄마는 아이가 부족한 영양소가 없도록 음식을 골고루 먹어서 건강하게 자랐으면 하는 마음이 강하다. 편식에 예민하기보다 5대 영양소를 골고루 먹여야겠다는 명제가 항상 머릿속에 있다. 아이가 편식을 하면 그 역할을 제대로 못한 것 같아 죄책감을 느끼고 건강하게 못 크면 어쩌나 걱정한다. 아빠들도 이런 마음은 있지만, 이보다는 아이가 자라서 사회생활을 할 때 문제가 될까봐 걱정하는 마음이 크다. 편식을 하는 사람은 남들이 보기에 까다롭고 까칠해 보여 윗사람이나 아랫사람이나 불편하게 만든다고 생각한다. 또한 회사 구내식당이나 군대 사병식당에서 찍힐까봐 걱정한다. 편식이 사회생활의 결격사유가 될 수 있다고 여긴다. 아빠들은 아이가 편식으로 손가락질을 받으면 그것이 곧 자기 얼굴에 흠집을 내는 것과 같다는 생각도 가지고 있다.

부모들은 아이의 성장상태나 생활습관 중 편식, 치아관리, 정리정돈, 키, 몸무게 등은 아이가 아니라 엄마 자신들이 평가받는다고 생각한다. 이런 것들은 어린 시절 부모가 반드시 제대로 관리해주어야 하는 의무라고 생각한다. 그런데 아이가 편식을 하고 충치가 많고 정리정돈을 잘 못하고, 키가 작다면 부모 역할을 제대로 못했다는 증거가 되기 때문에 아이들에게 강하게 훈육하는 경우가 많다. 물론 그런 습관은 부모가 제대로 가르쳐야 하는 것이 맞다. 아이가 싫어한다고 내버려둬서는 안 되는 사안들이긴 하지만 아이마다 습득하는 속도가 다르고, 그것을 받아들이는 의미가 다르다. 꼭 가르쳐야 하는 것도 아이가 어떻게 받아들이는지를 살피고 조심스럽게 가르쳐야 한다. 너무 강하게 몰아붙이면 오히려 아이가 그 습관을 습득하는 것을 방해할 수도 있다.

아이의 편식습관을 교정해줄 때도 왜 그렇게 해야 하는지 그 이유를 차근차근 설명해주어야 한다. 그런데 그 설명이 교과서적이어서는 효과가 별로 없다. 그보다는 부모가 편식습관을 고쳐주고 싶은 솔직한 이유, 편식을 하면 어떤 것이 안 좋은지 그 이유를 말해주는 것이 좋다. 어른이 돼서도 아빠가 걱정하는 것처럼 편식을 하는 사람은 거의 없다. 요즘은 먹을 수 있는 음식 종류도 다양하기 때문에 편식을 해도 그 정도는 관리할 수 있다. 아이가 편식하는 것이 너무너무 싫다면 그것은 아빠 자신의 불안이 높기 때문인데 그것은 아빠가 해결해야 할 본인의 문제이다.

부모의 불안으로 아이에게 골고루 먹을 것을 지나치게 강요하면 아이는 그 분위기가 싫고 무서워서 그 음식에 대한 거부감이 더 커진다. 사람은 누구나 입으로 들어오는 것에 경계심이 높다. 생명을 위협할 수도 있기 때문이다. 아이가 먹지 않겠다는 의사를 표명한 것은, 그 음식에 대해 자기 안에 불안이 있어서다. 거절하는 아이에게 "먹어"라고 하면서 그 음식을 쑤셔 넣으면, 아이는 굉장히 역겹고 공포스럽다고 느낀다. 이런 경험을 한 아이가 다음번에 그 음식을 즐겁고 맛있게 먹을 수 있을까. 그 음식을 과연 먹을 만한 음식으로 기억할까. 아이가 그 음식을 거부했던 것은 음식의 맛, 냄새, 식감 중에 뭔가 싫은 것이 있었기 때문이다. 그런데 그 거부한 이유에 그때의 공포스러운 기억이 추가된다. 아이가 편식한다고 억지로 먹이는 것은 편식을 교정하는 데 전혀 도움이 되지 않는다.

심리학 용어 중에 네오포비아Neophobia라는 말이 있다. 낯설거나 새로운 것에 대해 느끼는 공포를 말하는데, 보통 생후 6~7개월 무렵부터 나타난다. 이즈음 나타나는 낯가림도 네오포비아의 일환인데 이것이 음식에 나타나는 것을 음식 네오포비아Food Neophobia라 말하고, '낯선 음식, 새로운 음식에 대한 공포증'이라는 의미로 쓰인다. 아이들이 보이는 편식은 '음식 네오포비아'로 어쩌면 당연한 현상이다. 편식은 아이의 발달단계상 자신의 안전을 지키기 위해서 프로그래밍된 반응이라는 것이다. 보통 음식 네오포비아는 생후 6개월부터 시작해 새로운 음식들을 집중적으로 접하게 되는 만 2~7세까지 심하다가 음식에 대한 친숙성이 늘어나는 청소년기 초기가 되면 서서히 줄어든다. 어릴 때 가지고 있는 편식이 성인이 되어서도 같은 강도의 편식으로 이어지지 않는 것은 이런 이유 때문이다.

그런데 이 음식 네오포비아는 아이들의 미뢰 발달과도 관련이 있다. 우리 혀에는 맛을 느끼게 하는 돌기인 미뢰라는 것이 분포되어 있는데, 아이는 성인에 비해 이 미뢰가 세 배나 많다. 때문에 맛을 더 민감하게 느낀다. 아이들의 미뢰 수가 성인과 비슷해지는 것은 8세 이후, 그 전까지는 성인보다 단맛은 더 달게, 쓴맛은 더 쓰게 느낀다. 문제는 아이들의 편식 단골 메뉴가 되는 채소류의 기본 맛이 바로 쓴맛이라는 것이다. 아이들의 입에는 채소로 만든 김치가, 나물이 무척 쓰게 느껴지기 때문에 먹을 수가 없는 것이다. 엄마 아빠 입에는 쌉싸래해서 맛있다고 느끼는 음식도 아이 입에 넣어주면 너무 쓰다고 혀를 내두르면서 구역질을 하는 것은 이런 이유이다. 그럼 왜 아이들은 쓴맛을 싫어할까. 이것은 진화론적인 이유가 있다. 원시인류는 살기 위해서 자기에게 득이 되는 먹을거리와 해가 되는 먹을거리를 본능적으로 구분했다. 그런데 대부분 단맛을 가진 것은 먹으면 힘이 나고 기분도 좋아졌지만, 쓴맛이 나는 것은 열에 하나는 독초였다. 원시인류의 머릿속에는 '쓴맛=독'으로 남았다. 그 기억이 아이들의 유전자 속에 그대로 남아 있다. 그래서 부모가 입에 넣어준 채소를 아이가 못 먹을 것처럼 뱉어내는 것이다. 아이는 정말 죽을 것 같으니 얼마나 공포스럽겠는가.

요즘 아이들은 김치를 잘 안 먹지만 나중에는 거의 다 먹게 된다. 아이가 친구들과 어울려 라면을 즐기는 나이가 되면 저절로 김치를 맛있게 먹는다. 또 엄마들은 5대 영양소에 너무 집착하지 않는 것이 좋다. 그것도 자신 안에 있는 불안이다. 영양소 한두 가지가 빠진다고 엄마가 걱정하는 것처럼 극단적인 영양결핍은 발생하지 않는다. 음식을 먹는 것은 인간에게 가장 행복한 일이고 음식을 먹는 시간은 가족 간에 서로 정을 나눌 수 있는 시간이다. 아이와 눈 한번 마주치지 않으면서 자꾸 "이것도 먹어", "저건 다 먹었어?" "어서 삼켜! 꿀떡!" 하는 사이에 아이와 보낼 수 있는 정말 행복한 시간이 손가락 사이로 다 빠져나간다.

## 아이 안전 (유괴 · 납치 · 성폭행)

**DADDY'S THINK**

너무 오냐오냐하는 거 아니야? 어른들 심부름도 하고 그러는 거지. 세상이 얼마나 험난한데 독립적으로 할 수 있는 것은 혼자 하기도 해야지. 아내는 너무 불안해한단 말이야. 우리가 평생 끼고 살 수도 없는데…. 앞으로 어떻게 클지 걱정이야.

**MOMMY'S THINK**

길도 알고 집도 다 아는 나이이지만, 요즘이 어떤 세상인데 혼자 다니다가 유괴도 당하고 성폭행이라도 당하면 어떡해? 아이의 안전을 걱정하는 것은 부모로서 기본인데 남편은 내가 심하다고만 하니 정말 섭섭해.

### 너무 과보호하는 것 아니야! vs 혼자 다니다 무슨 일이라도 당하면 어떡해?

아이의 안전에 있어 부모들이 부딪히는 문제는 심부름을 시키고 등 · 하교를 시켜주고 어린 나이에 휴대폰을 주는 것 등이다. 엄마들은 이런 얘기가 나오면 '우리 아이가 유괴, 납치, 성폭행을 당하면 어떡하지?' 하며 아이의 안전과 위험을 떠올리는 반면, 아빠들은 '너무 오냐오냐 키우는 거 아니야? 심부름도 하고 그러면서 크는 거지' 라며 아이의 버릇을 걱정한다. 엄마들은 아빠들이 아이의 안전에 대해 걱정을 안 한다고 생각하고, 아빠들은 엄마들이 아이를 너무 과보호해서 이 험한 세상을 잘 헤쳐 나갈 수 있을까 염려한다. 부부가 같은 사안을 두고 전혀 다른 관점을 보이는 것이다. 두 사람이 커피를 마시면서 한 사람은 커피향에 대해 이야기하고, 다른 사람은 커피 가격에 대해 이야기하는 모양새와 같다. 두 사람의 말이 모두 맞지만 아무리 대화를 계속해도 두 사람이 만족할 만한 접점은 절대 찾을 수 없다. 대화를 나누면 나눌수록 상대가 자신의 말을 이해하지 못한다는 생각에 화만 날 뿐이다. 이런 갈등이 생기면 엄마 아빠 모두 불안해진다. 아빠는 엄마의 과보호로 아이가 험난한 세상에 적응하지 못할까봐 불안하고, 엄마는 아이의 안전에 개의치 않는 아빠를 보면서 내가 저 사람을 믿고 어떻게 살까 불안해진다.

그렇다면 아이는 어떻게 느낄까. 아이는 엄마 아빠의 두 가지 측면을 보면서 부모의 마음을 오해한다. 엄마가 아빠를 보는 시각으로 '아빠는 나를 보호할 생각이 없어' 라며 서운해한다. 아이의 눈에 비친 아빠는 나를 보호해주지 않는 나쁜 사람이다. 한편 아빠가 엄마를 보는 시각으로 '저 잔소리쟁이 엄마는 나를 꼼짝도 못하게 하고 자유도 안 줘' 라며 답답해한다. 두 사람 모두 아이를 사랑하기 때문에 하는 생각임에도 불구하고 아이는 두 사람이 자신을 괴롭힌다고 생각한다. 따라서 이런 부모의 갈등은 서로의 관계는 물론 아이와의 관계에도 전혀 도움이 되지 않는다.

엄마 아빠는 두 사람이 합의를 이루지 못하는 문제를 만났을 때, 각자 다른 측면을 바라보고 있는 것은 아닌지 생각해봐야 한다. 서로의 시각이 다름을 인정하고 우선순위를 따지면서 싸우려 하지 말고 두 사람의 의견을 충족시킬 수 있는 방법을 찾아야 한다. 배우자의 말을 신중하게 들어보고 상대방의 시각에서 그 문제를 바라봤을 때 어떤 생각이 드는지 곰곰이 생각해보길 바란다. 대부분 상대의 말도 옳다는 생각이 들 것이다. 그렇다면 두 사람이 바라보는 두 가지 측면을 모두 가르칠 수 있다. 늦은 시간, 시어머니가 아이한테 집 앞에 있는 슈퍼마켓에 갔다 오라는 심부름을 시켰다고 가정하자. 이런 경우 엄마들은 안전이 걱정돼서 말리고 싶고, 아빠들은 웃어른도 잘 돕는 아이로 키우고 싶기 때문에 심부름을 시키고 싶다. 이런 경우 아빠와 아이가 함께 나가면 된다. “지금은 깜깜하고 늦었으니 혼자 나가는 건 위험해. 같이 나가서 심부름은 네가 하렴” 하고 아이한테 말한다.

부모가 서로 시각이 다르다고 해도 ‘아이의 안전 문제’ 에 있어서는 실제로 일어날 수 있는 경우의 수를 생각하여 아이에게 알려야 한다. 부모가 할 수 있는 최선을 다하되, 아이도 스스로 자신의 안전을 지키는 방법을 알아야 할 필요가 있다. 아내에게 아이를 과보호한다고 잔소리만 하지 말고 아이를 데리고 나가서 “이런 곳은 위험하니까 되도록 다니지 말고 저 길로 다녀. 밖에서 화장실이 급할 때는 상가 화장실보다 문방구, 동네 마트 등 엄마도 잘 아는 곳에 가서 화장실을 사용하겠다고 부탁하렴” 하고 말해준다. 또 “누가 너를 잡아가려고 하면 소리를 지르거나 발로 차서 주변에 도움을 구해야 해” 하는 것을 가르쳐야 한다. “혼자 다니면 큰일 난다!”라고 아이한테 무조건 겁을 주지 말고 구체적인 해결방법을 알려주어야 한다.

유아의 경우 부모가 반드시 데리고 오고 데려다주어야 한다. 아이가 유치원이나 어린이집을 다닐 경우 통학버스에서 부모가 직접 아이를 받아야 한다. 초등학교 저학년은 부모와 함께 다니는 것이 좋고, 고학년 정도가 되면 혼자 다니게 하되, 위기에 대처할 수 있는 방법을 일러주어야 한다. 하지만 밖이 어둑어둑해지는 시간에는 초등학교 고학년이라도 혼자 내보내지 말아야 한다. 또 위기의 상황에서 고학년은 몸집이 크기 때문에 누군가 납치하려고 하면 길바닥에 벌러덩 누워버리는 것이 유리하다. 그리고 이 시기의 아이들은 팔보다 다리 힘이 세기 때문에 다리로 상대편의 가슴이나 성기 같은 급소 부위를 뻥뻥 차야 한다. 그러면서 주위에 도움을 청하는 소리를 지르면서 누군가 나타날 때까지 차에 타지 않도록 버텨야 한다. 요즘은 아이들의 체육 교육의 부재로 체력이 많이 부실하다. 예전에는 체육시간에 백미터달리기, 뜀틀, 멀리뛰기 등 기초체력을 단련했지만 요즘에는 체육시간이 줄어들면서 아이가 위기상황에서 처했을 때 정말 필요한 기초체력도 많이 저하되었다. 아이의 안전을 위해서라도 부모가 시간을 내서 아이와 함께 운동하는 시간을 되도록 많이 갖는 것이 필요하겠다.

## 생활 전반의 문제에 대한 엄마, 아빠의 생각은…

얼마 전에 외국에서 같이 연구를 하던 동료 외국인 의사가 업무 때문에 우리나라를 잠깐 방문했었다. 그는 우리나라 남자들의 밤문화, 술문화를 보더니 깜짝 놀라는 것이었다. "여기는 남자들의 천국이군요. 남자라면 누구나 이 나라에 살면 좋아하겠어요"라고 말했다. 서양 아빠들도 회사에 다니고 사회생활을 한다. 그들은 아내가 전업주부라도 양육에서 일정한 역할을 담당한다. 서양 아빠들은 회사일이 끝나면 집으로 달려가고, 아이를 바래다주고 데려오는 것을 자기 일로 생각한다. 우리나라 아빠들은 퇴근시간을 정확하게 지키지도 못할뿐더러 일찍 끝나도 술자리를 찾아 두리번거린다. 그러면서도 "나도 스트레스 좀 풀어야지. 이렇게 안 하면 돈 벌어 올 수 있는 줄 알아"라며 자신의 행동을 당연하고 당당하게 여긴다. 우리나라처럼 양육에서 아빠의 역할이 빠지는 것을 당연시하고, 퇴근 후의 밤문화를 인정해 주는 나라는 세계 어디에도 없다.

이 시대의 아빠들이 스트레스를 많이 받는 것은 인정한다. 하지만 분명히 말해두고 싶은 것은 아빠들의 존재의 출발은 가정이고 가족이다. 그것을 잊어서는 안 된다. 술자리에서 정치와 경제를 비판하고, 사회현실을 논하고 술값을 내면서 선심 쓰면 잠시 자존감이 높아진 듯하지만 술자리에서 잠깐 느낄 수 있는 거짓된 모습이다. 다시 술을 부르는 덫이다. 술자리에서 일상의 스트레스가 잠시 해소되는 것도 같지만 술이 깨면 아이 학교도 보내야 되고 공부도 가르쳐야 하고 대출금도 갚아야 하는 것이 현실이다. 나는 아빠들이 말하듯 정말 필요한 사회적인 술자리에만 참석한다면 술자리 횟수가 반의반으로 줄 것이라고 확신한다. 그 나머지 날에는 일찍 들어와서 아내를 돕고 아이와 놀아줘라. 그것이 아빠의 진짜 자리이고 그 자리에서 편안함을 느낄 수 있어야 한다. 삶의 비중을 어디에 두느냐에 따라, 삶의 모습이 많이 달라진다. 아빠들은 결혼한 이상 가정이 자신의 뿌리임을, 내 삶에서 가장 중요한 것임을 인정해야 한다. 따라서 어떤 일보다 나의 가족 구성원들의 문제를 최우선으로 해결하고 내 가정을 위해 필요한 행동을 하고 불필요한 행동을 줄여야 한다. 이것은 선택이 아니라 의무이다.

아빠들을 집안의 진정한 구성원으로 우뚝 서게 하려면 엄마들도 고칠 것이 있다. 우리나라 엄마들은 양육이나 집안일에 있어 본인이 알아서 미리 처리해버리는 것이 너무나 많다. 아빠들은 그런 일이 있었는지조차 모르게 엄마가 알아서 해결한다. 엄마의 이런 행동패턴도 바뀌어야 한다. 그렇게 하면 아빠가 가정으로 들어와 설 자리가 없다. 아빠들에게 양육이나 가사는 익숙한 일이 아니기 때문에 그때그때 가르쳐주어야 한다. 그런데 미리 알아서 해버리면 가르쳐줄 기회가 없다. 아빠들이 가정으로 돌아왔을 때 발 뻗을 자리가 없다. 엄마들은 아빠들이 잘 못하더라도, 아이에 대해서 잘 모르더라도, 자기 마음을 잘 몰라주더라도 화 내지 말고 아빠들에게 도움을 요청하는 법을 배워야 한다. 아빠들이 잘할 수 있도록 방법을 알려주어야 하고 아이에 대한 정보를 주어야 하고 자기의 마음을 차분히 설명해야 한다. 알아서 해주기를 바라면 절대 안 된다. 너무 불안해서 자신이 미리 알아서 다 처리하고, 아빠들이 그 속도를 못 쫓아온다고 화를 내는 것이 자신의 모습은 아닌지, 한 번쯤 돌아봐야 한다. 엄마들은 이 점을 잊지 말아야 한다.

## 양가 어른들에 관한 것

**DADDY'S THINK**

아내가 그런 상황에서 속이 상한다는 것은 알고 있지만 내가 어떻게 할 수 있는 문제도 아니잖아. 싫다고 얼굴을 보지 않을 수도 없고, 본가에 안 갈 수도 없잖아. 아내 편을 들어주기에는 내 입장도 그렇지. 일 년에 몇 번밖에 안 가는데 아내가 좀 참으면 안 될까.

**MOMMY'S THINK**

아들만 사람이고 며느리는 사람도 아니야! 집안일은 몽땅 시키면서 어머님은 나에 대한 배려는 한번도 해준 적이 없어. 이럴 때 남편이라도 나서서 한마디 하면 좋을 텐데 그런 생각도 못하니 내가 서운한 거야. 저 사람이 나와 아이들을 든든하게 지켜줄 수 있을까.

### 답이 안 나오는 얘기를 해봤자 뭐해. vs 내가 이런 대접을 받다니….

평소 남편의 어떤 점이 불만이 있었다고 가정하자. 그런데 시어머니가 남편을 키운 방식으로 내 아이를 키우는 것 같을 때 아내들은 스트레스를 받는다. 내 아이에게도 남편과 같은 문제가 나타날까봐 불안하기 때문이다. 친정에 아이를 맡길 경우도 마찬가지다. 남편이 아내를 봤을 때 감정 기복도 심하고 소리도 잘 지르는 모습이 정말 마음에 들지 않는데, 장모님의 성격이 아내랑 똑같다. 그리고 내 아이를 그대로 키우는 것 같을 때 남편들은 확 불안해진다. 이런 갈등이 생기면 "나도 그렇게 잘만 컸어. 당신이 나 좋아서 결혼했잖아. 우리 엄마가 뭐가 어떻다고 그래?" 하면서 언성을 높인다. 싸움이 최고조에 다다르면 "너나 잘해"라며 서로 감정이 상하는 격한 말까지 내뱉는다. 사실 이런 갈등은 완전히 다른 두 집안이 결혼한 이상 누구에게나 발생할 수 있다. 예민하게 받아들여 흥분하지 말고, 최대한 솔직하게 불안을 정화해서 말해야 한다.
너무 미화시켜도 의미가 전달되지 않으므로 차분하게 "나는 당신이 정말 좋아서 결혼했어. 하지만 당신의 이런 면이 보일 때는 좀 힘들어. 내가 생각하기에 어머님의 그런 면이 당신에게 영향을 준 것 같아. 그런데 어머님이 우리 아이한테도 그렇게 대하시는 것 같을 때는 내 마음이 불편해. 당신이 받아들이지 않아도 어쩔 수 없지만 내 마음은 그래. 너무 자주는 안 갔으면 좋겠어"라고 솔직하게 얘기한다. 시댁이든, 친정이든 어르신들과 육아 갈등이 심하다면 맡기는 시간을 줄인다. 아이를 봐주시는 어르신들에게는 그 이유를 부부끼리 하듯 솔직하게 말해서는 안 된다. 어르신들은 '우리가 이렇게 대한 것을 저렇게 받아들이는구나. 그러니 조심해야겠다' 고 너그럽게 생각하는 경우는 거의 없다. 굉장히 서운해하시기 때문에 말씀을 안 드리는 편이 낫다. 자칫하면 가정불화가 생길 수도 있다. 하지만 부부는 그 이유를 공유하고 있어야 한다.
지금 막 갈등이 일어나려고 하는 상황에 맞닥뜨렸다면 배우자와 부모님이 상처 받지 않도록 적절하게 대처한다. 만약에 시어머니가 며느리에게 "너는 왜 매번 아이를 이렇게 키우니?"라고 말하면 남편이 "그냥 두세요.

애들은 크면서 변하잖아요"라고 두루뭉술하게 말하고, 아내와 어머님 간에 갈등이 생길 것 같으면 "어머니, 우리 약속 있어서 빨리 가봐야겠네"라며 눈치껏 행동하는 것이 중요하다. 장모와 사위 사이에 육아 갈등이 생겼을 때도 마찬가지다. 이럴 때는 아내가 나서서 상황을 종료시켜야 한다.

그렇다면 시어머니와 며느리가 육아방식의 차이로 이미 격렬하게 다투고 있는 상황이라면 어떻게 할까. 대부분의 남자는 이런 상황이 되면 모른 척한다. 두 사람의 갈등이 보이지 않아서가 아니라 중간자적 입장으로 어찌해야 할지 모르기 때문이다. 한마디로 당황스러워서 피하는 것이다. 이때 가장 바람직한 해결방법은 두 사람 편을 모두 들어주는 것이다. 단, 두 가지 원칙은 꼭 지켜야 한다. 첫째, 여러 가지 얘기는 하지 말고 그 상황만 다룬다. 둘째, 두 사람이 같이 있는 자리에서 이야기하지 않는다. 아내에게는 "나도 당신 말이 맞다고 생각해. 하지만 당신 말이 맞아도 어머님 기분이 안 좋아지시니까 그런 식으로 얘기하지 않았으면 좋겠어. 다음에 해. 당신 지금 너무 예민해진 것 같아"라고 말한다.

어머님께는 "어머니가 많이 속상하실 것 같아요. 그 마음은 알겠는데 저 사람이 아이 엄마잖아요. 자기가 주도적으로 해보고 싶어서 그러는데, 아이 문제는 저 사람한테 맡겨보자고요" 정도만 얘기하고 끝낸다. 그런데 이런 이야기는 그 자리에서 해서는 안 된다. 상대편이 보는 앞에서 심한 말을 하게 되면 당사자의 자존심이 상한다. 상대방을 너무 창피하게 만드는 것은 인간관계에서 가장 좋지 않은 방법이다. 어머님을 방으로 모시던지, 아내를 밖으로 데리고 나와서 그 사람에게만 조용히 말하는 것이 좋다.

그런데 이런 점도 짚고 넘어가자. 할머니가 낮 동안 아이를 봐주시는데 엄마랑 할머니랑 자주 싸운다고 치자. 그 광경을 바라보는 아이는 어떻게 느낄까. 아이는 막연한 공포를 느껴 불안해한다. '할머니가 나한테 해주는 것이 잘못된 것일까?' 하는 생각으로 아이의 마음에서도 갈등의 파도가 인다. 이제 막 사춘기에 접어드는 한 남자아이는 할머니의 잔소리가 심해서 짜증이 난 상태였다. 물론 아이를 맡겨둔 엄마도 어머님이 너무 잔소리가 심하다는 것을 인정했다. 하지만 이럴 때 아이 앞에서 할머니를 헐뜯어서는 안 된다. 엄마가 굉장히 믿을 만한 사람한테 너를 부탁했다는 안정을 주어야 하고, 아이와 그 사람의 관계에도 흠집이 생기지 않도록 해야 한다. "할머니가 잔소리가 많으시지?" "그렇죠." "그럴 때는 '알았어요' 라고 대충 말하지 말고 공손하게 '네' 이렇게 말해. 네가 반항하는 것이 아니라는 것은 알지만, 할머니는 확답을 들으실 때까지 계속 얘기를 하실 거거든. 네가 힘들어하는 거 엄마도 알아. 엄마도 어릴 때 그런 잔소리가 듣기 싫어서 미리 해야 될 일을 해놓곤 했어. 그렇지만 할머니가 너를 얼마나 사랑하시는지 알지?" 그러면 아이도 "알아요"라면서 조금은 안정된다.

아이를 맡길 때 아이가 불안하지 않게 하려면 아이가 대리 양육자와 주 양육자만큼 단단한 애착관계를 형성하게 해주어야 한다. 그러려면 주 양육자와 대리 양육자가 좋은 협력관계라는 것을 아이에게 보여주어야 한다. 때문에 아이 앞에서 대리 양육자의 흉을 봐서도 안 되고, 대리 양육자와 싸워서도 안 된다. 대리 양육자가 시어머님이나 장모님이고, 아이를 맡길 수밖에 없는 상황이라면 남편이나 아내를 위해서가 아니라 내 아이의 안정을 위해서라도 좋은 관계를 유지하려는 노력이 필요하다.

# 맞벌이,
# 아빠 육아 참여

**DADDY'S THINK**

아내가 일하는 것이 나도 불편해. 집 안도 깨끗하고 나도 잘 챙겨주고 아이도 잘 키우고 아침, 저녁으로 맛난 음식도 먹고 싶다고. 하지만 본인이 결정했잖아. 그럼 다 알아서 해야 하는 거 아니야! 누가 일하라고 했어! 본인이 밖에 나가고 싶어서 결정한 거면 힘들어도 좀 참아야 하는 것 아닌가. 아이가 너무 걱정되면 차라리 집에 있든지.

**MOMMY'S THINK**

나도 사회인으로 내 일을 하면서 자아실현을 하는 것이 중요하단 말이야. 그런데 내 욕심 때문에 아이가 잘 자라지 못하면 어떡하나 항상 불안해. 집 안 꼴은 이게 또 뭐야! 나 주부 맞아? 남들은 일하면서 아이도 잘 키우고 살림도 완벽하게 하는 사람들도 많던데, 왜 난 그게 안 될까.

## 그렇게 걱정되면 일을 그만두던가! vs 내가 아이한테 너무 소홀한 거 아닐까?

일하는 엄마들은 말한다. "내가 과연 전업주부로 살 수 있을까? 점심 먹고 차 마시면서 수다나 떠는 그런 자리에 어울릴 수 있을까? 나의 귀한 시간을 그렇게 하릴없이 보내고 싶지 않아"라며 전업주부를 깎아내린다. 그러면서 속으로는 불안하다. '지금 아이한테 중요한 시기인데, 내가 소홀한 것 아닐까. 내가 자아실현을 한답시고 이렇게 아이를 내팽개쳐도 되는 건가.

내가 엄마 맞나' 하는 근본적인 불안을 가지고 있다. 그렇다고 이 엄마들이 일을 그만둔다고 불안해하지 않는 것은 아니다. 집에 있어도 '남편이 가져다주는 돈만으로 살 수가 있을까. 내가 밖에서 일할 때는 사람들이 서로 데려가려고 했는데…. 아이한테 짜증내면 안 된다는데 난 왜 자꾸 소리를 지르지. 집에 있는 게 오히려 아이한테 안 좋은 영향을 주는 거 아니야?' 하면서 엄마로서의 자신감과 양육의 효능감이 떨어지는 것에 대해 불안해한다. 이 엄마들은 양육의 위기상황을 만날 때마다 '집에 있어야 하는 것 아니야? 집에 있는 것이 옳을까?' 로 갈등한다. 엄마들의 이런 걱정은 쉽게 말하면 딜레마다.

그렇다면 전업주부인 엄마들은 아무 갈등이 없을까. 전업주부 엄마들은 말한다. "일하는 엄마들은 아이보다 자기가 더 소중한 사람들이다. 우리가 못나서 집에서 아이를 키우는 것이 아니라 아이를 위해 나를 포기했을 뿐이다. 전업주부들은 모여서 남편 흉이나 보면서 노닥거리는 줄 알지만, 아이를 더 잘 키우기 위해 만나는 것이다. 일하는 엄마들은 우리가 구해온 정보만 넙죽 가로채곤 해서 가끔씩 얄밉다." 그러면서도 전업주부 엄마들도 속으로는 '나 이대로 도태되는 건 아닐까. 내 이름도 잃어버리고 영영 누구누구의 엄마로 남는 건 아닐까' 라며 불안해한다. 실제로 전업주부 엄마들은 아이가 한창 자랄 때는 괜찮지만, 아이가 대학에 입학하고 나면 굉장히 공허해한다. 누구의 엄마로 사는 일이 가치 있지만 이것이 나 자신을 찾아주지는 않을 거라는 생각에 근원적인 좌절감과 불안이 존재한다.

왜 엄마들은 일을 하든, 안 하든 불안한 것일까. 불안이란 두 가지 가치를 두고 근소한 차이로 한쪽을 선택하고 그 나머지에 대한 미련을 접지 못할 때 생긴다. 일하는 엄마는 자신이 집에 있었다면 아이에게 줄 수 있는 혜택을 포기하지 못하고, 전업주부인 엄마는 자신이 일을 했다면 가질 수 있었던 성취감과 경제적인 여유를 포기하지 못해 항상 불안하다. 요즘 엄마들이 불안한 것은 엄마 안에 태초 때부터 유전자에 새겨진 보살핌 본능과 교육으로 깨친 '자아실현의 본능'이 함께 존재하기 때문이다. 이 엄마들은 육아와 일을 동시에 저울에 올려놓고 갈등한다. 그리고 둘 중 어느 것도 선택하지 못하고 주저한다. 그러다 상황에 밀려 하나를 선택하면 그것이 무엇이든 후회하고 불안해한다.

하나를 선택했다면 다른 하나도 어느 정도는 놓아야 한다. 그러려면 선택한 것이 다른 누구에 의해서가 아니라 자신의 선택이라는 것을 인정해야 한다. 사람은 누구나 자기 가치관으로 움직인다. 반드시 그런 것은 아니지만, 어릴 때부터 돈이 중요하고 경제적으로 어려움을 겪었던 사람들은 일을 한다. 그것이 아이보다 중요해서는 아니다. 그에 비해 어렸을 때 좀 풍족하게 살았지만 엄마와의 시간이 부족해서 항상 갈증을 느꼈거나 무엇보다 아이가 우선이라고 생각했던 사람은 전업주부가 되는데, 이는 자아성취에 관심이 없어서가 아니다. 어떤 선택이든 그것은 그 사람이 무의식적으로 중요하다고 생각하는 가치가 반영된다.

의식적으로는 '아이를 위해 일을 그만두어야 하나'라고 생각하지만 여전히 일하는 것은 자신의 내부에 무의식적으로 일을 중시하기 때문이다.

마찬가지로 전업주부는 '나도 일을 좀 해야 하지 않을까' 라고 의식적으로 걱정은 하지만 무의식적으로는 아이를 돌보는 것이 더 중요하다고 생각한다. 이것을 진심으로 받아들여야 한다. 불안을 다룰 때 가장 중요한 것은 자기 자신을 솔직히 인정하고 받아들이는 것이다. 그리고 오해하지 말아야 한다. 일하는 엄마라면 '나는 사회적 성취와 경제적인 것이 굉장히 중요한 사람이구나' 하는 것을 인정해야 한다. 그것이 아이를 일보다 덜 중요하게 생각한다고 스스로 오해해서는 안 된다. 전업주부인 엄마도 '나는 아이와 함께하는 시간이 무엇보다 중요한 사람이구나' 라고 인정하고, 이렇게 살면 자신의 삶이 도태될 거라는 오해는 버려야 한다. 인정하고 오해하지 않아야 불안이 해결된다.

주위를 한 번 둘러보자. 전업주부처럼 아이한테 시간을 할애하지 못하는, 밖에서 일하는 엄마들이 키운 아이가 잘 자라지 못하는가. 분명 그렇지 않다. 오히려 아이에게 사회적 역할의 중요성을 설명하고, 한 사람이 다양한 역할을 할 경우 어떻게 시간을 배분해야 하는지도 알려줄 수 있다. 아이에게 이만큼밖에 시간을 할애할 수 없는 이유를 설명하고, 아이가 자신에 대한 존재감이나 가치를 의심하지 않도록 해주어야 한다. 간혹 전업주부 엄마들은 자신의 모습을 보고 아이가 사회 속에서 진취적인 역할을 배우지 못할까봐 걱정한다. 하지만 오히려 엄마가 준 정서적인 안정으로 사회에 나갔을 때 처음 해보는 역할도 자신감 있고 진취적으로 해낼 수 있다.

지금 자기의 위치가 자꾸 불안하다면 눈을 감고 가만히 생각해보자. 나는 어떤 사람인가, 나는 어떻게 살고 싶은 사람인가 우선 내가 어떤 사람인지를 파악해야 한다. 그리고 나에게 무엇이 중요한지 알고 그것을 인정할 줄 알아야 한다. 그것을 자꾸 자식을 위해서라고 생각하지 마라. 불안의 제공자는 '아이' 가 아니라 '나 자신' 이다. '나 자신' 에서 출발해야 한다. 내가 전업주부인 것은 너를 잘 키우기 위해서가 아니라 내가 너한테 올인하지 않으면 내가 불편하기 때문에 하는 것이다. 자신의 선택을 아이 때문이라고 생각하면 안 된다. 내가 일을 하는 것은 밖에 나가서 힘들게 일을 하면서 돈을 벌어도, 분명 자기 안에 그것이 좋기 때문에 선택한 이유도 있다. 전적으로 수입 때문만은 아니다. "내가 너를 잘 키우려고 밤늦게까지 일한다"라고 아이한테 말하지 마라.

또한 일하는 엄마들 중에는 간혹 육아가 자신과 맞지 않아서 일을 선택하는 경우도 있다. 많은 엄마들은 엄마라는 이름을 달고 '육아가 어렵고 두렵다' 고 인정하는 것을 부끄러워한다. 분명히 말하지만, 엄마라고 모두 아이를 잘 키우는 것은 아니다. "요즘 사교육비가 얼마나 드는데 둘이 벌어서 키워야지"라고 말하지 말고 '나는 아이가 우는 것이 두렵고 어떻게 해야 할지 모르겠다. 나는 육아가 힘들고 두렵다' 는 것을 인정하라. 그런 면이 있다는 것을 본인이 인정하지 않으면 일하는 엄마가 갖는 불안은 절대 해결되지 않는다. 그것을 인정해야 친한 친구든, 조금 더 경험이 많은 사람이든, 전문가를 만나든, 제대로 된 조언을 얻을 수 있다. 진정으로 자신을 돌아봐야 다른 사람의 조언도 도움이 될 수 있다.

일하는 엄마들은 보통 '나는 좋은 엄마가 아닌 것 같다' 는 근원적인 죄책감을 갖는다. 이런 죄책감은 죄책감으로 끝나지 않고 많은 문제를 낳는다. 미안한 마음에 아이의 요구를 뭐든 받아주어 아이를 응석받이로 키우기도 하고, 직접 시간을 보내지 못하는 안타까움을 돈이나 물건으로 때우기도 한다. 아이와 허물없이 이야기를 나누는 것이 두려워 잔소리나 지시, 지적으로 대화를 하기도 한다. 그것을 아이와 소통하는 것이라고 착각한다. 또한 죄책감은 부끄럽고 수치스러운 감정이라 한번 생기면 너무 불편하다. 그래서 무의식적으로 그 감정을 떨치기 위해 지나치게 남을 탓하는 버릇이 생기기도 한다. 만만한 남은 바로 남편과 아이다.

앞서 말했듯이 선택의 주체도 '나' 이고, 문제의 본질도 '나' 이다. 남편이 돈을 못 벌어도 일 안 하는 엄마들도 많다. 일해야겠다고 선택한 것은 분명 '나' 이다. 내 안에는 일을 좋아하고 살림만 하는 것보다 '대리님' 이라는 소리도 듣고 싶고 자아실현도 하고 싶고 외벌이로 궁핍하게 사는 것이 싫고 아이 교육에만 신경 쓰는 자신의 모습이 싫고 아이랑 오랜 시간을 보내면 왠지 불안해지는 '나' 가 있기 때문이다.

맞벌이를 하려면 아빠들이 당연히 집안일과 육아를 도와야 한다. 어떠한 엄마도 일과 집안일, 육아를 혼자 해낼 수는 없다. 요즘은 맞벌이 부부 중 남편이 아이도 돌보고 집안일도 도와주는 경우가 많다. 자신은 너무 바빠서 집안일과 육아를 도와줄 시간이 전혀 없다고 말한다면, 가만히 자기 자신을 들여다봐라. 집에 일찍 와서 집안일이나 육아를 하는 것이 싫거나 본인이 원해서 바쁜 것은 아닌지 자문해본다. 아내가 일을 한다면 남편도 회사에 솔직하게 말하고 회식이나 야근을 줄여 나가야 한다.

남편이 "어떤 회식은 진짜 가기 싫은데, 어쩔 수 없이 갈 때도 있어. 하지만 어떤 회식은 나도 즐거워서 가기도 해. 하지만 내가 줄여 나가도록 노력할게" 이렇게 솔직하게 말하면 아내도 그 마음을 이해할 것이다.
맞벌이를 하면서 육아나 집안일을 100% 잘해내는 엄마들도 가끔 슬럼프를 겪는다. 어느 순간 자기만 힘든 것 같고 심술이 나서 집안일도 하기 싫고 억울해서 아이를 돌보는 것도 귀찮을 때가 있다. 특별한 사건이 있는 것도 아닌데 문득 문득 억울함이 생긴다. 이럴 때 특효약은 바로 '남편의 솔선수범'이다. 설거지가 산처럼 쌓여 있는 것을 보고도 피곤해서 그냥 잠든 날 아침, 일찍 일어난 남편이 밥을 짓고 군말 없이 설거지를 하고 있을 때 아내는 감동한다. 그리고 에너지를 200% 충전하여 아침식사를 차리고 아이를 돌보게 된다. 만약 이 남편이 집안일은 고사하고 밤늦게 술 먹고 들어와 옷도 갈아입지 않은 채 소파에 널브러져 누워 있었다고 하자. 이때 아내가 느낄 억울함은 상상을 초월한다. 아이들만 모델링이 일어나는 것이 아니다. 모델링은 부부 사이에도 일어난다. 아내는 남편이 아주 조금만 집안일을 도와줘도 고마워하고 만족한다. 일하는 아내도 일하는 남편만큼 회사에서 바쁘다. 매일 바쁘다는 핑계만 대지 말고 조금이라도 멋진 모습을 보여주었으면 좋겠다. 육아나 집안일을 서로 협력해야 하는 것만큼이나 맞벌이 부부라면 반드시 필요한 것이 있다. 신뢰Trust와 공유Share, 존중Respect이다. 신뢰가 없으면 많은 문제가 생긴다. 아빠들의 회사에 여자 직원이 있는 것처럼 엄마들의 회사에도 남자 직원이나 남자 거래처 직원도 있다. 일하다 보면 이들과 전화도 주고받을 수 있고 회식도 하는 상황이 벌어진다. 늦게 들어온다는 것만으로 의심하고 스트레스를 주는 것은 아내에 대한 신뢰가 부족하기 때문이다. 신뢰하지 않으면 바깥일을 하기가 어렵다.

공유 또한 반드시 필요하다. 엄마가 일을 하면 아이는 물론이고 아빠에게도 소홀해질 수 있다. 공유란 그런 것에 서운해하지 말라는 이야기다. 엄마가 일을 하는 것은 '엄마, 주부, 아내' 라는 역할에 하나의 업무가 더 늘어나는 것으로 이해해야 한다. 엄마가 일을 할 때 아빠들은 시간이든, 여력이든, 마음이든 부족해지는 것에 대해 이해하려고 노력해야 한다. 일하는 아내가 자신한테 신경을 쓰지 않는 것 같아 섭섭하다면 진심을 표현하는 것이 문제가 바로 해결되지는 않더라도 훨씬 마음이 가벼워진다.

마지막으로 필요한 것은 존중이다. 아내의 벌이도 그렇고 사회적인 인식 또한 대단해 보이지 않아도 그 일의 의미와 가치를 존중한다. 모든 일은 그 노동을 함으로써 생기는 가치들이 있다. 작은 일이라도 가치를 부여하고 좋은 라벨을 붙여주어야 한다. "당신이 이렇게 해주니까 정말 고마워. 당신 하는 일은 정말 의미 있어"라고 존중해주지 않으면, 아내들은 멀티플레이를 할 힘이 생겨나지 않는다. 마지못해 하고, 죽지 못해 사는 것이 될 수도 있다. 그 힘의 원천은 자기 안에서 나오기도 하지만, 배우자나 가족이 불어넣어야 하는 면도 크다.

맞벌이를 할 때, 아빠들은 특히 "그렇게 걱정되면 직장을 그만둬"라는 말을 해서는 안 된다. 일하는 엄마들은 아이에 대한 본질적인 죄책감이 있기 때문에 습관적으로 아이에 대한 걱정을 한다. 아빠들은 답이 안 나오는 대화 혹은 자기한테 화살이 돌아올까 해서 선수 치듯 그런 말을 해버린다. 대부분 아무런 대안도 없이 말부터 내뱉고 보는 경우가 많다. 엄마한테는 이런 아빠가 당연히 무책임하고 대책 없는 남편으로 보인다. 맞벌이를 할 때는 누가 돈을 더 벌고 덜 벌고를 떠나서 상대방의 일에 대한 기본적인 존중과 배려가 반드시 필요하다. 이런 면에서 전업주부인 엄마들도 남편이 늦게 들어오는데 벌이가 시원치 않다고 "차라리 내가 버는 것이 낫겠다. 당신이 애 봐"라고 말해서는 안 된다. 일은 경제적인 의미도 있지만, 자기의 이상실현과도 관련이 있다. 많이 벌고 못 벌고로 판단할 문제가 아니다.

# 아이 맡기기

**DADDY'S THINK**

비슷비슷한 곳 중 저렴한 곳을 고르는 것이 나쁜 걸까. 앞으로 살 걱정을 해야지 대책도 없이 좋은 것만 찾으면 어쩌겠다는 거야. 언제까지나 아이를 끼고 키울 수도 없는데 보낼 때 되면 눈 딱 감고 보내야지. 쓸데없이 걱정만 한다고 문제가 해결되나. 그렇게 걱정되면 아무 데도 보내지 말든지.

**MOMMY'S THINK**

왜 이렇게 마음에 드는 데가 없는 거야. 요새 어린이집이나 유치원은 다들 저러나. 분위기나 환경도 좋고 무엇보다 안전한 곳으로 보내야 되는데 도대체 믿을 수가 없네. 대책 없는 남편은 아무 곳이나 보내라고 하고 어떻게 저렇게 무책임하게 말하는지 몰라. 저 사람은 아빠가 돼서 불안하지도 않나봐.

## 다 비슷비슷하지, 뭘 그렇게 고민해! vs 조금이라도 좋은 곳에 맡겨야지 무슨 소리야!

아빠들은 엄마들로부터 "참 서운해. 너무 무심해. 당신이 언제 우리한테 신경 한 번 제대로 쓴 적 있어?"라는 말을 많이 듣는다. 특별히 그런 의도로 한 행동이 아니었음에도 불구하고 엄마들은 사사건건 "당신이 그러면 그렇지. 신경 써주는 게 이상하지"라며 가슴속 깊은 원한(?)이라도 있는 양 비난할 때가 많다. 아빠들은 엄마들의 이런 태도를 보며 '도대체 내가 뭘 잘못했다는 거야?' 라는 억울함이 생긴다.
엄마들은 아이와 자기를 한 팀으로 묶어서 산후조리원을 고를 때부터 서운하다는 말을 시작한다. 산후조리원은 엄마와 아이가 처음 맡겨지는 기관으로 아빠가 생각하듯 며칠 머물다 가는 숙소가 아니다. 엄마는 산후조리원의 선택에서부터 아빠가 갖는 내 아이에 대한 사랑의 깊이를 가늠하기 시작한다. 이때 아빠가 무심하게 굴면 내 아이한테 무심한 사람으로 낙인 찍는다. 이 아빠가 어린이집이나 유치원을 고를 때도 무심했다면, 한동안 지울 수 없는 낙인이 찍힌다. 엄마들이 아이가 맡겨지는 곳에 민감한 것은 보살핌 본능 때문이다. 더 안전한 곳, 더 편안한 곳을 찾는 것은 엄마들의 무의식적인 본능이다. 이때 무심한 듯 행동하는 아빠는 아이의 안전을 걱정하지 않는 사람, 나의 불안에 관심이 없는 사람으로 여겨진다. 아빠들은 가능한 한 아이와 관련된 것에 기본적인 성의를 보여야 한다.
아내가 임신을 하는 순간부터 아이와 관련된 중요한 일을 서로 의논하고 공유하지 않으면 나중에 아빠로서 자리매김하는 데 큰 어려움을 겪을 수 있다. 엄마들은 그때의 억울함을 고이고이 간직해 두기 때문에, 한동안 무관심하던 아빠들이 아이에게 관심을 보이려고 하면 마땅한 정보를 주지 않는다. 엄마가 고등학교 다니는 딸아이의 공부 때문에 '수리 가 · 나' 할 때, 아빠가 "그게 뭐야?" 라고 물으면 "모르면 좀 가만히 있어" 하면서 쏘아붙인다. 아이도 자기의 생활을 전혀 모르는 아빠와 대화하는 것을 꺼려한다. 아빠와 아이의 관계, 아이와 관련된 아내와 남편의 관계가 산후조리원, 어린이집, 유치원을 고를 때부터 시작된다는 것을 잊지 마

라. 발 벗고 나설 수 없다면 성의를 보이는 행동이라도 해야 한다. 같이 갈 여유가 없다면, "당신 알아서 좋은 곳으로 선택해"라는 말이라도 해줘라. 아이나 아내와의 관계에 훨씬 좋은 영향을 줄 수 있다.

아이가 있을 만한 산후조리원이나 어린이집, 유치원을 알아보다 보면 아빠들은 엄마들이 느끼는 공포 수준의 불안에 깜짝 놀라곤 한다. 이런 불안은 특히 취학 전 아이를 가진 엄마들이 심한데, 초등학생만 돼도 아이가 자기가 겪은 것을 이렇다 저렇다 말을 하지만 어린아이들은 자기가 겪은 것에 대해 제대로 설명할 수가 없기 때문이다. 그런데 엄마들이 이런 불안을 피력하면 아빠들은 "괜찮아. 다른 애들도 다 다니잖아. 그렇게 걱정되면 보내지 말든지"라고 대꾸한다. 엄마들은 자신의 불안을 공유해주지 않으면 굉장히 서운해한다. 서운하면 분노가 생기고, 아빠를 믿을 수 없다는 불신이 생겨 아이를 키우면서 처리해야 할 중요한 일을 남편과 의논하지 않는다. 아이를 맡기게 될 때는 엄마들이 갖는 불안을 당연하게 여기고, 그 마음에 공감해주어야 한다. 공감하고 같이 걱정만 해주어도 엄마들이 그에 마땅한 답을 찾아간다. 절대 엄마가 가진 불안을 무시해서는 안 된다.

하지만 엄마들도 자신의 불안을 무한정 키워서는 안 된다. 자신은 물론이거니와 아이를 비롯한 가족 구성원에게 전혀 도움이 되지 않는다. 불안을 줄이려면 잘 알아보고 보낸 후, 어느 정도 믿는 노력이 필요하다. 주변의 평가도 참고하는데, 한 사람한테만 듣지 말고 보통 한 기관에 대한 평가를 10명까지 들어본다. 그 중 8~9명이 괜찮다고 하면 믿으면 된다.

불안한 사람은 자신의 마음에 들지 않는 사소한 것 하나에 지나치게 집착하는 경향이 있다. 내 마음을 100% 만족시키는 기관은 없을 수도 있다. 그건 엄마가 자기 아이를 돌본다고 해도 마찬가지다. 본인도 본인을 100% 만족시키지는 못한다. 내가 직접 가서 교사를 만나보고 시설을 보고 결정하면 된다. 교사를 만났을 때는 어떤 사람인가를 봐야 한다. 이것저것 살펴보고 모든 점검이 끝나 적당하다고 생각되는 기관에 보내기로 결심했으면 그 기관을 믿어야 한다. 지나친 걱정은 접어야 한다.

앞서 시어머니나 친정어머니에게 아이를 맡길 때 조언했던 것처럼, 아이의 안정을 주기 위해서는 아이가 다니는 그곳이 엄마가 믿고 좋아하는 곳이라는 인상을 주어야 한다. 아이에게  선생님들이 엄마처럼 좋은 사람이라는 생각을 전해야 한다. 그리고 아이가 잘해낼 거라고 믿는다. 어떤 엄마들은 어린이집에 감기가 도는 것만 같아도 안 보내기도 한다. 2주건 한 달이건  안 보내는데 그래서는 안 된다. 절대 감기에 걸리면 안 되는 아이들을 제외하고는 감기에 걸릴 가능성 있어도 보내야 한다. 평생 무균실에서 살 수는 없기 때문이다. 또 어린이집에서 조금 다쳐서 집으로 보내면 지나치게 항의하고, 안 보내겠다고 하는 엄마들도 있는데 그래서도 안 된다. 친구랑 놀다가 넘어져도 봐야지 "밀지 마"라고 말하는 것도 배운다. 그런데 무언가 위험이 닥칠까봐 아이에게 어떤 것도 시키지 않으면 결국 아이는 인생에서 값진 것을 배울 수 있는 소중한 기회를 잃게 된다. 엄마 혹은 아빠의 불안 때문에 아이가 삶에서 필요한 여러 가지를 배울 수 있는 기회를 빼앗으면 안 된다.

# 아이의 경제교육

**DADDY'S THINK**

생활비도 절약 못하는 사람이 아이 용돈 관리는 잘할 수 있을까. 애들이 어릴 때부터 돈을 알면 안 좋은데, 아예 용돈을 안 주는 게 낫지 않을까. 사실 애가 무슨 돈이 필요하겠어! 사달라는 거 다 사주는데…. 엄마처럼 용돈 주면 그날로 홀라당 다 써버릴 거야.

**MOMMY'S THINK**

꼭 필요한 곳에 돈을 쓰고 절약해서 저축하는 습관을 가르쳐주고 싶은데 어떻게 해야 할까. 아직 어려서 용돈을 주면 한 번에 다 써버릴 것도 같은데…. 그래도 다른 아이는 다 주는데, 우리 아이만 안 주는 것도 문제이지 않을까.

## 아이한테 돈은 안 줄수록 좋아. vs 우리 애만 없으면 불쌍해 보이잖아.

엄마 아빠들은 아이가 돈을 헤프게 쓴다면서 많이 부딪힌다. 서로 당신 닮아서, 당신이 그 따위로 돈을 펑펑 쓰니까 아이가 그런다며 싸운다. 아내는 남편에게 생활비 씀씀이를 추궁 받고, 남편은 어젯밤 쓴 술값 때문에 막다른 길로 몰려 서로의 경제관념을 의심한다. 그러면서 한편으로는 이런 상황에서 아이에게 올바른 경제관념을 어떻게 심어주어야 할지도 고민한다. 아끼고 모아서 꼭 필요한 물건을 구입하고 저축하는 좋은 생활습관을 심어주고 싶어 한다. 그러려면 아이에게 돈을 줘봐야 한다. 엄마 아빠는 아이가 돈을 헤프게 쓰면 어쩌나 하는 불안감에, 용돈을 주지 못한다. 하지만 경제관념을 가르치려면 아이 스스로 돈을 가져봐야 한다. 호랑이를 잡으려면 호랑이 굴로 들어가야 하는 것처럼 말이다.

초등학교 3, 4학년 정도면 하루 5백 원씩 생각해서 일주일에 2천5백~3천 원을 넘지 않게 주는 것이 좋다. 처음에는 용돈을 매일매일 준다. 아이들은 돈 관리를 잘 못하기 때문에 일주일에 3천 원을 주면 한꺼번에 다 써버린다. 아이가 매일 주는 용돈을 잘 관리한다 싶으면 이틀에 한 번, 3일에 한 번, 주급으로 준다. 용돈을 주면 아이가 돈을 제대로 못 쓰는 경우도 종종 벌어진다. 이럴 때 우리나라 부모들은 아이의 돈을 전부 회수해버리고 용돈을 주지 않는 극단적인 방법을 취한다. 그렇게 하면 경제관념을 배울 수 없다. 그래도 용돈을 줘야 한다. 다시 기회를 줘서 용돈 관리를 시켜야 한다. 아이가 뭔가 잘했을 때 주는 돈은 용돈이 아니다. 이것은 보너스 개념으로, 아이는 자기가 한 착한 행동을 모두 돈으로 바꾸려 하기 때문에 매번 적용하면 바람직하지 않으며 고쳐야 하는 문제 행동을 목표로 삼고 계획을 세워 보너스를 주어야 한다. 아이가 벗은 옷을 정리하지 않는다면, "옷을 잘 걸어두면 보너스를 주마"라고 한 다음 약속을 지킨다. 한 번에 정하는 착한 행동은 한두 개로만 제한한다. 이렇게 하면 이틀 용돈을 모으고 보너스를 보태서 샤프를 산다는 등의 경제활동을 경험할 수 있다.

돈 관리는 어렸을 적에 부모가 하는 것을 보고 많이 배운다. 절약하는 습관 자체는 부모의 모델링 효과가 가장 크다. 저축을 어떻게 하고 생활비를 어떻게 분배하고 물건을 살 때는 어떻게 하고 전기나 수도는 어떻게 절약하는지는 아이가 생활하는 환경 속에서 부모의 모습을 보고 몸에 배기 때문이다. 무조건 더 싸게 파는 것을 사기 위해 차를 타고 멀리 가는 것은 교통비나 시간 낭비일 수 있다. 물건을 살 때는 지금 나에게 필요한 가치를 생각해보고 거기에 따라서 행동해야 한다. 저렴하게 사는 것보다 시간을 절약하는 것이 더 중요한 사람은 조금 비싸더라도 가까운 곳에서 물건을 구입하는 것이 바람직하다. 하지만 시간적인 여유가 있고 먼 곳까지 가서 구입하는 것이 아니라면 이왕이면 저렴하게 사는 것이 맞다.
아이가 초등학교 고학년이 되면 아이를 앉혀놓고 구체적으로 우리 집 경제상황을 얘기해준다. 엄마 아빠가 벌어오는 돈이 얼마이며, 꼭 지출해야 하는 것과 예금을 빼고 나면 남는 돈은 이만큼이며, 그 돈으로 한 달을 살아가야 한다는 것을 알려준다.
그렇다면 엄마 아빠는 모델링할 만한 모습을 보여주고 있을까. 안타깝게도 그렇지 못한 경우가 많다. 아빠들은 예기치 않은 상황에서 아이들에게 돈을 곧잘 준다. 그것을 자기 권위라고 느끼는데 아빠들도 돈을 규모있게 써야 한다. 기분에 따라 펑펑 쓰는 것은 당연히 안 된다. 나중에 정말 돈이 없어서 학교를 못 보내는 사태가 벌어질 수도 있다. 또 아껴 쓸 때는 아내와 의논하여 어느 항목에서 아껴 써야 하는지를 결정한다. 꼭 지출이 필요한 항목에서조차 절약을 부르짖으면 가족 구성원의 원성을 사게 된다. 교육비는 꼭 지출이 필요한 항목이고, 의류비는 절약해야 하는 항목으로 정해놓았는데, 한도를 넘은 상태에서 아이가 옷을 사달라고 하면 솔직하게 이번 달에는 여유가 없다고 말해주는 것이 필요하다.

엄마들은 살림에서는 대부분 알뜰하지만 아이에게 본을 보여줄 만한 경제관념을 가졌다고 할 수는 없다. 왜냐하면 엄마 또한 돈을 규모 있게 쓰지 못하기 때문이다. 엄마들은 아이에게 좋은 것이라면 뭐든 아까워하지 않는데, 특히 교육과 관련된 것은 바로 사야 하고 아무리 비싸도 빚을 내서라도 사야 한다. 아이에게 필요하다면 가정의 경제상황은 생각하지 않고 무리하는 경향이 있다. 아빠들은 이런 소비패턴을 가진 아내의 알뜰함이 근본적으로 잘못되었다고 생각한다. 꼭 필요하지도 않은 물건을 저렴하게 사면 뭐하냐는 말이다. 그러다 보니 아빠들은 엄마들이 돈만 쓰면 자동적으로 '쓸데없이' 라는 말이 나온다.

부부는 참 돈 때문에 많이 싸운다. 그런데 가만히 살펴보면 부부가 돈만큼 허심탄회하게 이야기를 나누지 않는 부분도 없다. 돈에 대한 자신의 생각이나 현재 상황에 대해 배우자와 너무 소통하지 않는다. 돈과 관련된 문제에서는 되도록 대화를 하지 않으려고 하면서도 다른 문제보다 쉽게 감정이 상하고 화를 낸다. 아빠들이 돈이 없다는 말을 죽어도 못하는 것은 '돈=자존심' 이라고 생각하고, 엄마들이 돈을 안 준다는 말을 쉽게 받아들이지 못하는 것을 '돈=사랑' 이라는 말도 안 되는 등식을 가지고 있기 때문이다. 자본주의 사회에서 돈은 정말 중요하지만 돈은 우리에게 불편함을 주지 않을 정도로 잘 조정해야 하는 '수단' 이지 '목적' 은 아니다. 아빠가 돈이 없다고 절대 우스워 보이지도 않고, 그렇게 생각해서도 안 된다. 또한 삶을 위해 씀씀이를 조정할 뿐이지 돈과 아내에 대한 사랑, 아이에 대한 사랑이 비교될 수는 없다. 아빠가 엄마에게 아이 교육을 위해 어떤 교재를 사자고 할 때 "안 돼!"라고 말한 이유를 솔직히 말하지 않았고, 엄마가 그 교재를 꼭 사고 싶은 이유를 솔직하게 털어놓지 않았기 때문이다. 소통하지 않으면 아빠는 엄마를 '남편 벌이는 생각지도 않는 씀씀이가 헤픈 여자'로, 엄마는 아빠를 '자기 술값으로 20만~30만 원은 잘도 쓰면서 내가 사자는 것은 안 사주는 이기적인 남자 내지는 나와 내 아이를 사랑하지 않는 남자'로 오해한다. 아이의 생활습관은 대부분 부모가 하는 대로 배운다. 어느 한 부모의 모습을 배우는 것이 아니라 아이는 두 사람의 행동을 꼼꼼히 보고 섞어서 배운다. 두 사람 모두 건강한 소통을 하면서 올바른 경제습관을 갖지 않는 한, 아이에게 좋은 경제습관을 일러주기는 어렵다.

하지만 한 가지 주의할 것은 집안 경제상황을 운운하며 너무 야박하게 굴지는 말아야 한다. 아이가 해달라는 것을 모두 사주라는 것이 아니라 아이들 사이에서 일반적인 것은 좀 해주라는 것이다. 물론 중학생이 휴대폰이 반드시 필요한 것은 아니지만 휴대폰으로 사회적 상호작용을 하는 것이 현실이다. 때문에 상황이 된다면 사주는 것도 괜찮다. 대신 "너에게 아직 휴대폰은 필요 없지만 대부분의 아이들이 갖고 있고, 너만 휴대폰이 없으면 박탈감을 느낄까봐 사주는 거야. 잘 관리하고 요금은 이 정도 안에서 써라" 하고 설명해주는 것이 필요하다. 그러면 아이들은 고맙고 약간 미안하고, 내가 이렇게 필요로 한다는 것을 부모가 알아줬다는 것을 뿌듯하게 생각한다. 너무 고지식한 잣대로 안 된다고 하거나 검소하게 키운다는 명목하에 그 또래의 아이들이 일반적으로 느끼는 욕구를 너무 안 채워주어도 부모와의 결핍을 느끼게 된다.
돈 문제로 싸우다 보면 감정적으로 되어 배우자를 헐뜯고 욕하게 된다. 이 점은 정말 조심해야 한다. 특히 아이 앞에서 엄마가 아빠를, 아빠가 엄마를 욕해서는 안 된다. 아이들 입장에서는 부모는 자기의 근원, 즉 뿌리이다. 화가 나서 남편한테 막 퍼붓고 나서 아이한테 "어떻게 너는 네 아빠랑 하는 짓이 그렇게 똑같니"라고 하면, 아이는 '내 속에 더러운 피가 흐르고 있구나' 라고 생각한다. 때문에 아이 앞에서 배우자를 비난하는 것은 곧 아이를 비난하는 것과 같다. 만약 남편이 어제 술자리가 있어서 돈도 좀 쓰고 귀가도 늦었다고 하자. 분명 아내는 화가 나 있을 것이다. 그래도 그 사안만 말하라. 아빠의 인격 자체를 흠잡지 말고 솔직하게 자신의 감정을 표현한다. 우리나라 부모들은 자신의 현실적인 모습, 솔직한 걱정을 노출하는 것에 두려움이 있다. 정말 건강한 자존감을 가진 사람은 자신의 부족한 면이 드러나도 별로 상처받지 않는다. 그 부족한 면이 발견되면 인정하고 변화시키려고 한다. 부모가 되었다면 자신의 본연의 모습을 찾고, 건강한 자존감을 갖기 위해 노력을 아끼지 않아야 한다.

# 아이에게 장애가 있을 때

**DADDY'S THINK**

왜 나한테 이런 아이가 태어났을까. 우리 집안에는 이런 아이가 없는데…. 아내가 임신했을 때 뭘 잘못 먹었나. 그런데 이런 아이한테 계속 지원을 하는 것이 합리적일까. 오히려 이다음에 이 아이가 쓸 돈을 저축하는 것이 낫지 않을까. 아내는 마음 아파하면서 집착하지만 효과 없는 치료는 중단하고 이성적으로 생각해야 할 것 같아.

**MOMMY'S THINK**

내가 뭘 잘못했기에 우리 귀한 아이에게 이런 시련이 온 걸까. 분명히 나 때문이야. 내가 뭘 잘못 먹었거나 건강하지 못해서 멀쩡할 수 있는 아이가 이런 시련을 겪는 거야. 미안하다 아가야. 엄마는 무슨 수를 써서라도 반드시 널 지켜줄게. 엄마는 널 위해 살 거야.

계속 지원하는 것이 의미가 있을까. VS
나 때문에 우리 아이가 이런 것은 아닐까. 2년 전부터 우리 병원에서 치료를 받고 있던 자폐증이 있는 8살 아이의 아빠가 치료를 중단하겠다는 의사를 밝혔다. 아이의 상태가 조금 나아지기는 했지만 꾸준한 치료가 필요한 상태였다. 나는 그 아빠에게 치료를 중단하려는 이유를 물었다. 더불어 이 아이에게는 아직 의료적 지원이 필요하다는 정보도 주었다. 그 아빠는 "해봐야 소용이 없지 않을까요? 괜한 돈 낭비인 것 같아서요"라고 대답했다. 아이의 엄마는 이 문제로 다툼이 있었는지 눈이 퉁퉁 부은 상태로 입술을 꽉 물고 있었다. 나는 "만약 이 아이가 똑똑하고 영재였다면, 영재 교육을 안 시키실 겁니까? 아이가 언어적으로 무척 뛰어나서 누군가 외국으로 가는 영어연수를 꼭 가야 한다고 추천했다면, 아버지는 보내지 않으실 겁니까?" 하고 물었다. 아이의 아빠는 헛기침을 한 번 하더니 "그런 상황이라면 당연히 보내겠죠"라고 대답했다. "그렇다면 이 아이한테도 그 정도의 투자는 해야 하는 것 아닙니까? 아이가 못났건 잘났건 아이를 지원하는 것은 부모의 역할입니다."

아이가 장애가 있을 때 많은 경우 엄마는 죄인이 되고 아빠는 죄인을 마지못해 용서해주는 판결관이 된다. 엄마는 아이가 자기 뱃속에서 나왔기 때문에 아이가 못났건 잘났건 자기 분신이다. 분명 아빠와 50:50으로 아이를 만들었음에도 아이의 장애가 자기 탓이라고 생각하는 경향이 많다. 내가 아이에게 나쁜 피, 나쁜 몸을 주어서 온전한 아이가 나 때문에 망쳐졌다고 여긴다. 과학적으로 봤을 때 당연히 엄마만의 탓은 아니다. 아니, 몇 가지 장애는 아빠 쪽 유전자가 결정적인 작용을 하는 경우도 많다. 하지만 엄마는 물론이고, 아빠까지 그것은 엄마 잘못이라고 생각한다. 그러다 보니 아이가 장애일 때 엄마들은 근원적인 죄책감에 시달린다.

아이가 장애가 있거나 생명을 좌우할 만큼 심각한 질환이 있는 것은 어찌 보면 경제적인 것보다 더 큰 위기이다. 이런 위기에 처하면 가족 안에서는 '다부다 반응Dabda Reaction' 이 나타난다. 처음에는 어느 집이나 부인한다(Denial). "우리 아이가 절대 그럴 리가 없어. 말도 안 돼. 우리 애가 어떻다고 그래? 다른 데 가보자"라고 반응한다. 다음 단계에서는 화를 낸다(Angry). "어떻게 우리한테 이런 일이 있을 수가 있어? 우리가 언제 나쁜 짓 한 번 한 적 없는데, 다들 아무 일 없이 잘 살잖아" 하면서 세상에 대한 엄청난 분노를 드러낸다. 또한 이 단계에서 그동안 서운했던 처가 혹은 시댁에 대한 불만도 터진다. 엄마들의 경우 "나 임신했을 때 당신이 조금만 잘해줬어도, 시댁에서 나를 조금만 배려해줬어도 내가 그렇게 스트레스를 받지는 않았을 거야! 그럼 우리 애가 건강했을 텐데 이게 전부 당신 탓이야"라며 원망한다. 다음 단계에서는 협상을 한다(Bargain). '아이만 낫게 해준다면 뭐든 하겠다' 는 자세가 되어 종교에 몰두하고, 전국 방방곡곡의 점쟁이를 찾아다닌다. 이상한 민간요법을 쓰기도 하고, 각종 명의도 만나본다. 그러다가 다음 단계에서는 굉장히 우울해진다(Depression). 이 단계에서 아빠들은 술독에 빠지기도 하고, 엄마들은 괴로움을 잊기 위해 돈을 쓴다거나 바람이 나기도 한다. 아이한테 지독하게 화를 내기도 한다.

아이가 좀 클 경우, 아이는 건강하지 못한 자기로 인해 집안이 이런 위기를 겪는 것을 보며 죄스러워한다. '차라리 내가 죽는 게 낫겠다. 나만 없으면 우리 부모도 행복하지 않을까' 라는 생각에 극단적인 결심을 하기도 한다. 이 단계에서는 아이를 위해서라도 부모가 서로 격려하며 건강하게 살 수 있도록 노력해야 한다. 우울한 단계를 잘 극복하면 드디어, 이 상황을 순순히 받아들인다(Accept). 그런데 많은 부부들이 다섯 번째 단계까지 이르지 못하고 가족이 해체되기도 한다. 엄마는 도망가거나 아빠가 이혼을 요구하고 시댁에서는 엄마에게 아이만 데리고 나가라고도 한다. 사례로 든 아이 아빠 또한 네 번째 단계인 부부가 모두 우울해지고 자포자기하는 단계를 넘어서지 못했다. 많은 아빠들이 이 단계에서 아이의 치료를 포기한다. 돈이 없어서가 아니라 돈을 들여봤자 나을 문제가 아니라는 이유에서다. 아빠들 중에는 의사, 변호사 등 직업이 번듯하고 연봉이 꽤 높은 전문직도 많다. 이 아빠들이 효과가 없어 치료를 중단하겠다는 말의 의미는 모자란 자식은 지원하지 않겠다는 것이 아니라, 치료에 들어가는 돈을 아껴서 이다음에 이 아이가 혼자 살아갈 때 주겠다는 것이다. 아이의 장애에 대한 지원에서 '효율성'을 따지는 것이다. 우리가 뭔가 치명적인 질환이 있거나 장애가 있는 아이들을 치료하고 교육시키는 것은 성과와 상관없이 부모가 해야 하는 최선이다. 아이에게 아무 변화가 없더라도 부모는 부모니까 반드시 최선을 다해야 한다. 돈이 없어서 어쩔 수 없이 치료를 포기하는 경우가 아니라면 포기해서는 안 된다. 치료를 해봤자 뾰족한 효과가 보이지 않는 것 같다며 치료를 중단하겠다는 아빠는 본인은 아니라고 하겠지만, 나는 아이를 사랑하지 않는 것이라고 본다. 아이에 대한 부모의 사랑은 조건이 없어야 한다. 아이가 잘났건 못났건 사랑해주고 최선을 다해야 한다.

아빠들이 이렇게 나오면 엄마들과는 당연히 사이가 안 좋아진다. 이혼한 것보다도 못하게 사는 부부들이 많다. 엄마들은 정말로 이혼하고 싶다고 말한다. 하지만 아이를 돌보기 위해서는 더럽고 치사해도 경제적 지원을 받아야 하기 때문에 이혼을 할 수 없다고 고백한다. 물론 헌신적인 아빠들도 많다. 나는 치료가 필요한 아이를 위해 투잡(두 가지 직업)도 모자라 포잡(네 가지 직업)을 하는 아빠도 봤다. 도움이 필요한 아이를 위해서 자신의 성공의 기회를 잠시 접는 아빠들도 많다. 많은 경우 치료가 필요한 아이를 대하는 부모의 태도는 얼마나 좋은 대학을 나와서 얼마나 많은 연봉을 받느냐와는 별개의 문제이다. 그것은 개인이 가지고 있는 철학의 문제이다. 내가 이 아이를 어떤 시각으로 바라보고, 부모로서 어떤 역할을 해주어야 하는지에 대한 가치관이 올바르게 정립되어 있느냐로 결정되는 철학의 문제였다.

# 불안이 불안을 만났을 때

일정한 정도의 불안을 가지고 균형을 잡고 살아가면, 배우자를 만나 결혼을 하든, 아이를 낳아 부모가 되든 문제가 되지 않는다. 배우자나 아이의 불안을 흡수하여 줄여줄 수 있기 때문이다. 하지만 그 불안이 적당한 선을 넘어서면 오히려 불안이 없는 배우자나 아이까지 불안하게 만들고, 불안한 배우자나 아이는 그들의 불안을 더욱 증폭시킬 수도 있다. 불안을 가졌느냐, 갖지 않았느냐에 따라 달라지는 부부관계, 부모 자녀관계를 살펴본다.

## 불안한 남편 + 불안한 아내

**부부간의 역동** 어느 한쪽이 불안을 흡수하지 못해 불안이 증폭된다. 똑같은 모습의 불안이든 다른 모습의 불안이든 불안을 가진 사람은 다른 사람의 불안을 이해하지 못한다. 다른 사람의 불안을 충분히 이해할 수 있는 마음의 여유가 없기 때문이다. 만약 뭐든지 지나치게 완벽하게 해내야 하는 불안을 가진 사람과 뭐든지 끝까지 해내는 것에 대한 불안이 있는 사람이 만났다면, 서로의 불안을 이해하지 못하며 서로의 불안을 자극한다. 건강에 대해 지나치게 걱정하는 두 사람이 만났다면, 한 사람이 자신의 건강에 대해서 지나치게 불안해할 때, 그 마음을 더 부채질할 수도 있다. 역시 불안을 증폭시키는 것이다.

**불안한 아이와의 역동** 엄마 아빠로부터 불안을 받아 아이는 생물학적으로 매우 불안한 상태일 수 있다. 또한 두 사람의 양육환경이 계속 불안을 자극하기 때문에 아이가 불안을 다루는 법을 잘 배우지 못할 수 있다. 이런 아이일수록 엄마 아빠가 아닌 안정된 정서를 가진 사람과 지내는 시간을 늘려주어야 한다.

**안 불안한 아이와의 역동** 불안하지 않은 아이는 매사에 마음이 편안하기 때문에 행동이 느긋하다. 하지만 이런 아이가 불안한 부모의 불안한 양육을 받으면 마음이 불편한 아이로 자란다. 불안한 엄마는 아이의 느긋한 모습을 보면 자신이 더 불안해져서 "너 이거 빨리 안 하면 어떻게 하려고 그래"라고 끊임없이 재촉한다. 아이는 부모가 주입하는 불안을 학습하여 부모처럼 불안한 사람으로 자랄 수도 있고 부모의 말을 모두 무시하는 사람으로 자랄 수도 있다. 전자는 아이가 부모만큼 불안해하지 않으면 부모가 가만두지 않기 때문에 불안을 학습하는 것이고, 후자는 부모와 의논해봤자 문제만 커진다고 생각해 자신이 살기 위해 부모의 말을 무시하는 것이다. 후자는 부모가 주는 정상적인 조언조차 듣지 않아 더 큰 문제가 된다. 이런 경우 모두 아이가 무슨 일이 생겼을 때, 부모와 마음을 터놓고 허심탄회하게 의논하는 것이 불가능하기 때문에 부모와 자녀와의 관계가 소원해진다. 따라서 아이에 맞는 느긋한 양육태도를 보이도록 노력해야 한다.

**불안한 아이와 안 불안한 형제와의 역동** 불안한 아이가 불안하지 않은 아이를 끊임없이 통제하려고 든다. 부모가 하는 것처럼 자꾸 잔소리를 한다. 불안하지 않은 아이는 자신의 주변이 온통 불안하기 때문에 마음이 불편해지고, 본인이 편하기 위해 그 자극을 멈추고 싶어한다. 따라서 소리를 지르거나 화를 내고, 불안한 아이가 동생인 경우 큰 아이가 폭력적으로 대처하기도 한다.

## 불안한 남편 + 안 불안한 아내

**부부간의 역동** 불안하지 않은 아내가 성격이 섬세하고 다른 사람을 잘 헤아리는, 즉 불안하지 않은 정도가 건강한 수준이라면 남편의 불안을 흡수할 수 있어 원만한 부부관계를 유지할 수 있다. 불안은 적당한 선에서는 건강한 심리상태를 유지할 수 있기 때문에, 불안이 아예 없는 것보다 적당한 수준을 가지고 있는 것이 부부관계나 아이와의 관계에서 바람직하다. 불안한 남편은 불안이 높지 않은 건강한 아내가 자신이 불안해 할 때마다 품어주기 때문에 아내를 굉장히 소중하게 느낀다. 그런데 아내의 불안 수준이, 불안이 전혀 없는 대책 없는 정도라면 오히려 문제가 커진다. 아내는 대책 없이 용감한 행동을 툭툭 하고, 불안하지 않기 때문에 앞으로 일어날 위험한 결과를 전혀 예측하지 못한다. 남편은 여윳돈이 500만 원은 있어야 마음이 편해서 아내에게 "생활비를 아껴 써"라고 말하는데, 아내는 대책 없이 "쪼잔하게 왜 그래? 어떻게 되겠지"라면서 계속 지출하면 남편은 불안이 더욱 증폭되고, 부부 사이도 나빠진다.

**불안한 아이와의 역동** 건강한 정도로 불안하지 않은 엄마라면 아이와 아빠의 불안을 모두 품어주어서 문제가 되지 않는다. 하지만 대책 없이 불안이 전혀 없는 엄마라면 아이도 아빠가 느끼는 심정적인 것을 비슷하게 느낀다. "엄마, 아빠가 아껴 쓰라잖아. 그만 좀 써. 우리 어떻게 살아"라고 말하며 아빠처럼 엄마를 대책 없다고 생각한다. 또 한편으로는 불안한 아빠가 자신을 자꾸 더 불안하게 압박을 준다고 느낄 수 있다. 이때 엄마가 건강한 정도로 불안하지 않다면 이런 상황에서도 아이를 품고 달래주지만, 대책 없이 불안이 전혀 없는 엄마는 아이의 불안조차 증폭시킨다.

**안 불안한 아이와의 역동** 불안한 아빠가 느끼는 것이 많다. 자신처럼 불안해하지 않는 아이를 보면서 남편은 아이가 아내처럼 아무 대책이 없다고 느낀다. 앞으로 일어날 위험하고 부정적인 결과를 전혀 예측하지 않는 아내와 아이의 태도에 화가 나기도 한다. 아빠의 불안은 두 사람이 자극하여 더더욱 증폭될 수 있다. 특히 대책 없이 불안해하지 않는 아이는 불안한 아빠가 하는 이야기 중에 중요하고 필요한 것이 많음에도 불구하고 잘 듣지 않을 수 있다. 하지만 아이가 건강한 정도로 불안하지 않다면 아이 또한 아빠의 불안을 흡수할 수 있어 문제가 되지 않는다.

**불안한 아이와 안 불안한 형제와의 역동** 아이들 사이에서도 불안한 배우자와 안 불안한 배우자가 보이는 역동이 똑같이 일어난다. 불안한 아이가 불안하지 않은 아이를 과잉 통제하거나 과잉 개입하는 행동을 보이고, 안 불안한 아이는 형제가 주는 불안에서 빠져나오기 위해 서로 갈등하는 구도가 된다.

## 안 불안한 남편 + 불안한 아내

**부부간의 역동** 남편의 불안하지 않은 정도가 건강한 수준이라면 아내의 불안을 잘 다루고 흡수하여 부부관계에 아무런 문제가 없다. 그런데 남편이 적당한 불안도 없는 대책 없는 사람이라면 아내는 너무너무 불안해진다. 이 아내가 느끼는 불안은 앞서 살펴본 불안한 남편이 안 불안한 아내에게 느끼는 것보다 훨씬 더 크다. 왜냐하면 대책 없는 남편은 대책 없는 아내와는 규모 자체가 비교도 되지 않는 큰 사고를 치기 때문이다. 지른다고 표현할 정도로 돈을 쓰고, 사업도 결과를 예측하지 않고 마구 벌인다. 잘못하면 가정이 위태로울 수 있다. 때문에 이때 아내가 느끼는 불안은 도를 지나치게 된다. 이런 경우 아내는 남편을 신뢰하지 못하고믿음직스럽게 보지 않는다.

**불안한 아이와의 역동** 역동은 앞서 아내가 안 불안한 경우와 같다.

**안 불안한 아이와의 역동** 역동은 앞서 아내가 안 불안한 경우와 같다.

**불안한 아이와 안 불안한 형제와의 역동** 역동은 앞서 아내가 안 불안한 경우와 같다.

## 안 불안한 남편 + 안 불안한 아내

**부부간의 역동** 불안을 적당히 가진 정도라면 굉장히 바람직한 부모관계, 부모와 자녀관계를 가질 수 있다. 하지만 두 사람 모두 대책 없이 적당한 불안도 없을 경우에는 도에 많이 지나치면 범죄까지 일어날 수 있다. 그 정도는 아니더라도 꼭 있어야 하는 불안도 없이 용감무쌍하다 보면 부부간에 서로 건드려지는 것은 없겠지만, 이 부부는 필요한 대책을 세우는 능력이 전혀 없기 때문에 아이를 낳고 키우는 과정이 너무 힘들어진다. 양육은 끊임없는 대비와 대책이 필요한 분야이다. '닥치면 하지' 라는 생각만으로 아이를 잘 키울 수는 없다. 아이를 키우려면 가정상비약은 물론이고, 기저귀나 아이용품도 미리미리 준비해두어야 하는 것이 많다. 외출을 할 때도 미리 예상해야 하는 것이 많다. 이런 것들이 부족하면 본인들이 받은 육아 스트레스는 물론이고 아이가 받는 양육의 질도 떨어질 수 있다.

**불안한 아이와의 역동** 부모는 전혀 불안하지 않기 때문에 불안한 아이는 마음이 너무 불편하고 외롭다. 예를 들어 아이가 "엄마, 쟤가 나를 자꾸 놀려서 너무 속상해"라고 말하는데, 엄마는 대책 없이 "가서 때려줘. 엄마가 다 물어줄게"라고 해버리면 아이는 당황해한다. 아이가 느끼는 섬세한 감정에 대해서 부모가 하찮게 여기면 아이는 굉장히 힘들어진다.

**안 불안한 아이와의 역동** 아이는 부모의 대비하고 대책을 세우는 모습을 보면서 위기를 대비하고, 그에 대한 대책을 어떻게 세워야 하는지를 배운다. 그런데 대책 없이 불안하지 않은 부모에게서 태어난 대책 없이 안 불안한 아이는 결과를 예측해서 미리 자신을 조절하는 것을 전혀 배우지 못할 수 있다. 또한 대책 없이 똘똘 뭉친 이 가족은 본인들끼리는 아무 문제 없지만 주변사람에게 많은 민폐를 끼칠 수 있다.

**불안한 아이와 안 불안한 형제와의 역동** 역동은 앞선 불안한 남편 + 안 불안한 아내의 아내가 안 불안 경우와 같다.

Chapter 3

# 행복한 부모가 행복한 아이를 만든다

타고난 모성과 부성, 앞으로 나아가야 할 모성과 부성.
이 장에서는 21세기를 살아가는 부모들이 각각 자신의 본성을
어떻게 진화시켜야 할지에 대해 고민해 본다.
행복한 부모, 부부, 사람이 되기 위해 무엇보다 필요한 것은
각자의 본성에 대한 이해이다.
기억회로 깊숙이 새겨져 있는 서로의 DNA를 이해하는 것만으로도
갈등의 절반은 사라질 것이다.

## 모성, 아이를 지키는 신비한 본능

남편들이 아내에게 갖는 대표적인 불만이 있다. "아이라면, 아이를 위한 것이라면 아내는 이성을 잃어버리는 것 같다." 지금 필요가 없어도, 집안 경제상황에서 무리가 되어도, 객관적으로 전혀 걱정스러운 상황이 아닌데도 엄마들은 소위 '오버' 한다는 것이다. 앞서 말했지만 엄마들은 종족보전을 위한 보살핌 본능으로 그럴 수밖에 없다. 원시인류 때부터 엄마의 본능은 그렇게 자연 선택되어진 것이다. 연약한 인간의 아이를 성인이 될 때까지 안전하게 키우려면 누군가의 절대적인 보호가 필요한데, 그 역할을 바로 엄마가 맡았다. 영국의 런던대학교 안드레아스 바르텔스 박사는 엄마들의 본능을 뇌 영상 촬영으로 보여주는 실험을 했다. 그는 젊은 엄마 20명에게 세 종류의 사진을 보여주고 그들이 각각의 사진을 볼 때 보이는 뇌 영상을 촬영했다. 세

종류의 사진이란 자신의 아이들, 잘 알고 지내는 아이들, 성인인 친구들의 사진이었다. 촬영결과, 젊은 엄마들이 자신의 아이들 사진을 볼 때, 음식이나 금전적인 보상을 받으면 반응하는 뇌 영역이 활성화되었다. 이 영역이 활성화되면 비판적 사고나 부정적 감정을 일으키는 뇌 활동은 줄고, 행복감이나 도취감을 일으키는 뇌 활동이 늘어난다. 재미있는 것은 이 뇌 활동의 모습이 로맨틱한 사랑에 빠진 연인들의 뇌 활동과 흡사하다는 것이다. 엄마들이 아이에 대해 감성적으로 되어버리는 것은 아이를 끔찍이 사랑하도록 뇌에 프로그래밍되어 있기 때문이다. 소위 사랑을 하면 '눈에 콩깍지가 씌인다' 고 말하는데, 아이를 바라볼 때 엄마의 뇌가 그런 상태이다. 성인이 사랑에 빠지면 유효기간이 보통 2년이라고 하는데, 엄마의 뇌는 아이를 키우는 20년 동안 그런 상태이다.

엄마를 엄마 되게 만드는 옥시토신이라는 호르몬도 아빠가 이해할 수 없는 엄마의 행동을 설명해준다. 옥시토신은 엄마 몸에서 분만과 수유를 촉진하고 육아의 민감성을 높이는 호르몬으로, 상대에 대한 신뢰감을 높이는 작용도 하기 때문이다. 스위스 취리히대학교의 에른스트 페르 박사는 옥시토신을 코에 뿌렸더니 상대에 대한 신뢰감이 증대되었다는 연구결과를 발표했다. 그는 128명의 남자들에게 일정한 금액을 준 후 투자상담사의 설명을 듣고 본인의 의사대로 투자를 해보는 실험을 했다. 128명의 실험 참가자는 두 집단으로 나누어졌는데 한 집단에는 코에 옥시토신을 뿌리고, 다른 집단에는 옥시토신을 뿌리지 않았다. 실험결과 옥시토신을 뿌린 집단이 그렇지 않은 집단보다 두 배 높은 투자율을 보였다.

옥시토신이 왕성하게 분비되는 임신 막달부터 수유기간 동안, 엄마들이 다른 사람의 말을 유독 잘 믿어 아기와 관련된 다소 불필요한 물건들을 구입하게 되는 이유가 바로 옥시토신 탓일 수도 있다.

진화심리학자들은 엄마들의 강렬한 모성본능을 번식 속도로도 설명한다. 아빠는 상황만 되면 평생 수백 명의 아이를 가질 수 있지만 엄마는 최대한 20~30여 명밖에 되지 않는다. 엄마와 아빠가 아이에 갖는 가치가 다르다는 것이다. 미국 애리조나대학교 심리마케팅학과 로버트 치알디니 교수는 이에 대해 노력에 비례한 가치로 설명하였다. 사람은 자신이 엄청난 노력을 기울인 일일수록 높은 가치를 부여하는데, 엄마와 아빠가 아이를 갖게 되기까지 부여하는 노력의 시간이 다르다는 것이다. 아빠는 적은 시간만 투자해도 되는 반면 엄마는 열 달을 투자해야 한다. 어렵게 얻은 것일수록 귀하게 여긴다고 하면, 어렵게 얻은 쪽인 엄마가 아빠에 비해 아이를 더 귀하게 여긴다고도 설명할 수 있다.

얼마 전 아이의 문제행동을 교정하는 방송 프로그램에서 한 엄마를 만났다. 5살 남자아이는 엄마에게만 한마디도 하지 않는 문제행동을 보이고 있었다. 3살까지 자신을 돌봐준 할머니에게는 애교도 부리고 나이답지 않게 할머니에 대한 걱정도 하는 남자아이는 한 살 많은 누나와도 조잘조잘 잘 떠들면서 엄마에게만 아무 말도 하지 않았다. 심지어 처음 만난 나에게도 다정하게 말을 건네고 놀이 중에 내 질문에도 또박또박 대답을 잘하면서 아이는 유독 엄마에게만 말을 안 했다. 원인을 알아보기 위해 엄마와 아이와의 24시간을 촬영하고 나서 나는 깜짝 놀랐다. 엄마는 아이가 마음에 들지 않는 행동을 할 때마다 성인도 공포스러울 만한 태도로 아이를 대했다. 놀이 중 경찰 역할은 안 하고 범인 역할만 한다는 이유로 아이를 발로 차고 아빠랑 통화할 때 울지 말라고 했는데 계속 운다고 휴대폰으로 아이의 입을 때렸다. 엄마 말에 대답하지 않는다며 아이 목 뒷덜미를 잡고 베란다로 내쫓기까지 했다. 보통 이 프로그램은 문제 행동을 하는 아이와 엄마의 하루를 촬영하여 제작팀과 전문가와 부모가 함께 그 화면을 보면서 이야기를 나누는 자리를 마련한다. 엄마들은 의식하지 못했던 자신의 행동을 보고 깜짝 놀라고 창피해하고 아이한테 굉장히 미안해하며 눈물을 흘리고 그동안의 행동을 뉘우친다. 본인들이 아이한테 하는 행동을 제3자의 입장에서 보면, 전문가가 말을 해주지 않아도 '변해야겠다' 생각하는 것이 모성이다. 그동안 내 잘못된 행동 때문에 아이가 얼마나 힘들었을까를 생각하며 아이를 꼭 껴안고 하염없이 우는 것이 바로 모성이다.

그런데 놀랍게도 이 남자아이의 엄마는 눈물을 흘리지 않았고 아이에게 전혀 미안해하지 않았다. 오히려 "저 아이가 나한테 한 것에 비하면 저건 별것 아니에요"라는 말을 했다. 제작팀은 물론이고, 방송에 참여한 전문가들조차 입이 딱 벌어질 만큼 놀라운 광경을 연출한 엄마의 대답치고는 너무나 의외였다. 엄마가 남자아이를 대하는 모습은 그야말로 학대였다. 어찌된 사연일까? 엄마라면 그럴 리가 없는데…. 엄마는 이 남자아이를 출산할 때 과다출혈로 며칠째 혼수상태로 있다가 깨어보니 자궁을 제거한 상태였고, 뇌하수체가 파괴되면서 평생 몸 안의 호르몬을 조절하는 약을 먹어야 하는 '쉬한 증후군'에 걸려 있었다. 엄마는 남자아이를 볼 때마다 그때의 상처가 떠올라 아이를 가해자라고 생각했다. 엄마의 아픔은 십분 이해하지만, 이해한다고 해서 아무것도 모르는 아이에게 그런 행동을 하는 것은 절대 용인할 수 없었다. 남자아이의 발달 상태는 학대받은 아이들이 대부분 그렇듯 또래에 비해 많이 뒤처져 있었다. 게다가 엄마의 학대로 인해 뇌의 일정 부분까지 제 기능을 하지 못했다. 나는 그 엄마에게 물었다. "자동차가 아이를 덮치려고 할 때 엄마는 뛰어들지 않을 겁니까?" 엄마는 대답했다. "아니요. 당연히 뛰어들겠죠." "그때 만약 다쳤다면 뛰어든 것을 후회하시겠어요? 그것이 모성입니다. 비록 자궁을 잃고 평생 약을 드셔야 하지만 대신 아이라는 축복을 얻으셨지 않습니까?" 엄마는 그 한마디에 지난날의 잘못이 후회스러운 듯 한동안 눈물을 멈추지 못했다. 그리고 여러 전문가들의 도움을 받아 자신의 육아 태도를 바꾸려는 노력을 아끼지 않았다. 한 달도 안 되는 짧은 시간에 엄마는 놀랄 만큼 따뜻한 사람으로 변해 있었다. 나는 그것을 모성이라고 생각한다.

엄마들 안에는 자신도 어쩔 수 없는 아이에 대한 큰 사랑, 모성이 있다. 가끔 방송에 나온 엄마처럼 개인적인 어떤 상처나 아픔으로 잠깐 잊고 있을 수도 있지만, 대부분 순간의 깨우침만으로도 자기 안에 있는 모성이 되살아난다. '신이 모든 곳에 있을 수 없어 어머니를 세상에 보냈다'는 서양 속담처럼 엄마는 인류의 생존을 책임지는 그런 존재이다. 엄마가 갖는 모성에 대해 그 누구도 폄하하거나 가벼이 다뤄서는 안 된다. 모성이 없다면 우리는 지금 온전히 살아 있는 것이 불가능하다. 그러나 이런 엄청난 본능을 엄마들은 조금 조심할 필요가 있다. 원시인류일 때는 눈에 불을 밝히고 아이를 먹이고 입히고 필요한 것을 구해야 했지만 요즘은 세상이 달라져 물불 안 가릴 정도로 아이만 고집할 필요는 없어졌다. 타고난 모성본능에 개인적으로 해결되지 않은 불안이 합쳐져 슈퍼 울트라 콩깍지를 쓴 상태에서 아이를 키울 수도 있으니, 혹 자신이 비이성적으로 아이에게 몰입하는 것은 아닌지 순간순간 자문해볼 필요가 있다.

## 새로운 부성, 진화를 준비하라

원색적으로 말하면 30분만 투자하면 아이가 생기는 아빠, 이들에게 부성애는 없을까? 나는 이들에게 엄마만큼이나 엄청난 부성애가 있다고 믿는다. 단지 이들의 부성애가 아직도 원시인류의 상태에 머물러 있는 것이 문제다. 원시인류는 어머니와 아버지의 역할이 확연히 구분되어 있었다. 힘이 셌던 아빠들이 사냥을 해서 먹을 것을 구해오는 임무를 맡았고, 엄마는 그 사냥감을 요리조리 궁리해서 아이와 남편의 먹을 것과 입을 것을 해결하는 일을 맡았다. 엄마들이 이런 역할을 잘해낼 수 있었던 것은 아빠들이 보호해주었기 때문이다. 연약한 인간의 아이가 생존하려면 엄마와 아빠의 역할이 모두 필요했다. 원시인류의 아빠는 맹수나 다른 부족과 싸움을 잘할수록, 사냥감이나 전

리품을 많이 가져올수록 능력이 있었다. 그들의 아이에 대한 사랑은 바로 그런 것이었다. 목숨을 걸고 맹수와 싸우고 위험을 무릅쓰고 낯선 곳을 탐험했던 것은 아이에 대한 사랑 때문이었다. 엄마의 사랑과는 그 모습이 다르지만 아빠들은 그런 형태로 아내와 아이를 보살펴왔다. 아이에 대한 아빠들의 이런 방식의 사랑은 엄마와 마찬가지로 진화론적 입장에서 자연 선택되어진 것이다.

아빠들은 아이를 낳으면 무한 책임감을 느낀다. 원시인류에도 아이가 태어나면 더 많은 사냥감을 잡아와야 했던 것처럼, 요즘 아빠들도 아이가 태어나면 엄청난 책임감을 느낀다. 뉴질랜드 넬슨지역 보건위원회 연구에 의하면 처음으로 아빠가 된 15%가 산후우울증에 시달린다고 한다. 미국의 한 연구기관이 몇 년 전에 밝힌 결과는 이보다 더 심각하다. 연구기관은 초보 아빠의 62%가 산후우울증의 초기 단계인 베이비 블루스를 경험한다고 밝혔다. 이는 산모들 중 70%가 경미한 산후우울증을 겪는다고 봤을 때, 초보 아빠들도 엄마만큼 산후우울증에 시달린다는 것을 보여준다. 아빠들이 베이비 블루스를 느끼는 가장 큰 원인은 경제적인 부담 때문이다. 아빠들의 경제적인 부담감은 죄의식이 되기도 하고 분노가 되어 아기를 낳은 아내한테 화를 내는 것으로 나타나기도 한다. 그런데 심각한 것은 엄마들의 산후우울증은 호르몬 탓이라 1~2개월이면 사라지지만 아빠의 베이비 블루스는 심리적인 탓이라 가만 두면 점점 심해질 수 있다는 사실이다. 이때 필요한 것이 아내의 관심이다. 남편의 부담감을 이해하고 관심을 가져주고, 아이와 편안히 함께 있을 수 있는 시간(육아를 도와주는 시간이 아니라)을 마련해야 한다.

아기가 태어나면 평소 다정했던 남편이 갑자기 좀 냉정하게 변하기도 한다. 아기가 없던 신혼 시절에는 아내가 걱정을 하면 "걱정 마. 나만 믿어"라고 말하던 사람이, 아기를 낳고 나서는 "뭐 그런 것 가지고 걱정해"라고 말한다. 출산 후 남편이 이렇게 바뀌면 아내들은 예전처럼 자신을 사랑하지 않는 것 같아 불안하고 서운해한다. 그리고 자신에 대한 사랑을 아빠의 아이에 대한 관심으로 가늠하고 싶어한다. 혹 남편이 출산 후 밖으로만 돌면(실은 경제적인 부담감에 일을 더 열심히 하는지도 모른다) 냉정한 남편, 무관심한 아빠로 낙인 찍어버린다. 그런데 이 또한 부성애의 일종이다. 아내에게 보다 독립적일 것을 요구하는 것은 그래야만 아내가 내 아이를 안전하게 잘 키울 거라 생각하기 때문이다. 이 또한 원시인류 때의 아버지의 습성과 관련 있다. 사냥을 갈 때 남자들은 여자들에게 아이를 맡겨놓고 가야 하는데 다른 부족이나 맹수가 침입하면 아내가 아이를 지켜내야 했다. 아빠들 안에는 본능적으로 아이를 낳으면 아내가 이전보다 강인해지기를 바란다.

아빠들의 이런 변화는 아이나 아내를 사랑하지 않는 것이 아니라 모두 유전적 또는 진화적으로 프로그래밍된 것일 뿐이다. 때문에 남편의 이러한 행동은 어느 정도 유전자에 계획된 부성애라고 보아야 한다. 그런데 우리 주변에 조금 다른 부성애를 보이는 사람들이 나타나기 시작했다. 사회가 변화하면서 가정에서 아빠와 엄마의 역할이 많이 달라졌고, 문화적인 환경 또한 원시인류의 그것과 다르기 때문인지 시대에 맞게 조금씩 변화한 아버지들이 나타나기 시작했다. 아버지의 모습은 이제는 나가서 더 이상 싸움을 해서 아내와 아이를 지키는 시대가 아니기 때문인지, 조금은 어머니의 모습과 닮아 있었다. 좀 더 다정해지고 친절해지고 튕겨져 나가기보다는 안으로 들어와서 보살피고 보호하는 모습을 취한다. 그리고 엄마와 아이는 이런 아빠들을 더 반갑게 맞이하고 아이의 발달이나 부부관계에서도 이런 아빠들이 좋은 점수를 받고 있다.

나는 이런 아빠들이, 다른 많은 아빠들에 비해 한걸음 진화했다고 생각한다. 진화는 생물이 현재 살고 있는 환경 속에서 생존에 유리한 형태로 점차 발달되어 가는 것을 말한다. 달라진 환경에 따라 환경 적응적으로 엄마와 아빠의 역할이 진화하고 있다. 너무나 오랫동안 프로그래밍되어 있는 유전자 때문에 여전히 어렵겠지만, 우리가 사는 환경은 더 이상 옛날 아버지의 모습을 원하지 않는다. 요즘은 권위적이고 무시무시한 위세를 가진 아버지보다 자상하고 친절한 아버지, 남편을 원한다. 또한 나는 요즘의 아버지들이 자기 안에 있는 아이의 사랑을 부끄러워하지 않고 드러내야만 그 진화가 가능하리라고 본다. 이미 아빠들의 몸 안에서 그런 진화가 일어나고 있기 때문이다. 아내에게 매일 바쁘다는 핑계(?)를 대며 "알아서 좀 키워"라고 말하지만, 요즘 아빠들의 몸 안에는 아내가 아기를 갖는 순간, 엄마와 같은 변화가 일어난다. 나는 이러한 변화가 아이는 엄마와 아빠가 함께 키워야 하는 명백한 증거라고 믿는다.

영국의 심리학자 트리도우언은 예비 아빠의 65%가 임신한 아내와 같이 구토 등 심리적, 육체적 증상을 겪는다고 밝힌 바 있다. 캐나다의 연구진은 아내가 임신한 동안 아빠의 뇌에서는 프로락틴, 코르티솔, 테스토스테론 등 호르몬 수치가 변화한다는 사실을 보고했다. 또한 아내의 출산 직전 아빠의 몸에서 양육과 젖샘을 자극하는 프로락틴 수치가 20%나 상승하고, 스트레스호르몬인 코르티솔 수치도 두 배로 오르면서 갓 태어난 아기를 키우기 위한 민감성과 경계성도 증가한다고 보고했다. 또한 남성호르몬이라고 알려진 테스토스테론은 아이가 태어난 후 얼마 동안은 3분의 1 수준으로 급격히 감소하고 에스트로겐 수치는 평상시보다 훨씬 더 증가한다. 때문에 엄마만큼은 아니지만 아빠들도 아내가 임신한 그 순간부터 자상한 아빠가 될 준비를 하고 있다고 보아야 한다. 환경이 변하면 우리 몸은 호르몬들이 변화하면서 그 환경에 유리하게 적응할 수 있도록 도와준다. 보통 갑자기 홀아비가 된 남자의 몸에는 아이들과 자신을 스스로 보살필 수 있도록 여성호르몬이 급격히 늘어난다. 반대로 남편을 잃은 여자의 몸에서는 남편의 보호 없이 자신과 아이를 지켜낼 수 있도록 남성호르몬이 증가한다.

## 내 아이니까 내 생각대로, 내 말대로 해야 한다?

어느 날 갑자기 초등학교 남자 선배에게서 다급한 전화가 걸려왔다. 아들이 자신을 경찰에 신고했다며 아들을 데리고 급하게 나를 찾아왔다. 선배의 아들은 중학교 2학년으로 내 눈에는 똑똑하고 착해 보였다. 그런데 상담이 시작되자 아이는 자신이 이 세상에서 가장 싫어하는 사람이 아버지라는 말부터 꺼냈다. 아이의 감정은 어느 날 갑자기 생긴 것이 아니었다. 아이는 아주 어릴 때부터 아빠가 싫었다고 했다. 나는 "왜 아빠가 싫으니?"라고 물었다. 아빠와 얘기하면 아빠는 항상 화를 냈고, 자신에 대한 비난과 질타로 대화가 끝난다고 했다. 아빠는 가부장적이고 권위적인 사람이라, 자신이 아빠 말대로 하지 않으면 화를 내며 폭력적으로 변한다고 말했다. 아이가 아빠에게 느끼는 적대감은 생각보다 커 보였다.

아이가 아빠를 신고한 사건의 전말은 이러했다. 사건 전날 선배는 아들과 말다툼을 벌이다 아들을 한 대 때렸다. 선배는 다음 날 아이와 대화를 시도하려고 자기 방에만 있는 아들에게 거실로 나오라고 했다. 아이는 아빠가 자기를 또 때릴 것이 두려워 아빠가 아무리 불러도 나가지 않았다. 화가 난 선배는 아이를 한 대 또 때렸다. 아이는 무서운 나머지 경찰에 전화를 했고 경찰이 출동해서 내 선배에게 다시는 아이를 때리지 말라는 다짐을 받고 돌아갔다.

내가 아는 그 선배는 아이가 말한 정도로 권위적이고 폭력적인 사람이 아니었다. 아이의 말을 듣고 선배를 만나 얘기를 들어보니, 아들은 자기를 폭력적이라고 말하지만 14년 동안 딱 세 번밖에 안 때렸다며 억울해했다. 아주 어렸을 적에 엉덩이를 때린 것이 한 번, 얼마 전에 있었던 두 번이 다였다는 것이었다. 나는 "하지만 선배의 아들은 선배를 굉장히 권위적으로 느껴요. 아이는 절대 때려서는 안 돼요"라고 말했다. 선배는 성실하고 책임감이 강한 보통 아빠 중 하나였다. 선배에게 아이는 늘 책임이었다. 그런데 아이가 의욕도 없고 동기도 없고 머리는 좋은데 공부도 열심히 하지 않는 것 같아 앞으로 살아갈 것이 걱정되어 좀 엄하게 대한 것뿐이었다. 너무 책임감을 강하게 느낀 나머지 선배는 아들이 자기가 생각하는 수준으로 올라올 때까지 강압적으로 대했다. 그렇지 않으면 자신이 느끼는 걱정과 불안이 너무 크기 때문이다. 많은 아빠가 아이가 성인이 되어서도 자신의 역할을 못하면 평생 동안 이 아이를 책임져야 하는 것이 아닌가 불안해한다. 엄마들은 이 상황에 처했을 때 아빠만큼 불안해하지는 않는다. 혹여 성인인 아이를 부양하게 되더라도 뒷바라지는 당연하다고 생각하는 반면, 아빠들은 아이가 정신적, 경제적으로 독리해서 떠나감으로써 홀가분해지고 싶어하는 마음이 강하다.

우리나라 아빠들은 걱정이 생기면 아이를 권위적이고 강압적으로 대한다. 아이가 자신의 울타리에 있는 동안은 자기의 말을 절대 거역해서는 안 된다고 생각한다. 자신의 말을 거역하면 권위와 폭력으로 아이를 무릎 꿇게 만든다. 아이가 인사를 제대로 안 하면 "다음에는 인사 제대로 해라. 이런 것은 잘 배워둬야 해"라고 말하는 대신 "이놈의 새끼, 인사도 안 해"라고 말하며 손부터 올라간다. 아이가 영어 과외를 하는데, 생각한 만큼 열심히 안 할 때 아빠는 "내가 영어를 못하니까 많이 힘들다. 나는 너만할 때 영어를 배울 수 있는 형편이 아니었거든. 기회가 있을 때 배워두는 것이 이다음에 네가 좀 편할 거야"라고 말하면 될 것을, "네가 한 시간 과외하는 게 돈이 얼만 줄 알아? 그 따위로 하려면 그만둬"라고 말한다. 이때 아이가 "그렇게 돈이 아까우면 과외 끊으세요. 저도 하기 싫어요"라고 대답하면 아빠들은 화가 나서 아이를 때리고 만다.

아빠들의 이런 모습은 근본적으로는 자신 안에 있는 불안 때문이며 그 불안은 아이와 내가 다른 사람이라는 것, 즉 아이를 개별화시키지 못해서 일어나는 측면이 크다. 엄마들의 잔소리 또한 아이와 자신을 개별화하지 못해서 일어나는 행동이다. 엄마와 아빠 모두 불안해하는 이유는 그것이 아이 인생의 몫이라는 것을 인정하지 못하기 때문이다. 우리는 왜 그럴까. 나는 그것이 우리 사회가 유독 혈연, 가족 중심이기 때문이 아닌가 한다. 또 단일민족, 한 핏줄이라 하나의 덩어리라고 생각하는 경향이 강하다. 우리는 처음 만나는 사람에게 사는 지역, 고향, 본관 등을 물어보고 나와 한 덩어리의 요소를 갖춘 것이 없는지 찾는다. 우리는 남과 나를 분리해서 생각하기보다 하나의 덩어리로 생각하고 싶어하는 경향이 강하다. 남도 그렇게 생각하는데, 나의 피와 살을 받고 태어난 아이한테는 오죽하랴. 우리 부모들은 아이와 내가 다른 사람이라는 것을, 내가 존중해야 할 다른 인격체라는 사실을 인정하는 것에 익숙하지 않다.

나는 선배한테 물었다. "선배 아들이 선배 네 말을 다 들어야 하는데요?" 선배는 눈이 휘둥그레졌다. "그렇잖아. 선배와 선배 아들은 다른 사람인데 왜 네 말을 들어야 하는데요? 선배에게 의견이 다를 수도 있는 거 아닌가요?" 했더니 한참을 생각하더니 "그런가?" 하고 대답했다. "당연하죠. 다른 생각을 가진 사람에게 내 생각을 이야기하려면 무엇이 옳고 그

른지에 대한 생각을 묻고 의논도 해야 하는데 선배는 그렇게 안 했잖아요!" 했더니, 선배는 고개를 끄덕이면서 "그렇구나"라고 말했다. "어쨌거나 선배가 계속 그런 식으로 아들을 대하면 더 큰일도 날 수 있겠어요. 문제가 더 심각해질 수 있어요. 선배 의도가 아무리 좋아도 아이를 그렇게 대하면 안 되는 거예요"라고 말해줬다. 우리나라 부모들은 자식은 자기를 닮아야 한다고 생각하기 때문에 자기의 명령과 행동을 그대로 따라야 한다고 믿는다. 아이가 자신이 예상한 것과 다른 반응을 보이면 '어떻게 쟤가 나와 다른 생각을 할 수 있지?' 생각한다. 그런 부모가 진료실을 찾으면 나는 늘 "아이가 왜 엄마 말을 들어야 하는데요?"라고 묻는다. 그러면 엄마들은 당황하면서 "그, 그래야 하는 것 아니에요? 원래?"라고 대답한다. 나는 그 엄마의 이름이 김계옥이라면 "생각해보세요. 아이가 김계옥 씨인가요?" 하고 묻는다. 상대가 "아니죠" 하면 "그런데 아이가 왜 김계옥 씨의 말을 다 들어야 하죠? 생각이 다를 수도 있잖아요. 분명 아이는 김계옥 씨가 아니니까요"라고 묻는다.

열등감이 많은 부모일수록 아이가 자신의 의견과 다른 것을 '반역'이라고, 자신을 무시한다고 생각한다. 아이가 아빠에게 "저는 아빠와 생각이 달라요"라고 말하면 아빠 생각과 일부가 다르다는 말인데, 아빠는 아이가 자신의 모든 것을 부인한 것으로 오해해 '얘가 나를 무시하네'라고 생각하며 못 견뎌한다. 아이한테 장점이 많음에도 한두 가지가 아빠 마음에 안 들어도 "너 그 따위로 했다가는 형편없어져"라며 아이 전체를 부인한다. 그 부분은 어쩌면 아이한테는 별로 중요하지 않은 부분일 수도 있는데, 아빠가 그런 것까지 모두 잘하라고 하니까 아이는 자긍심도 안 생기고, 의욕도 없어져서 무기력해지고 만다. 부모가 원하는 수준에 도달하려고 노력하다가 어느 순간 버거워지면 '자신' 을 확 놓아버린다. 부모들은 자기 자신에 대해 알고 정말 버려야 할 것이 무엇인지 알아야 한다. 그리고 아이가 자신과 다른 사람이라는 것도 인식해야 한다. 아이가 부모에게 반기를 들 때는 그것이 '부분' 이라는 것을 의심하지 마라. 아빠 자체를 부정한 것도 아니고, 엄마가 나를 사랑하고 키웠다는 사실을 무시한 것도 아니다. 아이의 말을 그렇게 받아들이지 말아야 한다. "엄마가 이렇게 하면 정말 싫어"라는 말은 엄마의 그 행동이 싫다는 것이지, 엄마의 사랑을 부인한 것이 아니다. 그런데 보통 엄마들은 "내가 너를 어떻게 키웠는데 네가 이럴 수 있어. 먹여주고 입혀주고 사달라는 것 다 주었는데 너 엄마한테 그렇게밖에 말 못해!"라며 화를 낸다. 절대 그러지 마라. 아이가 나와 다른 생각을 가졌으며, 내가 낳았다는 것만으로 나 스스로 단점이라고 생각하는 그것까지 좋아해줄 수 없다는 것을 받아들여야 한다. 그래야 아이나 부모나 모두 발전할 수 있다.

아이의 개별화는 생후 6개월부터 시작된다. 이유식을 시작하면서 좋아하는 음식과 싫어하는 음식이 생기면서 부모는 아이가 나와 다른 생각을 가질 수도 있다는 것을 경험한다. 먹이고 싶은 대로 먹지 않고, 하라는 대로 하지 않는 것은 미운 세 살이 아니라 이때부터이다. 부모는 이때부터 아이의 뜻을 존중해야 한다. 그래야 사춘기가 된 아이, 성인이 된 아이를 놓아주는 것이 조금은 편안해진다. 아이를 개별화된 존재로 봐주는 것이 어렵게 느껴질 수도 있다. 예를 들어, 언니와 동생이 놀다가 동생이 실수로 언니의 안경테를 때리게 되었다. 언니는 너무 아파 악을 쓰면서 울고 있었다. 동생은 일부러 그런 것이 아니라며 언니에게 미안하다고 사과했다. 그런데 언니는 계속 아프다고 울고 있었다. 이런 모습을 지켜보는 부모들은 대개 언니가 "괜찮아"라고 말해주기를 바란다. "동생이 사과하잖아. 언니가 됐으면 용서해야지"라고 강요한다. 하지만 언니는 아직도 너무 아프고, 평소에도 '미안해' 라는 말을 달고 사는 동생이 너무 밉다. 동생의 사과를 받아들이고 싶지 않다. 그래서 "싫어. 싫단 말이야" 라고 말하면 "동생이 그럴 수도 있지!"라며 오히려 언니를 혼낸다. 우리는 언니 된 아이의 마음이, 부모의 그것과 다르다는 것을 인정하지 않는다. 아이를 개별화된 존재로 봐주지 않는다. 엄마가 봤을 때 마음에 좀 안 들더라도 그것이 아이의 마음이고 행동이다. 그럴 때는 "네가 아직 사과를 받을 마음이 아닌가 보구나. 지금은 아프니까 나중에 내키면 동생한테 잘 말해줘"라고 해야 한다. 그것이 아이가 나와 다른 사람이라는 것을 인정하고 존중하는 것이다. 아이의 뜻을 존중해주는 연습은 이런 상황에서부터 이루어져야 한다.

## 아이를 변화시키려면 내가 먼저 자세를 낮춰야 한다

아이가 뭔가 불안해서

유치원에 가지 않겠다고 하면 아이가 무엇이 불안하고 왜 불안해하는지를 생각하지 않고, "너 어제 엄마랑 유치원 가기로 했잖아. 약속 안 지킬 거야? 약속 안 지키면 나쁜 애야"라는 식으로 말한다. 아이들이 휴대폰을 사달라고 할 때도 아이의 갖고 싶은 마음을 보는 것이 아니라 "그게 너한테 왜 필요해? 네가 무슨 영업해? 네가 그 돈 낼 수 있어?" 이런 식으로 말한다. 이런 대화가 오가면 아이는 상처를 받는다. 한 번 상처를 받으면 그 아픔 때문에 마음이 더 단단하게 닫힌다. 그리고 부모의 말대로 하면 왠지 자신이 싸움에서 지는 것 같고, 부모가 말했듯 자신이 바보(?)라는 것을 인정하는 것 같아 더 말을 듣지 않는다.

고등학교 남자아이가 머리카락을 절대로 안 자르려고 한다며 엄마한테 끌려서 진료실까지 왔다. 학교에서 머리를 깎으라고 하니까 "내가 왜 깎아야 하느냐!"며 대들다가 담임교사, 학생주임, 교감한테 혼나고 엄마는 "도대체 왜 이런 것 가지고 그러냐. 머리 좀 자르면 안 되냐?"며 아이를 어르고 달래고 혼내다가 아이가 울고불고 대들고 욕하니까 나한테 데려온 것이었다. 아이는 머리를 자르느니 학교를 안 다니겠다는 입장이었다. 진료실 문을 열고 들어오는 아이의 얼굴은 잔뜩 부어서 입은 대발 나와 있었다. 나는 아이에게 물었다.

"네가 원해서 왔니? 끌려 왔니?" "끌려 왔지요." "끌려 왔더라도 선생님은 너한테 최선을 다할 것이고, 이렇게 만난 것도 좋은 인연이니까 선생님은 네 입장에서 너를 이해해보려고 할 거야. 우리 얘기 좀 해보자." 이렇게 말하면 대부분의 아이들이 화가 한풀 꺾인다. "너 전생에 삼손이었구나"라고 내가 말을 건넸다. "네?" "너 삼손 몰라? 성경에 나오는데 머리카락에서 힘이 나와서 머리카락을 자르면 힘을 잃는 사람이야. 뭐 우리가 몇 센티 자른다고 힘이 없어지는 것도 아닌데, 좀 자르지 그래?" 했더니 아이가 "저는 머리 자르는 것이 너무 싫단 말이에요"라고 대답했다. 나는 한참 아이가 머리카락을 자르기 싫은 이유를 듣고, 아이의 입장을 충분히 이해해줬다. 그리고 이렇게 물었다. "너의 담임선생님 좋으시니?" 아이는 "좋으세요"라고 대답했다. "그럼 담임선생님 좀 봐줘. 네가 머리 안 자르면 담임선생님 입장이 곤란하거든." 그래도 아이는 "싫어요"라고 대답했다. "그럼 나 좀 봐줘라." 아이는 의아해하면서 "왜요?"라고 물었다. "야 그래도 내가 명색이 이름도 있는 사람인데, 나도 만나고 갔는데 네가 계속 화를 내고 있으면 내가 체면이 말이 아니겠지. 지금 엄마와 네 사이를 보면 내 중재가 필요한 것 같은데 나를 만나고 나서 네가 조금은 바뀌어야 엄마가 계속 내 조언을 듣지 않으실까?" 이렇게 말하면서, "나 좀 봐준다고 생각하고 아주 조금만 자르고, 학교 졸업하면 네가 하고 싶은 대로 기르면 되잖아"라고 얘기했더니 아이가 많이 누그러져 "잘 안 자란단 말이에요"라고 대답했다. "잘 먹고 밤에 야한 생각 많이 하면 금세 길어"라고 농담처럼 말해줬더니 아이는 "아~ 내가 이번만 선생님 봐서 깎아줄게요"라고 말하며 웃었다. 나는 "고맙다. 정말 고맙다"라고 말했다. 아이는 돌아가서 정말 머리를 잘랐다.

아이에게 무언가를 가르칠 때는 부모가 낮은 모습이 되어야 한다. 부모가 강하게 나올수록 아이는 권위적인 힘에 적대감을 갖게 된다. 어린 시절에 경험한 이런 적대감은 무조건 자기를 누르고, 힘으로 자기를 조정하려고 하는 모든 것에 적대감을 갖게 한다. '권위=적대감'이 된다. 아이는 권위에 굴하면 자기가 죽임을 당할 것이라고 생각해 공격적으로 반항한다. 심지어 사회에서 지켜야 하는 지시나 규칙 등에도 무조건 반감을 가질 수 있다. 나는 아이들과 상담할 때 절대 권위적으로 하지 않는다. 진료실에 오는 아이들은 대부분 권위에 대한 적개심이 너무너무 많다. 권위에 저항하는 아이는 절대 권위로 다스려서는 안 된다. 자신이 중요하다고 생각하는 것을 가르치기 위해 아이를 무시하고 협박하지 말고, 부모의 낮은 모습을 보여주고 낮은 자세로 이야기해야 한다.

## 불안한 부모의 희생양 '슈퍼키드'

인간은 사회적 동물이다. 인간은 누구나 사회 속에서 다른 사람과 자신을 끊임없이 비교하면서 산다. 이러한 비교는 삶의 좋은 기준이 되고 자신을 행복하게 만들고 독려하는 좋은 활력제가 될 수 있다. 하지만 잘못된 비교는 인생의 모든 면을 고달프게 만든다. 잘못된 비교에 집착하면 누구든 열등감에 사로잡힌다. 게다가 비교 대상이 아이라면, 치명적인 결과를 불러오기도 한다. 잘못된 비교의 기준은 아이에게 부정적인 자기 이미지를 갖게 하여 모든 일에 무기력감을 안겨준다. 또한 부모가 자신의 부족한 부분만 지적하니 부모가 자신을 신뢰하지 않는다는 불신감까지 생긴다. 초등학교 6학년 남자아이가 엄마와 함께 시험 준비를 하고 있었다. 그런데 아이가 학교 간 사이 엄마는 윗집 초등학교 5학년 여자아이는 벌써부터 시험 준비를 시작했고 혼자 알아서 다 한다는 말을 들었다. 엄마는 학교에서 돌아온 아들을 보자마자 퍼붓기 시작한다. "5학년 동생들도 혼자 공부한다는데, 너는 뭐니? 엄마가 시킨 것도 안 하는데 혼자 할 수 있겠어?" 아이는 고개를 푹 숙이고 자기 방으로 들어간다. 엄마가 이런 식으로 비교하면 열등감을 느끼지 않는 아이는 없다. 사실 엄마는 5학년 여자아이의 이야기를 들었을 때, '5학년 정도면 스스로 할 수 있는 부분이 많아지는구나' 라고 생각하고 아들에게 "5학년 아이들도 혼자서 시험공부를 하는 아이들이 많다더라. 충분히 할 수 있는 일인가봐. 우리 같이 노력해보자"라고 말했어야 옳다.

우리 부모들은 너무나 많은 비교를 통해 잘못된 기준을 가지고 있다. 부모는 아이가 가진 여러 부분을 하나하나씩 떼어서 그것을 최고의 수준인 것과 비교한다. 5학년 여자아이의 시험준비 태도, 전교 1등을 한 아이의 등수, 중학교 형의 운동실력 등을 6학년 내 아이와 비교한다. 시험준비는 혼자 잘하지만 시험성적은 그리 좋지 않았을 수도 있고, 전교 1등은 하지만 과외교사들이 철저히 시험공부를 시켰을 수도 있고, 운동은 잘하지만 시험성적이나 학습태도는 전혀 본받을 것이 없을 수도 있는데, 많은 아이의 잘하는 것 하나씩을 각각 떼어 내 아이와 비교한다. 이렇게 되면 아이는 끊임없이 열등감이 유발된다. 뭘 해도 나보다 잘하는 어떤 다른 기준으로 비교당하니까 열등감을 느끼지 않을 수 없다. 아이는 마치 포도송이 같아서 그중에는 작은 포도알도 있고, 큰 포도알도 있고, 덜 익은 포도알도 있고, 알맞게 익은 포도알도 있다. 인간은 포도송이처럼 부분부분이 모여서 전체를 이룬다. 그런데 포도알 하나를 사과와 색을 비교하고, 다른 포도알은 오렌지와 크기를 비교하고, 또 다른 포도알은 바나나와 맛을 비교하여 그것을 모두 합쳐서 아이를 만들려고 한다.

당연히 아이는 어떤 정체성도 가지지 못한다. 우리 부모들은 아이가 가진 모든 면을 통합해서 아이 자체로 받아주지 못하고 주변의 많은 것과 비교해서 멀쩡한 아이를 비참하게 만든다. 아이가 공부는 못하지만 심성이 착하다면 '의사, 박사는 못 되겠지만 뭘 하든 괜찮은 사람으로 평가받겠구나' 라며 아이 자체를 평가해야 한다. 아이가 줄넘기를 열심히 연습했는데도 잘 못하면 "네가 줄넘기대회에 나갈 것도 아닌데 그 정도면 됐지"라고 말해줘야 한다. 그것으로 아이가 열등감을 느끼게 해서는 안 된다.

며칠 전에 진료를 받은 아이의 엄마는 강남에 사는 이른바 슈퍼맘이었다. 아이 엄마는 아이가 엄친아 같은 친구보다 잘하는 게 하나라도 있기를 바라는 마음에서 친구들 모르게 아이스하키를 배우게 했다. 나는 엄마에게 "아이를 아이스하키 선수를 시키실 겁니까?" 하고 물었더니, 엄마는 "아닌데요"라고 대답했다. "그렇다면 아이에게 '네가 그 친구보다 잘하는 게 하나라도 있으면 다른 아이들이 너를 보는 눈이 달라질 거야' 라고 말하지 마세요. 그 자체가 아이에게 부담을 주는 것입니다. 그냥

'남들이 안 하는 취미 한번 배워보는 게 어떻겠니? 즐겁지 않겠니?' 라고 권하는 것이 좋습니다. 혹여 아이가 싫다고 하면 강요하지 말아야 합니다. 엄마의 생각은 굉장히 위험합니다. 이렇게 키우면 아이는 뭘 하든 남의 기준에 휘둘리는 자신감 없는 사람이 될 수도 있어요"라고 말했다.

요즘 엄마들은 공부를 못하면 수련회 가서 춤이라도 잘 추어야 한다고 생각해서 댄스학원에까지 보낸다. 내세울 게 없으면 아이가 위축될까봐 걱정하는 마음은 알겠지만 엄마의 그런 행동은 아이에게 굉장히 위험한 사인을 준다. 엄마의 마음과 반대로 '공부도 못하고 춤도 못 추면 너는 별 볼일 없는 아이야' 라는 메시지를 아이에게 줄 수도 있다. 그럴 때 엄마는 "춤을 잘 추는 사람도 있고, 못 추는 사람도 있지. 그냥 즐기면 되는 거야. 춤이라는 것은 음악에 맞춰서 자기 몸을 움직이면 되는 거야" 이렇게 말해야 한다. 아이가 다른 사람의 시선을 걱정하면 "신경 쓰지 마. 가장 중요한 것은 너의 생각이야"라고 얘기해야 한다.

부모들이 잘못된 기준을 들이밀고 끊임없이 비교하는 것은 자신의 열등감, 불안에서 기인한다. 다른 아이들과 비교하고 아이를 자꾸 몰아세우면서 부모들은 아이가 부족한 것 없이 행복하게 살게 하기 위한 것이라고 변명한다. 그런데 아이를 괴롭히면서까지 과도하게 이런 행동을 하는 것은 아이를 위한 것이 아니라 부모 자신을 위한 것이다. 부모에게 아이를 아이 자체로 인정하라고 하면 "그럼 공부도 안 시켜도 된다는 말입니까?"라고 묻는다. 물론 공부는 해야 하지만 100점을 받아오고 1등을 하기 위해서가 아니라 힘든 것을 참고 견디며 열심히 하는 태도를 가르치기 위해서다. 아이의 머릿속에 '공부는 잘해야 하는구나'가 아니라 '공부는 중요한 거구나. 열심히 해야겠어'라는 생각을 심어주면 그것으로 족하다. 많은 슈퍼맘들이 자신의 슈퍼 불안을 해결하기 위해, 아이에게 슈퍼키드가 되라고 강요하고 자신이 가진 불안보다 더 큰 슈퍼 불안을 아이에게 심어주고 있다. 내가 살기 위해 아이를 죽이는 것이다.

혹여 '아이가 공부를 너무 못한다. 열심히 하는 것 같지만 이 아이는 공부 스타일이 아닌 것 같다'고 판단되면 그 아이 인생의 다른 몫이 있다고 믿어 의심치 마라. 그것을 못 견디고 이후에 일어날 일을 미리 걱정하면 엄마나 아빠 모두 불안할 수밖에 없다. 아이가 부족하다면 그것은 그 아이가 감당해낼 수밖에 없는 그 아이의 몫이다. 아이가 감당할 수 있도록 도와줘라. 그래야 아이가 제 몸에 맞는 옷을 입은 사람이 될 수 있다.

불안에 취약한 엄마 아빠는 그만큼 아이에 대해 유연하지 못할 가능성이 크다. 그것을 빨리 깨닫고 바꾸지 않으면 아이에게 분명 무리가 생긴다. 아이가 지나치게 수동적으로 변하거나 심하게 말하면 부모의 불안을 해결하는 도구가 되고 만다. 그래야 부모가 덜 불안해하기 때문이다. 부모가 시키는 대로 해서 아이가 좋은 결과를 얻는 것은 딱 초등학교 때까지다. 사춘기가 되면 아이 몸의 호르몬이 그 말을 듣지 않는다. 아이 몸은 좀 더 독립적이고 자율적이기를 원한다. 아이 안에서 일어나는 발달의 진행을 아이도 주체할 수가 없다. 아이가 말을 안 듣는 것이 아니라 아이 몸의 호르몬이 말을 듣지 않는다. 그 호르몬은 아이가 조금씩 독립하는 법을 가르치는 호르몬이기 때문이다. 그런데 너무 세게 누르면 터져버린다. 이 시기까지 부모가 힘으로 조정하면 아이는 시행착오를 통해 자기만의 기준도 얻지 못하고, 성취감도 별로 경험하지 못한다.
나이에 맞는 책임감도 키우지 못한다. 그리하여 자율성, 성취감, 책임감이 정말 필요한 나이가 되었을 때 너무나 수동적으로 행동한다. '엄마 뭐 해요? 엄마 이거 끝나면 뭐해요?' 식으로 지나치게 의존적인 아이가 되거나 자기 조절의 기준이 없어 막 튕겨나가는 아이가 된다. 부모들은 종종 "초등학교 때까지는 모범적이고 말 잘 듣는 아이였는데…"라고 하소연하지만 아이에게는 부모의 뜻을 거역할 수밖에 없는 나이가 있다. 그럴 때는 그래봐야 한다. 그래야 정상적인 책임감과 독립심, 자율성 등을 갖추게 된다.

부모들은 스스로에게 물어봐야 한다. 나를 불안하지 않게 하는 자식을 원하는 것인지, 아이 자신의 기준이나 가치관을 가진 자식을 원하는지를 말이다. 불안한 부모는 아이가 자신이 원하는 대로 해주면 덜 불안하기 때문에 어찌 보면 자기감정을 조절하지 못해서 '날 좀 건드리지 말아줘. 나 하자는 대로 좀 따라줘' 라고 아이에게 투정을 부리는 것과 같다. 내 마음이 불편해서 아이를 달달 볶고 배우자를 달달 볶는 거다. 진짜 사랑한다면 배우자나 아이를 있는 그대로 봐주어야 한다. 그들의 선택을 지지해야 한다. 사회문화적으로 절대 안 되는 것, 범법 행위야 안 되겠지만 그렇지 않은 이상, 내 마음에 조금 안 드는 것과 자식이 원하는 것이 다를 수 있다는 것을 받아들여야 한다.

## 불안을 낮추는 건강한 부부 대화법, 경청과 존중!

사람 간의 관계를 말할 때, 나는 늘 '사기로 만들어진 접시'라는 표현을 쓴다. 사기 접시는 금이 조금 갔을 때는 조심해서 다루면 사용할 수 있지만, 금이 깊게 끝까지 갔을 때는 아예 사용할 수 없다. 부부가 불안하면 이 사기 접시에 쉽게 금이 간다. 서로 날을 세우고 화를 내다가 결국 사기 접시를 깨뜨려 사용하지 못하게 만든다. 사기 접시를 온전하게 지키려면 자신도 모르게 이 사기 접시를 위험하게 흔들 때 상대에게 도움을 요청하고 대화를 신청해야 한다. 그리고 대화를 신청하면 상대는 잘 들어주어야 한다. 불안은 누군가 공감을 해준다는 것만으로도 많이 낮아진다. 말을 하거나 듣다 보면 불안의 원인과 해결책이 찾아지기도 한다.

부부는 남이다. 남남인 사람이 만나서 서로의 불안을 이해하고 자극하지 않고 살려면 항상 서로가 무슨 말을 하는지 잘 들어야 한다. 무슨 가치관을 가지고 있는지, 특히 어떤 면에 불안해하는지 들어야 알 수 있다. 반드시 답을 할 수 없어도 좋다. 그저 진심으로 들어주면 된다. 진심으로 듣는 것에는 상대방의 이야기에 자신의 생각을 표현하는 것도 포함된다. 아무 표현도 안 하고 그저 듣고만 있으면 상대는 수동적 형태의 공격으로 느낀다. 자기를 무시한다고 느끼기도 한다. 정신과 의사의 기본도 잘 듣는 것이다. 정신과 의사는 들으면서 그 사람의 말을 끊지 않을 정도로만 자신의 생각을 표현한다. "그렇죠. 그렇죠"라고 말하며 공감하고 "그건 당연히 그렇죠"라고 말하며 확신을 주고 "저런, 어떻게 그런 일이 있나"라고 위로하며 "글쎄, 그건…" 식으로 내가 좀 다른 생각을 가졌다는 것을 표현한다. 때문에 "그건 나도 그렇게 생각해" 정도의 말은 해주어야 말하는 사람도 신이 난다. 생각이 다르다면 "그거 아니다!"라고 하지 말고 "난 좀 생각이 다른데. 나도 한번 생각해볼게" 이 정도로 해준다. "나는 꼭 그렇게만은 생각하지 않는다"는 것도 반드시 표현해야 한다. 그렇게 해야 대화가 계속 진행된다.

많은 일들이 언어 안에서 일어난다. 인간은 기본적으로 언어를 통해 소통하고 이해하는 것뿐만 아니라 언어라는 도구를 통해 모든 배려와 위로와 존중을 표현하고 공격성마저 언어로 낮출 수 있다. 서로 대화를 해야 이해의 폭이 넓어진다. 그런데 진료실에서 만난 부부들은 "말을 하면 할수록 더 싸워요"라고 고백한다. 그 이유는 서로 들으려 하지 않기 때문이다. 서로 자기 얘기만 하고 저 사람 말을 자르고 내 얘기만 하려고 하니까 점점 더 목소리가 커져서 상대의 말이 더 들리지 않게 된다. 내 얘기를 참고 상대의 얘기를 듣는 것이 중요하다. 좋은 부부관계를 유지하고 싶다면 "당신이 얘기해봐. 당신이 뭘 걱정하는지"라고 묻고 끝까지 들어라. 그리고 절대 중간에 끊지 마라. 남편들은 자신의 논리로 상대를 설득해서 대화를 그 현장에서 바로 종결 짓는 버릇이 있다. '자, 어디 들어보자. 당신 얘기해봐. 음 그래? 그럼 이건 이렇게, 저건 저렇게 됐지? 끝!' 이런 식의 대화법은 안 된다. 일단은 듣고 자신과 생각이 많이 다를 때는 그날 문제를 결론 내지 않는다. "나는 생각이 좀 다른데 나도 좀 생각해볼게. 당신도 한번 생각해봐" 이렇게 하고 미뤄라. 그날 결론을 내려고 하면 싸우게 된다. 그날은 그냥 잘 들어만 준다. 아내도 마찬가지로 남편의 말을 잘 들어준다. 사람의 관계는 노력이기 때문에 언제나 노력해야 한다. 상대가 그러니까, 내가 그렇게 한다고 하지 마라. 항상 '이 상황에서 내가 어떻게 좀 해볼까?' 라는 생각을 해야 한다.

사람의 관계에서는 솔직해야 하는데 대화를 할 때는 자기 약점에 대해서도 진솔하고 솔직해야 한다. 특히 배우자와 이야기를 나눌 때는 배우자를 나와 가장 가까운 사람으로 인식하고 나의 치부를 드러내도 괜찮은 사람이라고 생각해야 한다. 내가 나를 존중하듯 상대를 배려하고 존중해야 한다. 그렇다면 왜 우리는 올바른 대화를 못 나누는 것일까. 어린 시절 누구나 한 번쯤 별것도 아닌 일로 엄마한테 혼날까봐 말도 못하고 가슴앓이를 했던 경험이 있을 것이다. 부부는 혼난다기보다는 비난 받거나 공감 받지 못할까봐 배우자에게 솔직하게 말하지 못한다. 거절당하는 감정을 감당하기 어렵기 때문이다. 한 번 느껴진 불안은 해결하려는 노력을 하지 않으면 절대 사라지지 않는다. 아내이건 남편이건 누군가 불안을 느꼈다면 그 주제로 대화를 나눠 불안을 줄이려는 노력을 해야 한다. 따라서 어떤 말도 비난하거나 무시해서는 안 된다. 그런 행동이 잦으면 대화의 창이 닫힌다. 남에게 비난 받거나 감정을 무시당하는 것보다 배우자에게 당했을 때 보다 큰 좌절과 상실감을 느끼게 된다. 의사소통은 상대를 가르치는 것이 아니다. 상대방이 잘났든, 못났든 생각이 다를 수밖에 없다는 것을 인정해야 한다. 그러기 위해서는 먼저 잘 들어야 하고 듣는 과정에서 끊지 말고 끝까지 들어야 한다. 생각이 다를 때는 자칫 비난으로 들릴 수도 있으니 잠시 한발 물러나는 자세가 필요하다. 들으면서 공감되는 것은 어떤 형태로든 공감하도록 한다.

모든 인간관계에 해당하지만 특히 부부라면 대화하면서 꼭 지켜야 할 것이 있다. 부부간에 절대 해서는 안 되는 행동, 절대 해서는 안 되는 말은 그야말로 '절대로' 지켜라. 그 선은 한 번 넘으면 다음부터는 너무 쉽게 넘게 되는데, 그렇게 되면 부부간의 존중과 배려가 한순간에 무너진다. 화가 난다고 뺨을 때린다? 그 순간 존중과 배려의 댐이 와르르 무너진다. 사과를 해도 그 댐은 다시 쌓을 수가 없다. 더 심각한 것은 때린 사람의 행동이 그 다음부터는 더 심해지고 더 격하게 자주 때리게 된다는 것. 격한 말도 그렇다. 따라서 선을 넘지 말라는 것은 경계를 두라는 것이 아니라 인간으로서 지켜야 할 기본적인 예의를 지켜야 한다는 것이다. 비난, 격한 말, 욕, 폭력, 상대의 치명적인 약점(종교, 학력, 돈) 그리고 상대가 하지 말라고 부탁한 것이 그 선이 될 수 있다. 그 선은 절대 넘지 말아야 하는데 별 의미가 있는 행동이 아니더라도 절대 하지 말아야 한다.

이미 대화가 단절된 부부라면 어떻게 할까. 서로 별다른 미움은 없지만 자연스럽게 대화가 사라져버린 부부라면 대화의 경험을 만들어야 한다. "여보, 우리 오늘 얘기 좀 해"라고 다짜고짜 말하면 남편은 더 늦게 들어온다. 대화가 적은 부부는 처음에는 제3자에 대한 이야기부터 한다. 드라마를 보면서 '저거 말도 안 된다. 어떻게 저럴 수 있지?' 이런 식으로 시작한다. 진솔한 내용을 담는 것이 아닐지라도 주고받는 말이 편해져야 대화가 시작될 수 있다. 드라마를 보면서 "당신은 저러지는 않는데"라고 살짝 남편을 칭찬하고, 남편도 아내를 칭찬하는 것이 필요하다. 드라마에는 극단적인 성격의 특이한 캐릭터가 많이 등장하므로 생각보다 배우자를 칭찬할 만한 상황을 많이 찾을 수 있다. 대화가 좀 편안해지면 아이들 얘기부터 꺼내는 것이 낫다.

친절, 배려나 말투, 의사소통하는 방법 등은 몸으로 배우는 것이지 머리로 배우는 것이 아니다. 아이에게 그런 것을 가르치려면 아이가 그 분위기에서 살게 해야 한다. 몸으로 그런 개념이 나오려면 그 분위기에 젖어 있어야 한다. 사소한 불안도 부모와 상의하고 부모와 대화하는 것을 즐기는 아이, 친절과 배려가 몸에 밴 아이, 말투에서 따뜻함이 항상 묻어나는 아이…. 아이의 이런 모습은 부부가 보여주는 대화로 모델링된다는 것을 잊지 말자.

## 남편과 아내의 말, 마음속 번역기로 걸러라

참 많은 부부들이 남편의 술 때문에 싸운다. 결혼하면서부터 지금까지 남편들의 술에 관한 아내들의 잔소리는 고장 난 라디오처럼 무한 반복되고 있으며, 아무리 무한 반복 잔소리를 해도 남편들의 행동은 개선되지 않는다. 갈등이 반복된다는 것은 누구 한 사람만의 잘못은 아니다. 두 사람 모두 서로의 말에 귀를 막고 있기 때문이다. 두 사람 모두 배우자가 하는 말의 깊은 바닥에 숨어 있는 진심을 듣지 않기 때문이다. 행복한 부부가 되려면 부부간의 대화에서 반드시 통역을 한 번 해서 듣는 노력이 필요하다. '이 사람이 정말로 하고 싶어 하는 이야기는 이것인데, 그것을 이렇게 표현하는구나' 하고 그 말 속에 담겨 있는 심리적인 부분을 이해하기 위해 노력해야 한다. 처음에는 잘 되지 않겠지만 자꾸 노력하다 보면 나아질 것이다. 그렇게 소통하기 시작하면 상대도 조금씩 부드러워진다. "당신이 부드럽게 말하면 나도 부드럽게 말할게"라고 말하지 말고 이 책을 읽고 있는 당신부터 시작하라.

남편이 밤 10시까지 야근을 하고 집으로 돌아오는 길에 친구들의 전화를 받고 약속을 잡았다. 남편은 집으로 전화를 해서 오늘 좀 늦겠다고 말한다. 남편의 말에 아내는 "12시까지는 들어와야 해"라고 말한다. 10시가 넘어 친구들을 만났으니 12시까지 귀가한다는 것은 솔직히 어렵다. 그런데도 남편은 대충 "알았어. 알았어"라고 대답한다. 대답을 안 하면 아내가 전화기를 붙들고 잔소리를 할 게 빤하기 때문이다. 그런데 남편은 그

때 그 잔소리를 조금 들어주고, 그 잔소리에 깔려 있는 아내의 진심을 읽어주려는 노력을 해야 한다. 아내가 남편이 술을 마시고 늦게 들어오는 것을 싫어하는 이유는, 남편에 대한 걱정 때문이다. 음주운전을 할까봐, 건강을 해칠까봐, 필름이 끊길까봐 등 많은 걱정을 한다. 그 걱정들에는 '나에게 가장 중요한 사람은 당신이야. 당신이 너무 중요하고 소중해서 걱정하는 거야' 라는 마음이 존재한다.

물론 잔소리라는 방식으로 펼쳐지는 아내의 의사소통 방식이나 말투가 바뀌어야 하는 것은 맞지만, 그런 말을 들을 때마다 '또 시작이군. 얼른 도망가야지' 하면서 대충 말하고 전화를 끊지 말고, 아내의 내면의 목소리를 듣고 답해야 한다. "술을 많이 안 마시도록 노력할게. 10시 넘어서 만나는데 12시까지 들어가는 것은 현실적으로 어려워. 내가 2시까지는 꼭 들어갈게"라고 말하고 아내가 가장 걱정하는 부분을 들어주고 안심시킨다. 만약 아내가 음주운전을 가장 걱정한다면, "절대로 운전은 안 할게"라든가, 돈을 많이 쓸까봐 걱정한다면 "돈 걱정은 하지 마. 오늘 술값은 각자 나눠서 계산하기로 했어"라든지, "오늘은 회식비로 먹는 거니까 염려하지 마"라고 말한다. 아내의 잔소리가 다소 듣기 싫어도 아내가 나에 대해 무엇을 걱정하는지 알면 그것에 대한 걱정을 완화시켜주고, 현실 가능한 약속을 한다. 그렇게 하면 남편의 술자리로 인한 부부갈등이 조금은 줄어든다. 아내의 잔소리를 피해 지키지도 못할 약속을 하면 아내는 남편을 '못 믿을 사람' 으로 낙인 찍으니 조심한다. 불신은 한번 생기면 점점 강해지지 없어지지 않는다.

아내들도 조심할 것이 있다. 아무리 좋은 마음이 숨어 있더라도 잔소리는 줄인다. 아무리 좋은 내용이라도 표현방식이 올바르지 않으면 들어주기가 쉽지 않다. 좋은 말이라도 무한 반복되면 소음이 되고, 소음이 되면 아무도 들으려 하지 않는다. 듣고 있으면 기분이 나빠지기 때문이다. 마치 공사장에서 콘크리트를 전동 해머드릴이 따따따따 부수는 소리와 같아서 듣고 있으면 머리가 지끈지끈해진다. 남편들도 그 소음이 정말 좋은, 소위 '사랑의 세레나데'라 해도 한 귀로 듣고 한 귀로 흘려버릴 수밖에 없다. 그런데 심각한 것은 한번 아내의 말을 소음으로 인식하기 시작하면 이후 아내의 모든 말을 소음으로 간주한다는 사실이다. 아내가 무슨 말만 하면 "됐어. 그만해" 하면서 대화 자체를 거부한다. 이런 이유에서인지 요즘은 집에서 서로 말을 안 하는 부부들도 있다고 한다. 잔소리는 상대의 귀를 막아버리니 가장 조심해야 할 표현방식임을 잊지 말자.

그렇다면 어떻게 말할까. 부부라면 저 사람이 하는 말 속에 나를 사랑하고 염려하는 마음이 있다는 것, 차마 창피해서 나에게 하지 못하는 말이 있다는 것, 자존심 때문에 반대로 말한다는 것을 믿고 배우자의 말을 한 번 걸러서 이해하는 것이 필요하다. 말하는 사람도 자기의 속마음을 솔직하게 말하는 것이 좋다. 그것이 조금 낯간지럽고 창피할지라도 조금씩이라도 연습하기 시작한다.

한 가지 좋은 정보를 주면, 남편과 아내의 말에는 독특한 특징이 있다. 그 특징을 숙지하고 상대가 호감을 갖는 방식으로 말을 건네면 대화로 인한 갈등이 현저히 줄어들 것이다. 남편들은 주로 "~해"라고 말하고,

아내들은 "~하는 것이 어때?"라고 말한다. 남편들은 해결을 중요시하는 뇌를 가졌기 때문에 "~해"라고 말하고 되도록 긴 말은 안 하려 든다. 다른 사람이 본인에게 어떤 말을 하더라도 "~해"라고 말하는 것을 잘 알아듣는다. 때문에 남편들은 결론이 나지 않는 대화를 싫어하고, 어떤 대화든지 빨리 결론을 찾아낸다. 이에 비해 아내들은 관계를 중요시하는 뇌를 가졌기 때문에 "~하는 것이 어때?"라는 말을 하고, 상대방의 의견을 들어가며 길게 이야기하고 싶어한다. 다른 사람이 본인에게 하는 말도 "~하는 것이 어때?"의 형태일 때 잘 받아들인다. 가끔은 결론이 나지 않을지라도 서로의 감정을 주고받는 과정만으로도 만족한다. 그런데 우리는 흔히 이 특징과는 반대되는 대화방식을 취한다. 남편들에게는 "~하는 것이 어때?"라고 말하고, 아내들에게는 "~해"라고 말한다. 이러다 보니 대화만 시작하면 마음이 상하고 문제가 생긴다.

아내들이여, 남편들에게는 "~해줘"라고 말해라. 이렇게 말하면 남편들은 기분이 조금 나쁘고 하기 싫어도 아내가 말한 그 일을 자기가 꼭 해야 되는 일이라고 생각한다. 그런데 이 말을 "~해줬으면 좋겠어"라고 말하면, 그 일을 선택이 가능한 일로 간주하고 안 해도 된다고 생각한다. 남편들은 확실한 지시를 내리는 것을 본능적으로 쉽게 받아들인다. 남편이 다소 바쁘더라도 "여보, 힘든 건 아는데 이건 당신이 꼭 해줘야 돼. 그렇지 않으면 해결이 안 돼"라고 말하면 아무리 싫어도 자신이 당면한 과제라고 생각한다. 하지만 "~해주면 안 될까?" 하고 말하면 안 해주는 경우가 많다. 생각해보고 따라야 하는 지시는 오히려 부담스럽게 느껴 들어주지 않는 경향이 있다. 그런데 아내들은 정반대로 너무 분명하게 지시 형태가 되면 거부감을 느낀다. 남편들이 "~해"라고 말하면 본인도 꼭 해야 한다고 생각하는 일조차 '이 사람이 어디다 대고 명령이야?'라고 생각하며 기분이 상한다. 아내가 기분이 상해서 자기 말에 따르지 않으면 남편들은 대뜸 "그럼 그거 안 할 거야?"라고 되묻는다. 그런데 기분이 상해버린 아내는 그것을 하고 안 하고가 중요하지 않다. 예를 들어, 아내가 아이가 아프다는 전화를 걸어 집으로 올 수 없겠냐고 물었다. 그때 남편은 당신이 알아서 하라는 말을 한다. 이런 말을 들으면 아내는 기분이 확 상한다. 똑같이 집에 가지 못하는 상황이라도 "어떡하지? 난감하네. 이 회의가 굉장히 중요한데, 지금 당신한테도 꼭 가봐야겠고"라고 말하면 아내들이 오히려 "그런 상황이면 어쩔 수 없지. 내가 알아서 할게"라고 말한다. 남편은 상황을 해결해주지 말고, 아내의 마음을 읽어주는 말을 하라는 것이다. 아내의 마음을 읽는 것이 서툴다면 아내의 걱정에 '어떡하지? 큰일 났네'라는 말이라도 해줘라. 그 말만 해도 아내들의 마음은 많이 풀린다.

진료실에서 항상 일어나는 상황이다. 아이와 상담이 끝나면 나는 이제 엄마랑 얘기해야 한다며 아이를 대기실로 내보낸다. 아이들은 알았다며 나갔다가 또 들어온다. 들어와서 이런저런 이야기를 한다. 내가 "엄마하고 선생님하고 얘기를 해야 하는데, 네가 나가야 선생님이 시작할 수 있거든" 하고 한 번 더 얘기하면 아이들은 "아, 그렇구나" 하면서 순순히 나간다. 그런데 이때 엄마들이 꼭 한마디 하신다. "너 자꾸 그러면 엄마가 빨리 못 끝내잖아. 너 두고 봐" 내지는 "네가 자꾸 그러니까 내가 못하잖아." 이렇게 표현한다. "네가 자꾸 들어오니까 엄마가 말을 못하잖아"와 내가 표현한 "네가 나가면 선생님이 시작할 수 있거든"이라는 말은 모두 아이를 대기실로 나가게 하기 위한 말이지만 상대방에게 주는 느낌은 너무나 다르다. 후자는 아이한테 정보를 주는 것이고, 전자는 아이를 비난하고 탓하는 것이다. 우리나라 부모들은 순간순간 아이와 부정적인 의사소통을 많이 한다.

예를 들어, 아이가 피자를 사달라고 한다. 지금 상황은 저녁 식사 준비가 끝났고 피자 배달도 어려운 시간이다. 이런 경우 엄마들은 "오늘 문 닫아서 못 사. 내일 문 열면 사줄게"라고 말하는데, 이 말을 "그래. 내일 사줄게. 오늘은 어렵겠다"라고 바꿔야 한다. 전자는 부정적인 의사소통이고 후자는 긍정적인 의사소통이다. 이 둘이 아이에게 미치는 영향은 상당히 다르다. 부정적인 의사소통은 아이에게 분노와 화를 만들 수 있다. 아이에게 부정적인 답변을 일으키고, 부모 자신의 기분도 상하게 하는 경우가 많다. 하지만 같은 메시지라도 긍정적인 의사소통은 두 사람의 마음을 모두 편하게 한다. '사줄게' 라는 말을 처음에 했기 때문에 아이는 부모가 일단 자기를 포용해주었다고 느낀다.

하지만 '안 돼. 못 사' 하면 자신을 거절하고 거부했다고 느껴 기분이 상한다. 부정적인 의사소통은 엄마의 욕구를 먼저 챙긴 것이고, 긍정적인 의사소통은 아이의 욕구를 먼저 배려한 것이다. 느닷없이 이런 이야기를 하는 까닭은 부부간의 의사소통에서도 이런 모습이 자주 보이기 때문이다. 번역기를 가동하여 배우자의 마음의 소리를 듣고 배우자가 좋아하는 방식으로 동사를 바꾸었다면 그 다음에는 반드시 '긍정적인 의사소통 방식'을 쓰라는 것이다.

## 아빠, 모르는 영역을 접해도 불안해하지 말 것!

아빠들은 자기가 모르는 영역을 불안해하고 불편해한다. 그리고 그 모르는 영역에 대해서는 대화도 회피하고 개입 자체를 꺼린다. 사람에게는 누구나 그런 습성이 있지만 아빠들이 특히 심하다. 원시인류의 사냥꾼 기질을 간직하고 있는 아빠들은 자신이 잘 대처하지 못할 것 같으면 지는 것으로 여기고 본능적으로 죽임을 당할지도 모른다는 불안감이 있다. 때문에 자기가 잘할 수 있는 것만 하려고 한다. 회사일은 자기가 잘 알기 때문에 회사와 관련된 일은 이해도 잘하고 뭐든 나서서 챙긴다. 그런데 정작 내 아이에 대해서는 잘 모른다. 어떤 학원을 다니는지, 몇 반 몇 번인지, 입시제도가 어떠한지 아빠들은 도통 모른다. 그렇다면 차근차근 물어봐서라도 알려고 하면 좋으련만 아빠들은 "모르겠어. 당신이 알아서 해"라고 해버린다. 회사 직원에 관한 일이라면 사돈의 팔촌을 찾아가서라도 해결해주는 사람이 정작 내 아이에 관한 것은 "몰라, 몰라. 알아서 해"라고 하는 아빠들의 모습. 엄마들은 '자기 할 일은 안 하면서 쓸데없이 오지랖만 넓어가지고' 라고 생각할 수 있다. 그런데 아빠의 입장에서는 회사와 관련된 일은 자신이 할 수 있으니까 하는 것이고, 아이와 관련된 일은 전혀 모르기 때문에 할 수 없다는 것이다.

나는 상담을 받는 엄마들에게 '아이의 일에 아빠를 너무 배제시키지 말라' 고 조언한다. 아빠들이 아이와 아내를 사랑하지 않고 무성의해서 관심을 안 보이는 것이 아니라 내 아이에 관한 일을 어떻게 처리해야 하는지에 대한 개념이 없기 때문이다. 너무나 오랫동안 배제되어 왔고, 누구도 제대로 알려준 사람이 없는데다 모르는 영역에 대한 거부반응, 불안반응 때문에 그러는 것이다. 아빠들을 양육과 집안일에 참여시키려면 그것에 대한 정보를 주어야 한다. 정보를 줄 때는 잔소리로 하지 말고 번거롭더라도 일목요연하게 정리된 브리핑 자료로 보여준다. 그래야만 아빠들이 상황을 제대로 파악한다. 상황이 파악되면 아빠들은 의외의 좋은 의견을 내기도 하고 어떤 문제에 부닥치면 적극적으로 문제해결을 위한 방안을 제시하기도 한다.

그런데 엄마들은 이따금씩 "당신이 언제 도와준 적 있어?" 하는 식으로 아빠들에게 정서적인 비난을 한다. 남자들은 감정적인 말, 정서적인 말이 섞이면 오히려 의사소통이 잘되지 않는다. 말의 핵심을 파악하는 데 어려움을 겪기 때문이다. 감정적인 표현을 다 빼고 '사실Fact' 을 알려주어 아빠가 이 상황에 대한 개념이 생길 수 있게 해주어야 하다. 그리고 아빠가 할 수 있는 제한적이고 명확한 역할만을 주어야 한다. 아내가 남편한테 "당신이 아빠면서 잘해야지?" 라고 말하면 남편들은 '뭘 어떻게 잘하라는 거지' 하고 고개를 갸우뚱한다. 아빠들에게는 '신경 좀 써. 잘 좀 해. 언제 잘한 적 있어?' 라고 말하지 마라. 아빠들은 '잘'이 뭔지 정확히 모르는 수가 많다. 그보다는 "평일은 내가 알아서 할 테니까 주말에는 이런저런 것 좀 해줘"라고 구체적으로 말하는 것이 좋다. 주말에 집에서 널브러져 있는 남편에게도 "내가 오전에는 아이랑 나갔다 올 테니까 충분히 쉬어"라고 확실히 배려하고, "그 대신 점심 먹고 나서는 정신 좀 차려서 아이랑 놀아줘" 혹은 "마트 좀 같이 다녀오자"라고 말한다. 아침부터 짜증 섞인 말로 달달달 볶지 말고 배려할 것은 확실하게 배려하고, 요구할 것은 정확하게 요구하는 것이 효과적이다.

아내가 남편한테 정확히 알려주어야 하는 것이 또 하나 있다. 바로 남편이 아이와 시간을 보내는 법이다. 사실 아빠들은 아이와 단 둘이 되는 상황에 처하면 상당히 불안해한다. 아빠들은 그 시간에 아이와 어떻게 놀아야 할지를 모른다. 아이와 노는 것 또한 자신이 잘 모르는 영역이다. 아빠가 아이와 시간을 많이 보내기를 원한다면 엄마들이여 아빠들에게 한 번 물어봐라. "당신이 아이와 시간을 보내는 것은 아이에게나 당신에게나 좀 필요해. 그런데 아이랑 있으면 좀 힘들지? 그 이유가 무엇인 것 같아?" 그러면 아빠들도 솔직하게 대답해라. "아이가 나하고 노는 것을 별로 좋아하지 않는 것 같고, 나도 사실은 어떻게 놀아야 하는지 모르겠어." 엄마들은 별것 아닌 것 같지만 아빠들은 아이와 있는 시간이 막막할 수도 있다. 이럴 때 엄마들이 아이가 좋아하는 것을 살짝 알려주는 정보가 아빠들에게는 아주 요긴하다. "아이가 찜질방 가는 것을 좋아하니까 우리 함께 가자. 가서 아이가 좋아하는 식혜도 사주면서 아이가 하는 이야기도 들어주고 그래봐. 아 참, 학용품 살 것이 있다고 했는데, 같이 문방구에 가는 게 어때?" 엄마들이 이렇게 코치해주면 아빠들도 조금씩 아이와 있는 시간을 편안하게 느끼게 된다.

## 엄마, 지나치게 잘한다고 자만하지 말 것!

소아청소년정신과병원을 개원한 지 어느덧 8년이 흘렀다. 개원한 직전부터 각종 TV 자녀교육 프로그램에 출연하며 수많은 부모를 만났다. 그러면서 느끼는 것은 그래도 요즘 아빠들은 옛날 아빠들에 비해 많이 다정해졌다는 것이다. 그럼에도 다정한 남편들조차 집에서 육아나 집안일을 해야 한다고 생각하는 사람은 극소수다. 이런 아빠들에게 육아나 집안일에서의 평등을 이야기해봐야 전혀 공감하지 않는다. 평등을 너무 따지면 서로 억울해진다. 현실적인 조언을 하자면, 아빠들을 붙잡고 평등을 운운하는 것보다는 조금씩 육아나 집안일과 아빠들이 연관되도록 엄마들이 머리를 써야 한다.

간혹 "아이는 내가 키울 테니까 당신은 돈이나 벌어와"라면서 역할을 확실히 나누는 집들이 있다. 엄마들은 발 빠르게 정보를 쫓아다니면서 그때그때 대처하고 아이 문제를 남편이 신경 쓰지 않도록 미리미리 해결한다. 그랬을 경우, 아이는 대학까지는 가지만 그 이후의 문제를 해결하는

지혜를 갖지 못한다. 아버지의 역할 부재 때문이다. 아빠의 자리는 엄마가 아무리 열심히 애써도 채워지지 않는다. 아빠가 뻔히 있음에도 불구하고 마치 싱글맘처럼 아이를 키우면 아이는 아빠와의 정서적 간격을 좁히지 못하고 제대로 된 남성상도 가질 수 없다. 사회생활에서 인간관계를 헤쳐 나가는 노하우를 배우지도 못하고, 이다음에 결혼생활을 할 때도 제대로 된 부모역할을 하기도 어렵다. 또한 아이가 떠나면 엄마와 아빠 두 사람은 어색한 사이가 된다.

엄마 혼자 너무 씩씩하게 아이를 키우면 아빠들이 심리적 대문 안으로 안 들어온다. 엄마가 집에서 아이를 너무 잘 키우기 때문에 자기가 비집고 들어가봐야 베테랑인 엄마만큼 아이와 관계를 맺을 자신이 없다. 설사 어렵사리 비집고 들어가도 핀잔만 들을 것이 뻔하기 때문에 안 하는 것이 낫다고 생각한다. 밖에 나가서 정치, 사회, 주식 얘기를 하면 주위에서 귀를 기울이고 칭찬도 해주는 등 심리적 보상이 있기 때문에 아빠들은 자꾸 밖으로만 나가려고 한다. 아빠를 육아나 집안일에 끌어들이려면 내가 너무 잘하는 것처럼 행동하면 안 된다. "여보, 나 혼자는 어려워. 나 혼자는 못하겠어. 아이의 이런 점은 나도 어떻게 해야 할지 모르겠어"라고 남편에게 말한다. "나는 아이한테 이렇게 헌신하는데 당신은 뭐야?" 또는 "당신도 이 정도는 해야 하는 거 아니야?" 하는 식으로 말하면 아빠들은 더 멀리 도망가고 만다.

그렇다면 남편들을 어떻게 유도할까. 무조건 "좀 도와줘야 하는 거 아니야?"라고 말하면 뭘 도와줘야 하는지 모르지만 "여보, 내가 설거지를 하는 동안 아이를 안고 있어줘"라고 말하면 쉽게 그 상황을 받아들이고 들어준다. 외벌이의 경우, 아내가 남편한테 도와달라고 하면 남편들은 절대 이해하지 못한다. 낮에도 피곤하게 일했는데 집에 와서까지 일을 해야 하나 생각한다. 외벌이 가정의 아내는 남편을 육아나 가사일에 끌어들이려면 반드시 당신이 도와줄 수밖에 없는 당위성을 설명해야 한다. 남편에게 도와달라고 하는 일은 남편 자신도 뿌듯함을 느끼고 칭찬을 받을 수 있는 일, 즉 잘할 수 있는 일을 선택한다. 말을 할 때는 '대부분 내가 알아서 할 테니까 이 정도만 해줘' 식으로 한다. 그리고 뭐든 남편이 하면 잘했다는 칭찬을 한다. 시켰는데 마음에 썩 들지 않는다고 핀잔을 주면 '기껏 해줬더니 투덜거리기나 하고 다음에는 아예 하지 말아야지' 하고 생각할 수 있다. 남편이 집안일이나 육아를 도와주면 반드시 칭찬을 해준다.

한 가지 기억할 것은, 가사노동은 아빠들의 의식 때문이 아니더라도 평등하게 나누는 것이 불가능하다. 그 이유는 엄마와 아빠가 각자 잘할 수 있는 일이 다르기 때문이다. 엄마들은 보살피는 일을 잘하지만, 아빠들은 보살피는 것을 잘 못한다. 따라서 똑같이 나누기보다 서로 잘할 수 있는 일로 분업하는 것이 좋다. 예를 들어, 목록을 적어주고 마트에 가서 장을 봐오라고 하면 아빠들도 잘할 수 있다. 그동안 아이는 엄마가 보는 것으로 일을 나누면 된다. 이것을 남편이 아이를 보고, 아내가 장보기를 하면 한쪽은 효능감을 느끼지 못해 다음부터는 그 일이 싫어진다. 간혹 "오늘은 내가 밥을 할 테니, 내일은 자기가 밥해" 하면서 모든 일을 똑떨어지게 반으로 나누고 싶어하는 부부가 있다. 나는 그런 부부는 마음속에 억울함이 심한 케이스라고 생각한다. 내가 이 사람을 위해 해주는 것이 뭔가 억울할 때, 이런 경우 육아나 집안일로 부부 갈등이 일어난다. 근본적으로 육아나 집안일은 깔끔하게 반으로 나눠지지 않기 때문이다. 이런 부부들은 자신들의 내면에 어떤 억울함이 있는지, 왜 그런 억울함이 생겼는지 전문가와 상담해보는 것이 필요하다.

## 육아와 집안일은 가장 고귀한 노동이다

"내가 밖에 나가서 얼마나 힘들게 돈을 버는데, 집에 와서만큼은 좀 편안하게 쉬면 안 돼?"라고 아빠들은 말한다. 자기가 밖에 나가서 일하는 것을 엄청난 태산을 지고 온 것처럼 군다. 남편이 이렇게 나오면 전업주부인 엄마들은 "내가 집에서 살림하고 아이 키우는 일은 가치가 없는 줄 알아?"라며 화를 낸다.

아빠들은 가끔 자신들이 대단한 일을 하는 양 으스대고, 엄마들은 별것 아닌 일을 한다고 평가 절하하지만 집안일은 생각보다 노동량이 많다. 한국 여성정책연구원에서는 2년 전 '전업주부의 연봉을 찾아라' 라는 제목으로 가사노동의 가치를 돈으로 환산하는 프로그램을 제공한 바 있다. 프로그램은 하루 동안 주부들이 하는 일을 40여 개의 항목으로 세세히 나누어서 각 노동시간을 계산하여 월급으로 환산한 것이다. 부모를 모시지 않고 초등학생과 유치원생 아이를 둔 30대 전업주부가 이 프로그램으로 자신의 가사노동을 월급으로 환산해보면 약 430만 원이 넘는 돈이 추산된다. 아이가 1명 있는 전업주부도 가사노동의 가치가 월 300만 원이 넘게 평가되었다. 연봉으로 따지면 3,000만 원에서 5,000만 원에 해당하는 큰돈이다. 어떤 아빠들은 이 결과를 보고 집에서 놀면서 하는 일에 너무 후한 가치를 준 것이 아니냐고 반문할 수도 있겠다. 하지만 이것은 다른 나라에 비하면 낮은 수준이다. 캐나다의 경우 전업주부의 연봉을 1억2,000만 원, 미국의 경우 1억1,000만 원, 영국의 경우 5,500만 원으로 보고 있다. 외국의 어느 나라에는 "여자가 아이를 낳고 키우는 것이 가장 고귀한 노동이다"라는 말이 헌법의 첫 조항에 명시되어 있다고 한다. 또한 이탈리아에서는 이혼을 할 경우 남편은 아내에게 육아와 가사노동의 대가로 최소한 15억 원을 주어야 한다고 한다.

그동안 우리는 육아나 가사노동을 평가 절하해 왔다. 솔직히 이러한 인식은 아빠들보다 엄마들 자신이 더 심했다. 전업주부로 있는 것보다 사회생활을 하고 돈을 버는 것이 더 가치 있다는 생각이 우리의 무의식 속에 잠재해 있다. 하지만 냉정하게 가치를 비교해보면 그렇지도 않다. 어쭙잖게 벌면서 아이들이 엉망이 되는 경우도 있고, 아이를 맡기는 비용이 더 많이 들어가고, 돈을 벌었는데 따져보니 지출이 더 많은 경우도 있다. 물론 사회적 활동이 경제적인 것만을 의미하지는 않지만 우리 마음속에는 그것을 경제적인 잣대로 환산해서 자꾸 비교하려고 든다. 사실 육아나 가사노동은 감히 금전적인 것으로는 환산할 수 없는 영역이다.

그 일은 인간의 존재를 가능하게 해주는, 사람을 사람으로서 살게 해주는 근본과 같은 일이다.
아빠들은 알아야 한다. 아빠들이 회사에서 편안하게 일할 수 있는 것은 엄마들이 집안의 모든 일을 처리해주기 때문이다. 미국의 경제학자들은 아내의 보살핌이 남편의 수입에 어떤 영향을 주는지 조사했다. 조사결과, 교육수준과 배경이 비슷한 기혼 남성과 미혼 남성을 비교한 결과 기혼자가 10% 이상 더 번다는 사실을 발견했다. 아내가 전업주부인 경우, 기혼 남성이 미혼 남성에 비해 30% 이상 더 많이 번다고 밝혔다. 그런데 아내가 일을 할 경우는 그 차이가 5% 내외로 줄어들었다. 하나하나를 보면 작은 것 같지만, 그 작은 알갱이가 모여서 아이들이 건강하게 자랄 수 있다. 또한 알뜰한 아내의 덕분에 당신이 집에 들어왔을 때 온기를 느낄 수 있고 아이와 아빠 입에 조미료가 덜 들어간 된장찌개를 먹을 수 있다.
아빠들이여, 오늘 당신이 하찮게 느낀 가치들에 대해 한 번쯤 생각해보는 기회를 가졌으면 좋겠다. 또한 부탁하건대, 혹여 아내가 남편에게 도움을 요청하면 그 문제만큼은 무조건 들어주길 바란다. 그 문제만큼은 반드시 남편과 의논해야 한다고 도움을 청하는 것이기 때문이다.

## 불안에 휘둘리지 않으려면 상대의 불안을 공유하라

사람은 누구나 불안하다. 나 또한 불안이 있다. 나는 아기를 낳을 때 역아라 제왕절개를 해야 했다. 그때 나는 절대 척추마취를 해달라고 담당의사에게 요구했다. 혹시 내가 못 깨어날까봐 불안했기 때문이었다. 고등학교 3학년 때 맹장수술을 할 때도 수술하는 담당의사로 부터 "넌 참 이상한 애다"라는 말을 들으면서까지 척추마취를 해달라고 우겼다. 나는 그때도 내가 깨어나지 못할까봐 불안했다. 나는 내가 나 자신을 통제할 수 없는 순간에 가장 불안을 느낀다. 그래서 끊임없이 나를 컨트롤하려고 든다. 때문에 지나치게 완벽주의자처럼 행동하고 머릿속에 걱정이 생기면 바로바로 해결해야 직성이 풀렸다. 다른 사람도 자신을 너무 통제하지 않는 게으른 사람을 싫어했었다. 그런데 직업이 정신과 의사인지라 정신분석도 받고 나 자신을 끊임없이 훈련시켜 요즘은 내 생각과 다른 사람을 보는 것도 많이 편안해졌고 내 자신을 통제하지 못하는 순간에도 예전보다 덜 불안하다. 또한 내 안의 불안으로 인해 타인에게 영향을 주지 않으려고 끊임없이 노력을 한다.

나의 남편도 불안이 있다. 솔직히 남편의 불안은 좀 원초적이고 거의 공포 수준이다. 남편은 우리 아이가 태어나서 신생아실로 이동하는 순간을 1분1초도 놓치지 않고 캠코더로 촬영을 했다. 누군가 말을 시켜도 대답도 않고 1초도 아이에게서 눈을 떼지 않았다. 가만히 지켜보던 나는 남편에게 물었다. "아기가 바뀔까봐 그렇지?" 남편은 바로 "어"라고 대답했다. 또 한 번은 아이가 6살 때인데, 전쟁이 날 것 같다며 온 식구별로 방독면을 구입했다. 당시 6살용 방독면이 없어서 남편은 외국 사이트까지 뒤져서 어렵게 구입했다. 그 방독면은 이후 내가 처음 개원한 병원 대청소를 할 때 요긴하게 사용되었다.

나의 아버지도 만만치 않게 불안이 많으시다. 아버지는 너무나 어려운 시대에 태어나셔서 고생을 많이 하신 탓에 늘 생계에 대한 걱정이 크셨다. 일제강점기와 6 · 25까지 겪으셔서 항상 최악의 경우를 상상하며 대비하는 버릇이 있으셨다. 어렸을 적 우리 집에는 늘 쌀벌레가 날아다녔다. 아버지가 전쟁을 대비해 쌀 한 가마니를 상비해놓으셨기 때문이다. 덕분에 나는 어린 시절부터 결혼을 하기 전까지 햅쌀을 먹어보지 못했다. 또 우리 집에는 1960년대에나 볼 수 있었던 석유곤로가 창고에 고이 모셔져 있다. 이 또한 전쟁이 나면 전기나 가스가 끊기는 것에 대비한 것이다.

하지만 나는 나와 남편, 아버지의 불안으로 별로 불편한 것이 없다. 내 자신과 그들의 불안의 특성을 잘 알고 있기 때문에 그 불안의 본질을 알고 있으며 그들의 불안을 줄일 줄 알기 때문이다. 아버지가 심한 불안에 걱정이 지나치면 "아버지, 이만 끝난 일이에요. 더 이상 생각하지 마세요"라며 불안을 끊어줄 수 있다. 남편이 아이가 숙제를 미리미리 안 해놓는다고 걱정하면 나는 "그런데 그건 아들 문제잖아. 만약 숙제를 못해 가면 그것은 아들과 학교 선생님이 해결해야 하는 문제잖아. 당신보다 아들이 느긋한 건데 결국은 숙제를 다 해서 가잖아."라고 일깨워줄 줄도 안다. 그리고 아버지나 남편도 본인의 불안을 잘 알고 있다. "그래 맞아. 그런데 내가 그게 안 돼서 걱정이야"라고 말한다. 사실 누구나 불안은 있다. 성격이 다르고 사는 방식이 다르듯 불안도 여러 가지 형태로 존재한다. 하지만 자신의 불안의 실체를 알고 잘 조절할 줄만 알면 불안은 없는 것보다 있는 것이 낫다. 약간의 불안은 오히려 집중력을 높여 일의 효율을 높인다. 불안은 그 적당한 정도를 넘어서는 것이 문제이다. 만약 배우자가 그 적당한 정도의 불안을 넘어서는 것 같다면 그 불안을 지적하고 비난할 것이 아니라 상대가 자신의 불안의 본질을 들여다볼 수 있게 해주어야 한다. '내가 지나친 행동을 하고 있구나' 라고 깨우치게 해주어야 한다. 또는 그 사람의 불안을 같은 시각으로 바라보면서 하나하나 문제를 풀듯 불안을 지워주는 것도 좋은 방법이다.

강박증이 있는 남편이 있었다. 치료를 받아야 될 정도는 아니었지만 그 사람은 걸어가면서 자꾸 뒤를 돌아보는 버릇이 있었다. 이유는 자기가 무언가 떨어뜨릴까봐 걱정되기 때문이었다. 나는 물었다. "잃어버리면 뭘 잃어버릴 거라고 예상하세요?" "지갑이요." "지갑에 뭐가 들어 있는데요?" "주민등록증이랑 카드랑 돈이랑…." "그럼 5만 원 정도는 잃어버려도 되지요?" "괜찮아요." "카드는 잃어버리면 재발행하고 신고하면 되지요?" "네." "주민등록증도 재발급하면 되지요?" "그런데 누가 도용하면 어떻게 해요?" "도용하려고 마음먹으면 남의 주민등록증 없이도 다 도용할 수 있어요." 여기까지 대화가 진행되니 그 사람은 자신이 쓸데없는 걱정을 한다는 것을 깨달았다. 보통 이렇게 일깨워주면 자기 자신이 어떻게 불안을 해결해야겠다는 답이 보인다. 불안은 자신이 인생에서 중요하게 생각하는 가치관으로 인해 생기는 수가 많다. 때문에 배우자와 그것을 끊임없이 공유하는 것도 상대의 불안을 줄여주는 방법이다.

## 불안을 자각하지 않으면 아이에게 대물림된다

부모가 되고 나서 더 불안해지는 사람들이 있다. 아이가 생기고 나서 우리가 지금까지 말한 정도의 불안이 아니라 치료를 요하는 정도의 불안이 생겨나는 경우, 진료를 해보면 그 불안의 뿌리가 어린 시절 부모와 함께했던 기억에서 발견된다. 그 기억은 대부분 부모와의 관계에서 안정되고 충분한 사랑을 받았던 느낌이 없을 때 극도의 불안감에 시달린다.

방송에서 만난 한 엄마는 어린 시절의 아빠를 이렇게 기억했다. "저희 아버지는 잘해줄 때는 무척 잘해주셨는데, 뭔가 잘못되면 정말 불같이 화를 내셨어요." 얘기를 들어보니 아버지의 화는 대부분 본인의 불안 때문이었다. 그 엄마는 어린 시절 농사를 짓고 소를 키우는 시골에서 살았다. 한 번은 엄마가 친구랑 놀고 있는데 아버지가 저 멀리 언덕에서 내려오시는 것이 보였다. 아버지의 얼굴은 마치 불화산처럼 온통 빨간색이었다. 눈을 부릅뜨고 자기를 죽일 것처럼 무슨 말인지도 알아들을 수 없을 만큼 큰 소리로 악을 쓰고 있었다. 아버지가 화가 난 이유는, 아이인 엄마가 외양간 문을 닫지 않고 나가서 외양간의 소가 없어졌기 때문이었다. 분명 엄마는 외양간 문을 닫았었다. 외양간 문이 열린 것은 소가 심하게 몸부림을 쳤기 때문이다. 다행히 소가 마을의 다른 집에서 발견되었고 사건은 마무리되었다.
나이가 들면서 그 당시 아버지의 화를 이해하지 못할 것도 없었다. '우리 아버지가 성격이 유별나서 그렇지, 나를 미워하셨던 것은 아니었지' 라고 좋게 생각할 수 있지만, 안타깝게도 그 당시 느꼈던 죽을 것 같은 공포를 해결되지 않은 불안으로 자신 안에 간직하게 되었다. 그런데 아이를 낳고 나서 불안은 다른 형태의 불안으로 표출되었다. 이 엄마는 무슨 일이 생길까봐 걱정이 되어서 아이를 밖으로 한발짝도 데리고 나오지 못했다. 찬바람만 한 번 쐬도 감기에 걸릴 것 같고, 밖에 나가서 뭘 만지기라도 하면 병에 걸릴 것 같은 불안감에 시달렸다. 어쩌다 밖으로 데리고 나오면 머리부터 발끝까지 아이를 꽁꽁 싸맸다. 이 엄마는 자신 안에 그런 불안이 있는 줄도 몰랐다. 자신은 단지 아이를 건강하게 키우기 위한 행동이기 때문이었다. 엄마의 불안은 무의식적인 행동을 지배했다.

또 다른 엄마는 어린 시절 아버지가 부부 싸움을 하실 때마다 자꾸 물건을 부수었단다. 어렸을 때는 아버지의 그런 행동이 너무너무 싫었지만 커서는 '옛날 아버지들이 다 그렇지 뭐. 그래도 우리 아버지는 나를 사랑하셨으니까' 하고 이해하는 면도 있었다. 그래서 아버지와 그리 나쁘지 않은 관계로 지냈다. 그런데 이 엄마 안에도 어린 시절 느낀 감정이 불안으로 숨어 있었다. 아이를 낳자 그 불안이 고개를 내밀었다. 아이와 외출할 때마다 100m 떨어진 곳에서 뾰족한 조각들이 떨어져도 아이한테 그 뾰족한 조각의 가루가 묻었을까봐 불안해했다. 집에 와서 아이 옷을 다 갈아입히는 것은 물론 목욕을 시키고, 벗은 옷 속에 뾰족한 가루가 남아 있을까 해서 샅샅이 찾곤 했다. 어떨 때는 불안해서 입은 옷을 다 버리기도 했다.

왜 어린 시절 몸속에 잔존해 있던 불안이, 미혼일 때는 가만히 있다가 아이를 낳으면 밖으로 표출될까. 무의식 속에 있는 엄마들의 보살핌 본능이 자기가 가지고 있는 문제로 아이를 오염시키지 않으려고 하기 때문에 과잉 반응을 하는 것이다. 엄마들은 누구나 아이를 100% 무결점의 결정체로 지켜야 한다고 생각한다. 자신이 문제가 있을 경우, 혹 그것 때문에 아이가 오염되고 상처를 받을까봐 더 예민해진다. 그런데 결과적으로 그 상황이 아이에게 좋지 않은 영향을 미친다. 아버지의 불안이 다른 형태로 엄마한테 전해진 것처럼 아이한테도 대물림되기 때문이다.

뭔가 극단적으로 용납을 못하는 것, 남들이 보기에 지나친 그런 행동 뒤에는 자신이 어린 시절부터 간직해온 불안 때문인 경우가 많다. 때문에 '절대 안 돼. 결단코 싫어' 라는 말이 붙는 자신의 행동에는 살며시 브레이크를 밟을 필요가 있다. 어렵더라도 내 마음이 편한 대로가 아니라 내 아이나 배우자가 원하는 방향대로 핸들을 돌리도록 노력해야 한다. 그래야 그들이 나의 불안에 영향을 덜 받는다. 혹 스스로 브레이크를 밟는 것이 어렵다면 반드시 전문가의 도움을 받아야 한다. 그리하여 자신을 들여다보고 근본적인 불안을 해결해야 한다. 그래야 나의 지나친 불안이 대물림되지 않는다. 엄마들만 어린 시절로 인한 불안이 있는 것은 아니다. 아빠들의 불안은 '강해야 한다' 를 강요하는 형태로 존재한다. 지나치게 아이에게 "강해야 해! 너 이 세상이 얼마나 무서운 줄 아니? 눈 뜨고 있어도 코 베어가는 세상이야"라고 말하고 있다면 자신의 근본 불안을 들여다보아야 한다. 아빠들은 이렇게 말하면 아이가 강해질 거라고 생각하지만 아이는 그로 인해 세상에 대한 불신감을 키우고 불안감이 커진다. 아이가 열이 펄펄 나서 학교에 못 갈 것 같다고 말해도 "그 정도 아프다고 학교를 빠져서는 안 돼"라고 말하는 아빠는, 아이가 조그만 아파도 쉽게 학교를 빠질까봐, 학교를 빠지는 것이 습관이 될까봐 하는 말이다. 아빠 안에 존재하는 '무조건 강해야 한다' 는 식의 불안이 아이에게 그대로 전달된다.

'강해져야 한다' 는 것이 아이 인생의 최대 목표가 되어 아이에게 부적절한 기준을 만들어주고, 부적절하게 어떤 지침을 줄 가능성이 많다. 간혹 아이가 자만할까봐 칭찬을 잘하지 않는 아빠들도 있다. 거의 모든 과목이 95점 이상이고 한 과목만 85점을 받아왔는데, 잘한 과목은 칭찬하지 않고 "왜 이건 85점밖에 못 받았니?"라고 혼을 낸다. 그러면 아이는 속상하고 서운하다. 어른이 되면 지금 부모의 행동을 이해하겠지만 그 순간에는 부모의 진심을 알 수 없어 아이의 마음속에 불안이 싹튼다. 칭찬할 때는 칭찬하고 위로할 때는 위로하고 바로잡을 때는 바로잡아야 한다. 그래야 아이의 마음속에 '부모가 나를 사랑하고 있구나. 확실히 나를 위로하고 있구나' 라는 기준이 생긴다. 기준이 분명해야 불안하지 않고 흔들리지 않는다.

원인적으로 보면 지금 엄마 아빠들의 불안은 그 부모들로부터 시작되었다. 하지만 그 부모들에게 물어보면 그들의 의도는 언제나 선했다. '강해져야 한다' 고 생각해서 아이에게 잔뜩 겁을 주었던 부모도, '이것도 안 돼. 저것도 안 돼' 하면서 지나치게 조심시켰던 부모도, '무조건 부모 말을 따라야지' 라며 윽박질렀던 부모도, 당신의 자식이 당신 때문에 어린 시절의 불안을 키웠고, 그 불안을 다른 형태로 표출하며 손자 손녀를 키우고 있다고 말하면 "내가 저희를 얼마나 사랑했는데…"라며 억울해하신다. 당신들도 자식을 사랑하는 마음에 먹을 것 못 먹고, 입을 것 못 입으면서 잘되라는 말만 했는데, 그것 때문에 당신의 자식이 불안해했고 인생이 힘들었다고 하면 이해하지 못하신다. 왜 이런 일이 벌어지는 것일까. 나는 우리네 많은 부모님이 우리를 사랑하셨지만 올바른 사랑을 주시는 데는 조금 미숙했다고 생각한다. 올바른 사랑은 상대가 원하는 것을 주는 것이다. 그런데 우리네 많은 부모님은 자식이 원하는 사랑이 아니라 당신이 원하는 사랑을 하셨다. 그것은 각자의 배우자에게도 마찬가지셨다. 하지만 우리는 이런 사랑을 반복해서는 안 된다. 내 타입의 사랑이 아니라 그들 타입의 사랑을 주어야 한다. 그래야 마음속 불안이, 갈등이 덜 생긴다.

예를 들면 이런 것이다. 아이가 친구네 집에 놀러 갔는데 엄마는 평소에 아이가 그 집에 놀러 가는 것을 싫어했다. 그 친구는 괜찮지만 그 집 부모가 시도 때도 없이 싸운다는 것을 알고 있었기 때문이다. 그래서 엄마는 아이에게 누누이 그 친구집에 가지 말라고 말했다. 아이가 엄마의 말을 어기고 그 친구네 집에 갔다가 친구 부모가 싸우는 것을 목격하고 말았다. 아이는 겁에 질려 집으로 왔다. 지금 아이에게는 어떤 사랑이 필요할까? 아이는 "엄마, 나 오늘 그 집에 갔더니 걔네 엄마 아빠가 막 싸우고 그릇도 던져서 깨지고 그랬어요. 너무 놀라고 무서웠어요"라고 말했다. 엄마는 아이를 안아주면서 "그래, 무서웠구나. 괜찮아, 괜찮아" 하면서 보호와 위로를 해주면 된다. 그런데 그 순간 엄마들은 "그러니까 엄마가 가지 말라고 했잖아"라며 '엄마 말을 잘 들어야 안전하다' 라는 가르침을 줄 수 있는 절호의 찬스라고 생각한다. 엄마가 이런 말을 하면 아이는 오히려 죄책감과 불안감이 가중된다. 엄마가 준 것은 사랑이 아니다. 받을 사람이 감정적으로 갖고 싶은 것을 주는 것이 사랑이다.

**누구도 두 마리 토끼는 못 잡는다. 지금의 선택을 믿어라** EBS 〈60분 부모〉나 SBS 〈우리아이가 달라졌어요〉에서 만나는 엄마 아빠들을 보면, 불안이 원인이 되어 육아 스트레스나 우울증, 아이의 문제행동 등을 야기한 경우가 많다. 주변에서 들려오는 '이래야 좋은 아빠다, 이래야 좋은 엄마다, 부모는 이래야 한다' 는 말들을 내 안으로 소화해서 내 것으로 만들지 못하면서 계속 수많은 정보만 접하다 오히려 자기 안에서 갈등을 초래하고 그것으로 인해 부모들은 더 불안해졌다. 어떤 부모는 아이가 자기한테 빚이 있다고 생각하고, 아이한테 빚을 받아야 할 것처럼 굴기도 했다. 불안하지 않으려면 자기 자신을 알고 자기 자신을 인정하는 연습부터 해야 한다. 자기가 정말 원하는 것을 생각해보고 그 길로 가라는 것이다. 그리고 그것은 절대 틀리지 않고 절대 나쁘지 않다. 여러 사람의 말에 휘둘릴 필요가 없다. 사람마다 중요하게 생각하는 것이 각자 다르듯이 제각기 다른 정답이 존재한다.

해결되지 않은 갈등 요소가 무의식의 저 바닥에 숨어 있다가 꼬물꼬물 올라오기 시작하면 사람은 누구나 불안해진다. 갈등 요소를 해결하려면 생각을 정리해야 한다. 아무리 가만히 생각해봐도 모르겠다면 배우자를 찾든, 가까운 지인에게 묻든, 전문의를 만나든 객관적인 제3자와 의논을 해야 한다. 하지만 의미 없는 다른 사람의 이야기는 참고하지 마라. 그들 역시 그들이 중요하다고 생각하는 자기 가치관을 이야기할 뿐이다. 그들이 하는 말은 당신에 대한 이해에서 나온 조언이라고 보기 어렵다. 당신한테 조언을 해줄 수 있는 사람은 중립적이고 당신에게 쓴소리를 할 수 있고 당신 자신의 이해에 도움을 줄 수 있는 사람이어야 한다. 아빠들의 경우, 존경하는 선생님이나 선배나 친구 중에 진지한 대화를 할 수 있는 사람이라면 좋다. 하지만 술자리에서 호형호제하는 사람들의 조언은 별 도움이 되지 않는다. 술자리에 몰두되어 있는 그 자리는 본질이 뭔가 불안하고 공허한 경우가 많기 때문이다.

불안하면 생각을 정리하라. 결단할 것은 결단하고 버릴 것은 버려야 한다. 그래야 불안하지 않다. 그렇지 않고 모든 것을 다 부여잡고 있으면 계속 불안할 수밖에 없다. 그런 상태에서 아이를 키운다면 아이 또한 불안해진다. 엄마는 불안하면 나타나는 여러 가지 행태들을 아이한테 그대로 하게 된다. 그렇게 되면 아이는 엄마가 느끼는 것보다 더 큰 불안을 느낀다. 엄마의 불안이 아이에게 전염되는 것이다. 아이들은 아직 정서 분화가 완성된 것이 아니어서 부모가 보이는 애매모호한 감정적인 소통을 굉장히 불안하게 받아들인다. 아이가 보기에 엄마 표정이 안 좋고 엄마한테 무슨 일이 있는 것 같아서 "엄마, 오늘 어디 안 좋으세요?"라고 물었다. 그럴 때 아니면 아니라고 대답하고, 그러면 그렇다고 대답해야 한다. 만약 아니라고 대답을 했는데도 아이가 계속 표정이 안 좋아 보인다고 이유를 물으면 솔직하게 대답해야 한다. "사실은 아침에 아빠랑 말다툼을 좀 했는데 기분이 좀 안 좋아"라든지 "갑자기 벌금 통지서가 날아와서 걱정이야"라고 솔직히 말해야 한다. 정말 아니면 "정말 아니야. 신경 쓸 것 없어"라고 말하고 자신의 표정을 바꿔야 한다. 만약 이렇게 하지 않고 "신경 쓰지 마"라는 말만 하면서 계속 침울하게 있으면 아이는 순간 불안해진다. 엄마들은 아이가 걱정할까봐 그렇게 말했다고 하지만, 그런 행동은 아주 모호한 의사소통 방법이기 때문에 아이의 불안을 더 증폭시킨다. 아이도 집안이 망했다는 것도 느끼고, 아빠가 빚을 엄청 졌다는 것도 알고 있고 부모가 싸우는 소리도 듣는다. 그런데 부모가 계속 "아니다"라고 하면서 구체적인 설명을 해주지 않으면 상황을 알지 못해 굉장히 불안해진다. 때문에 경제적인 문제든, 건강의 문제든 아이에게 어느 정도는 솔직히 말해주는 것이 필요하다.

사람은 늘 자신에 대한 행복의 기준이 되는 그림을 가지고 있어야 한다. 이 행복이 지금 살고 있는 인생과 많이 다른가에 대해 생각해보아야 한다. 똑같지는 않겠지만 많이 다르지는 않을 것이다. 그렇다면 그 안에서의 행복을 알아야 한다. 그런데 우리는 종종 약간의 다름만 부각하여 지금 불행하다고 생각한다. 그때 결혼을 좀 늦게 했더라면…, 직장을 그만두지 않았더라면…, 임신을 조금 늦게 했더라면…. 물론 가지 않은 길에 대한 그리움과 아쉬움, 억울함과 기대는 누구에게나 있다. 하지만 가지 않은 길을 그리워할 필요가 없는 이유는 내가 걸어온 길은 내가 선택한 것이며 지금 내가 서 있는 길은 선택의 순간 내 세포 하나하나가 최선이라고 판단했던 길이기 때문이다.
대부분의 인생은 자신의 선택이다. 그것을 자꾸 상황에 의해서, 어쩔 수 없다라고 생각하지 말자. 자신의 선택은 '자신이 그려온 행복의 그림'에

의해서 결정된다. 때문에 우리는 '나는 어떻게 해야 행복할까'에 대한 주관적인 기준에 대해서 끊임없이 생각해야 한다. 그리고 거기에 맞춰 더 상위의 가치를 가진 것에 우선순위를 놓고 서열을 정해야 한다. '나는 무슨 일이 있어도 아이 뒷바라지는 최선을 다할 거야. 나는 그래야 행복할 것 같아'라고 마음먹었으면 아이가 대학에 갈 때까지는 빚을 지더라도 그것을 가지고 신세한탄을 하면 안 된다. 아이를 대학에 보내놓고 빚을 갚든, 아이에게 돈을 벌어서 조금씩 갚으라고 하든 자신이 최상의 가치를 두는 것에 따라 움직여야 한다.

'나는 돈이 좀 부족하더라도 매일 여유롭게 살고 싶어'라고 생각했다면 다른 사람보다 물질적으로 풍족하지 않은 것에 대해 '우리 집은 왜 매일 이래?'라고 생각하지 말아야 한다. 자기 안의 가치관이 일관되지 못하면 어떤 모습으로 살든 언제나 불행하다. 반대로 스스로 정한 최상의 가치에 대한 생각이 단단한 사람은 남들이 뭐라든 언제나 행복할 수 있다. 집에서 아이만 키우면서도 자신의 삶에 만족해하는 엄마는 아이를 잘 키우는 것이 무엇보다 중요하다는 최상의 가치관이 잘 정립되어 있기 때문이다. 이런 사람은 아이를 키우는 것이 매우 행복하다. '아이를 키우고 나서 나는 뭐하지. 나도 한때는 잘나갔었는데…' 하는 생각을 안 한다. 또 일을 하는 엄마로서 행복한 엄마는 '나는 누구의 엄마뿐 아니라 내가 가진 사회적 역할도 굉장히 중요해'라는 최상의 가치관이 정립되어 있는 사람이다. 그런 사람은 좀 안쓰럽고 힘들지만 아이를 맡기고 자기 일을 하는 것에 대한 갈등이 덜하다. 어느 쪽이든 결정을 하고 나서 '나 이래도 될까?' 라는 고민은 하지 말자. 누구도 두 마리 토끼는 못 잡는다. 자신이 어떻게 해야 행복하냐에 대한 가치 기준은, 그것이 아주 이상하고 병적이고 부적절하지만 않다면 어느 누구도 어떤 누구를 비난할 수 없다. 뭔가 잘못했다고 후회하고 죄책감을 갖지 마라. 그것이 그 순간에는 최선이었고 당신이 옳다고 생각하는 방향으로, 당신이 가장 행복할 수 있는 방향으로 선택했기 때문이다. 스스로의 선택을 믿어라. 나는 당신의 선택을 믿는다.

## 항상 내 안의 불안 신호를 체크하라

불안은 언제나 우리 가까이에 있는데 그 정도를 결정하는 것은 나 자신이다. 내 생활에 도움을 줄 정도만 적당히 취하느냐, 그 정도를 넘어서느냐를 결정하는 것은 무의식적인 면이 많지만 실은 우리 자신이다. 우리는 항상 부부관계를, 부모와 자녀관계를, 대인관계를 해치는 수준의 불안을 갖지 않도록 나 자신을 단속해야 한다. 자신도 모르게 이런 행동들이 잦다면 자신의 불안이 정도를 넘어섰음을 의심해라.

첫째, 무관심을 조심해라. 무관심은 고집스러움으로 나타난다. 고집이 있는 사람들은 "이것은 이렇게 하면 안 되거든" 하면서 다른 사람의 행동을 자기가 원하는 대로 바꾸거나 그러지 못하면 튕겨나간다. 자신이 행동을 바꾸어야 한다면 아예 연連을 끊어버리기도 한다. 또는 뭔가 처리를 못할 것 같으면 회피한다. 회피는 굉장히 고집스러운 특성을 반영한다. 아무리 좋은 마음을 품고 있더라도 무관심, 고집, 회피로 보이는 행동은 상대와의 관계에 좋지 않은 영향을 끼친다. 고집은 합리성이 부족한 모습이다. 내가 상처를 받지 않으려고, 내가 불편하지 않으려고 나만 주장하는 것이다. 고집을 피우는 사람의 머릿속에는 온통 '나' 밖에 없다. 스스로에게 물어봐라. 내가 좀 고집이 있나? 내가 평소에 남의 충고를 좀 안 듣는 편인가? 그렇다면 당신의 의도와는 상관없이 남들이 오해할 수 있으므로 반드시 고쳐야 한다. 자기는 무관심하다고 생각하지 않는데 종종 무관심하다는 말을 듣는다면 가족 구성원한테 물어봐라. 모든 사람이 "예스!"라고 대답하면 말할 것도 없고, 그중에 누구라도 "예스!"라고 대답하면 바꾸려는 노력을 해야 한다. 단 한 사람이라도 무관심하게 느꼈다면 그 사람과의 관계가 소중하기 때문에 바꾸어야 한다. 특히 아빠들은 남자들이 쉽게 보이는 불안 신호인 무관심을 경계해야 한다. 다음은 무관심을 알려주는 신호들이다.

- 자신이 지나치게 고집을 피우는 것 같다.
- 어떤 사람의 말이 아무 이유 없이 듣고 싶지 않다.
- 자꾸 그 말을 들으려고 하면 화가 난다.
- 너무 자주 화가 난다.
- 상대에게 '너 한 번만 그러면 혼날 줄 알아' 식으로 강압적인 표현을

자주 쓴다.
- 집에 오면 조용히 혼자 있고 싶다.
- 아내와 대화하는 것보다 컴퓨터나 TV를 가까이하는 것이 좋다.
- 아내의 대화 요청이 싫다.
- 자꾸 귀가 시간이 늦어지고 집에 들어가기 싫다.
- 아이, 집안일에 대해 아내가 말을 걸면 일단 싫은 느낌부터 든다.
- 대화를 할 때마다 자신도 모르게 아내나 아이를 폄하한다.

둘째, 지나친 걱정이다. 지나친 걱정 또한 불안으로 인해 표출되는 행동이다. 같은 말을 계속 반복하거나 상대가 자기 마음대로 바로 움직이지 않는 게 견딜 수 없다면 그것은 내 안의 불안 때문이다. 때문에 과잉 개입하고 과잉 통제하고 싶은 그 마음 안에도 '나' 밖에 존재하지 않는다. 사람은 마음의 여유와 평화가 있어야 걱정스러운 것을 그때그때 해결할 수 있고, 다음 문제로 넘어갈 수 있다. 그런데 걱정이라는 것은 한번 생기기 시작하면 하루 종일 아무 문제도 해결하지 못하게 하고 사람을 닳아버리게 만든다. 그러다 보니 항상 지쳐 있고 매 순간 짜증스럽다. 마음이 평화로울 때는 좋게 설명할 수 있는 말도, 자꾸 쏘아붙이게 된다. 자신은 아닌 것 같지만 주변에서 "너 왜 그렇게 닦달거려?"라고 말한다면 역시 배우자와 가족 구성원이나 가까운 지인에게 물어봐야 한다. "내가 좀 불안해 보여?" 또는 "내가 좀 걱정이 많은 것 같아?"라고 물어봐야 한다. 혹 상대가 대답을 머뭇거리면 "내가 그렇게 하면 좀 힘들어?" 또는

"내가 뭔가 혹시 불편하게 하는 것 있어?"라고 물어본다.

특히 엄마들은, 여자들이 자주 보이는 불안의 신호인 걱정을 경계하라. 다음은 '지나친 걱정'을 알려주는 신호들이다.

- 잔소리가 자꾸 많아진다.
- 걱정을 안 하고 있어도 걱정일 정도로 걱정이 떨쳐지지 않는다.
- 꼭 필요한 정보가 아닌데도 자꾸 인터넷 검색을 한다.
- 이미 결정된 사항인데도 다른 사람의 생각이 자꾸 궁금하다.
- 다른 사람 말을 들으면 귀가 얇아진다.
- 아이를 키울 때 내 뜻대로 안 되면 불안하다.
- 너무 자주 화를 낸다.
- 나의 걱정을 해결해주지 않는 남편이 꼴 보기 싫다.
- 종종 "아까 얘기해줬잖아. 왜 바보같이 못 알아들어"라고 짜증스럽게 말한다.
- 혼자 있으면 자기도 모르게 신세한탄을 하고 있다.
- 항상 너무 힘들고 지친다.

불안은 밖에서 온 것이 아니라 모두 내 안에서 비롯된다. 때문에 불안하다면 그 다음부터는 초점을 '나'로 돌려야 한다. 나는 뭐가 불안하지? 나는 어떨 때 불안해질까? 뭐가 나의 불안을 유발하지? 불안할 때 내가 주로 쓰는 방법은 뭐지? 하고 생각해본다. 내가 성질을 내는구나, 내가 말을 좀 함부로 하는구나, 내가 잔소리를 하는구나, 내가 문제로부터 도망가는구나 등 나의 불안의 모습을 제대로 보아야 한다. 불안의 모습을 제대로 보는 것만으로도 불안은 어느 정도 낮아진다. 불안을 다룰 때 가장 위험한 상황은 내가 왜 불안한지, 내가 불안하면 어떻게 되는지를 알지 못할 때이다. 하지만 정체를 알고 내가 그로 인해 어떻게 변하는지 알면 이미 그것만으로도 불안이 옅어진다. 불안도가 높으면 누구나 행복하기 어렵다. 정말 행복해도 되는 순간조차 불안 때문에 행복을 의심하기 때문이다. 이런 사람이 부모가 되었을 때, 아이에게 주는 영향은 치명적이다. 아이는 행복이 아니라 불행을 학습하기 때문이다. 부모의 불안한 습관을 그대로 배워서 행복을 행복인지 모르는 아이로 자란다. 아이에게 부모가 행복한 모습을 보여주는 것만큼 좋은 교육은 없다.

자, 책을 모두 읽었다. 당신은 공부를 하듯 꼼꼼히 읽었을 수도 있다. 그렇다면 이제 당신은 변했을까? 아마도 책을 읽는 동안 '내가 이래서 이랬구나' 라고 생각하고, 책에 나오는 글귀를 수첩에 적어두었다 하더라도 당신은 책을 읽는 순간 변할 수는 없다. '아이를 위해 반드시 변해야겠다!' 는 강한 동기를 가지고 진료실에 찾아온 부모들도 최소 6개월에서 1년은 걸린다. 내가 직접 진료를 했으니 6개월에서 1년이면 그들은 정말 새사람이 될까? 미안하지만 그렇지 않다. 6개월에서 1년 동안 바꿀 수 있는 것은 단지 의사소통을 할 때 서로 비난하지 않는 것, 단 하나이다. 그것 하나 고치기도 정말 어렵다. 때문에 자신이 부모로서 가지고 있는 모든 문제점을 해결하려면 평생 동안 노력해야 한다. 나는 이 책을 읽은 당신이, 지금 이 순간 딱 한 가지의 작은 목표를 정했으면 좋겠다. 올해 나는 아이와 남편에게 절대 지적을 하지 않겠다, 올해 나는 일주일에 한 번, 10분 이상은 아무 말 없이 아내의 말을 진심으로 들어주겠다, 올해 나는 밥상머리에서 절대 훈계를 하지 않겠다, 올해 나는 화가 날 때 반드시 속으로 한 번만 다시 생각해보겠다 등 뭐든 좋다. 너무 완벽하게 이론대로 변하려고 하면 스트레스를 받고 죄책감이 심해진다. 작은 것, 단 하나부터 시작해보자. 분명 1년이 지나면 변한 자신의 모습에 놀라고 그에 맞춰 바뀐 아이의 변화, 배우자의 변화에 또 한 번 놀라게 될 것이다. 나는 세상의 모든 부모들을 응원한다.

# 좋은 부모, 배우자가 되기 위해 버려야 할 심리코드 7

사람은 누구나 불안하다. 불안하다는 것은 정상적이다. 그 불안이 일상생활을 하는 데 적응적이라면 정상이다. 불안이 앞으로 일어날 수 있는 많은 위기를 대비하게 하고 적절한 대책을 세울 수 있도록 도와준다면 그 불안은 정상이다. 만약 불안이 일상생활에 적응하는 것을 방해한다면 얘기는 달라진다. 더욱이 부모 입장에서 너무 불안하다면 다음과 같은 심리코드가 내 안에 존재하지 않은지 살펴보자. 만약 그렇다면 그 심리코드부터 버리기 위해 노력해보자. 혼자서 하기 힘들다면 전문가의 도움을 받아서라도 다음과 같은 심리코드는 반드시 버려야 한다.

## 피해의식

아내와 자식을 먹여 살리기 위해 열심히 돈만 벌어 온 한 집안의 가장인 아빠. 어느 날 집에 돌아와 보니 아이들은 엄마하고만 속닥거리고 집 안 어디에도 자신의 자리는 없으니 소외된 느낌이다. 이제라도 아이들과 대화를 해보려고 시도해보지만 공감대도 찾을 수 없고 아이가 무슨 말을 하는지도 도통 알아들을 수 없다. 그 순간 아빠들은 일종의 피해의식을 느낀다. '도대체 내 인생은 뭔가?' 하며 고독하고 외로워진다. 그런데 피해의식이 느껴지는 순간, 그 감정을 빨리 버려야 한다. 그리고 스스로 바뀌어야 한다. 지금까지 '너희들을 먹여 살리기 위해 집안일에 무관심할 수밖에 없었다' 라는 아빠의 명제를 바꿔야 한다. '내가 우리 가족을 정말 사랑한다면 이제라도 관심을 가져야겠구나' 하고 생각하고 지금까지의 잘못을 인정하고 아이들과 아내에게 따뜻한 말 한마디를 건네자. "아빠가 그동안 무심했던 것 같은데 미안하다. 가족들 뒷바라지를 잘한다는 게 바깥일만 잘하면 될 거라 생각해서 가족들한테 신경을 못 썼다. 그러지 말았어야 했는데 미안하다"라고 말할 수 있어야 한다.

그래야만 외톨이에서 벗어날 수 있다. 회사 직원들과 잘 지내기 위해 어떤 행동을 하는지 잘 생각해보고 가족들에게도 그렇게 대한다. 사소한 것에도 관심을 가져주고 조금만 잘해도 칭찬하고 고민이 있는 것 같으면 얘기도 들어주고 가끔 외식도 한다. 직원들이 힘들어할 때 격려의 말을 건넨 것처럼 아이들과 아내에게도 그렇게 해보자.

엄마들은 아이 키우고 남편 뒷바라지하느라 자신한테는 신경 쓸 여력이 없었는데 남편은 회사에서 임원이라고 거들먹거리면서 아내한테 "왜 이렇게 촌스럽냐?"며 불평한다. 아내가 "당신이 나한테 제대로 된 옷 한 벌 사준 적 있어?" 하고 따지만 "사 입어. 카드 있잖아?"라고 말한다. 하지만 엄마들은 거금을 주고 옷을 살 수 없다. '이 돈이면 애 학원 하나 더 보낼 수 있는데' 하는 생각이 들기 때문이다. 그렇게 안 입고 애지중지 키운 아이는 컸다고 엄마 말도 안 듣고 친구들하고만 어울려 다니고 목숨 걸고 공부를 시켰지만 서울에 있는 대학도 힘들다. 그럴 때 엄마는 외로워지고 '나는 뭔가?' 라는 피해의식이 든다. 엄마들은 피해의식이 느껴지는 순간, 자신을 찾아야 한다. 그동안 배우고 싶었던 것을 배워도 좋다. 사이버대학이나 방송통신대학, 평생교육원, 구청의 문화센터 등 적은 비용으로 배울 수 있는 것이 정말 많다. 공부가 적성에 안 맞으면 틈틈이 좋은 영화라도 보러 다닌다.

내 안의 정체성 중 자신을 위한 것의 개수를 늘려 나간다. 그래야 덜 억울하다. 나를 버리고 아이를 위해 살았다고 억울해하지 말아야 한다. 아이한테 가장 중요한 황금시기에 내가 부모로서 최선을 다해 아이를 키웠다는 그 자체만으로도 그 시간은 충분한 가치가 있다. 다른 사람이 그것을 인정하느냐, 인정하지 않느냐는 중요하지 않다. 내가 그 시간이 소중했으면 그것으로 그만이다. 그것이 부모가 자식에게 주는 조건 없는 사랑이다. 만약 너무 억울해서 견딜 수 없다면 남편이나 아이들에게 솔직할 필요가 있다. "엄마가 너를 위해 평생을 바쳤는데 네가 무심한 것 같아 좀 서운해"라고 말하고 저녁이라도 온 가족이 같이 먹자고 말하라. 하지만 나의 사랑이 정말 아무 조건이 없었다면 너무 억울해하지 마라. 그 자체로도 충분히 가치 있으므로 스스로 자신에게 '뿌듯함' 이라는 상을 준다.

## 고집

아빠들은 다른 사람의 말을 듣는 것을 자신의 삶에 영향을 준다고 생각해서 두려워한다. 자신이 준비하거나 예측하지 못했던 것이 영향력을 행사하고 삶을 뒤흔들까봐 두려운 것이다. 그래서 아빠들은 자신의 방식을 고집한다. 그렇게 되면 아빠 자신이 가족 안에서 '문제' 라고 느끼는 그 점이 계속 심해진다. 언젠가 나한테 진료를 받았던 아이는 아빠와 대화를 나눌 때마다 아빠가 소리를 지르고 화를 내서 아빠하고는 아무 말도 안 하기로 마음먹었다고 말했다. '우리 아빠 혹은 남편은 고집불통이야. 어떤 대화도 안 돼' 라고 가족들이 생각하면 가족 누구도 아빠에게 말을 걸지 않는다. 아빠는 고집이라는 성에 갇혀 혼자 사는 신세가 된다. 그런 아빠는 자신이 본능적으로 남의 말을 잘 듣지 않는다는 것을 파악하고 의식적으로 남의 말을 잘 듣기 위해 노력해야 한다. 아무리 노력해도 안 고쳐진다면 전문가와 상담해볼 것은 권한다. 고집이 세다는 것은 그만큼 불안이 높다는 것을 의미하기 때문이다.

엄마들은 남의 말을 안 듣는 고집은 거의 없다고 본다. 엄마들은 비교적 남의 조언을 잘 받아들이는 편이다. 그런데 엄마들이 고집스러울 때는 원망의 넋두리다. 시어머니나 남편이 상처를 주었을 때, 그들을 원망하며 했던 말을 또 하고 또 하는 모습은 정말 고집스럽다. 예를 들어, 시어머니가 김장하는 것을 도우러 갔다 공교롭게 유산이 되었다면 "시어머니가 그 일만 시키지 않으셨어도 그런 일은 없었을 텐데…"라며 언제까지나 그 얘기를 한다. 원망의 넋두리에는 반드시 나를 괴롭히는 악역을 맡은 인물이 등장한다. 그 사람이 모든 문제의 진원지인 것 같고 그 사람만 없으면 지금 내가 행복할 거라고 생각하는 상황이 너무 많아진다. 아빠들이 자신이 중요하게 생각하는 삶의 방식을 고집스럽게 바꾸지 않으려 한다면, 엄마들은 인생에 영향을 준 사람을 고집스럽게 원망하곤 한다. 과거에 일어난 일은 이미 지난 일이다. 없앨 수도 없으면 어쩔 수도 없다. 고통스러워도 내 삶의 일부로 받아들여야 한다. 지금 할 수 있는 일은, 그 일을 어떻게 처리하느냐이다. 그래야 내 미래가 바뀐다. 과거에 일어났고 절대 바꿀 수 없는 일을 고집스럽게 얘기하면 상대방이 나에게 준 피해가 10이라면, 그 원망의 넋두리에 몰입되어 내가 얻는 피해는 100이다. 그로 인해 그 이후에 나에게 일어난 좋은 일과 행복을 모두 놓치고 만다. 내가 나에게 더 많은 피해를 주는 상황이 된다.

### 자기중심적 사고

부모들은 아이에게 자신의 삶의 방식을 따를 것을 요구하는데 이것이 자기중심적인 사고이다. 중요한 일을 결정할 때도 그렇지만, 아이와 감정적으로 갈등할 때도 더욱 그렇다. 외고 가겠다고 하는 아이가 성적이 좋지 않은 상황에서 부모는 "대체 이 성적으로 어떻게 외고를 가겠다는 거야? 외고를 가고 싶으면 공부를 열심히 해야지!"라며 비난하듯 말했다. 아이는 "걱정하지 마세요. 제가 알아서 한다니까요" 하면서 방문을 탕 소리 나게 닫고 들어갔다. 이때 자기중심적인 사고가 강한 사람은 그 순간 버릇없는 아이의 행동을 고쳐야겠다는 식으로 자신한테 중요한 것만 생각한다. "너 엄마한테 이게 무슨 버릇이야. 얼른 나와서 좋게 말하고 다시 들어가"라고 말한다. 지금은 엄마나 아이 모두 그런 교육을 하고 교육을 받을 만한 감정적인 상태가 아니다. 서로 감정적으로 격분해 있는 상황에서 예절교육이란 어불성설이다. 자기중심적인 사고를 하는 사람들은 상대방의 기분이나 의견, 현실의 상황은 고려하지 않고 자기가 중요하게 생각하는 것만 고집하는 경우가 많다. 아이 친구들이 집에 놀러 와서, "너희들 뭐 먹을래?"라고 물었더니 아이들이 하나같이 햄버거를 먹고 싶다고 한다. 엄마는 사먹는 햄버거보다 직접 만들어 먹일 생각으로 좀 기다리라고 말했다. 하지만 아이들은 햄버거를 만드는 동안 기다릴 수 없을 만큼 배가 고프다. 하지만 엄마는 몸에 나쁜 패스트푸드는 안 된다며 기다리라고 한다. 이 또한 자기중심적인 사고인데 아이들이 배가 고프다는 것보다 본인의 좋은 의도가 더 중요한 것이다.

자기중심적인 사고를 하는 부모는 아이를 열심히 키우고 아이에게 잘해주려고 노력하지만, 나중에는 엄청난 피해의식을 느끼기도 한다. 본인은 평생을 아이를 위해 희생했는데 아이는 오히려 부모를 원망하기 때문이다. 엄마는 비싸지만 유기농 과자를 사먹이고 힘들게 만들어 먹였는데 아이는 누구나 먹는 과자를 못 먹은 것이 평생의 한이 된다. 자신과 상대방의 입장이 다를 때는 타협도 하고, 한 발짝 뒤로 물러나기도 해야 한다. 그런데 자기중심적인 사람은 고집스럽게 자신의 생각을 자기 입장에서만 바라보고 그게 옳다고 우긴다. 만약 나에게 자기중심적인 사고를 하는 경향이 있다고 생각되면 그런 사고는 버리기 위해 노력해야 한다. 그러기 위해서는 스스로에게 항상 물어보는 연습이 필요하다. 나는 이게 중요한데, 다른 사람은 어떤 게 더 중요한지 의견을 물어보는 습관을 키운다. "맛있는 것을 만들려고 하는데, 조금 기다릴 수 있니? 너무 배가 고프니?" 하고 물어봐서 아이들이 "너무 배가 고파요"라고 대답하면 타협을 해야 한다. 아이들이 원하는 햄버거를 사주던지, 햄버거를 만드는 동안 아이들에게 먹을 것을 줘야 한다. 나에게 자기중심적인 면이 있다면 생활 속에서 끊임없이 연습하고 내 사고와 행동 패턴을 바꿀 수밖에 없다.

## 무력감

무력감이란, 뭘 해도 제대로 할 수 없을 것 같은 느낌이다. 부모들은 아무리 노력해도 좋은 엄마 또는 좋은 아빠가 될 수 없을 것 같은 기분이 들 때가 있다. 아빠들은 자신이 아빠로서 어떠한 영향력도 행사하지 못하는 것 같고, 아내나 아이가 자신의 말을 듣지 않는 것 같을 때 무력감을 느낀다. 무력감이 생기면 누구나 괴롭기 때문에 무력감을 느끼게 하는 자극이나 장소를 피하려고 한다. 그런 이유로 아빠들은 집 밖으로 돌면서 술자리를 갖는 것이다. 집에서는 가족의 수장으로 제대로 대접을 받지 못하지만 술자리에서는 존재감을 확인하고 우쭐할 수 있기 때문이다. 하지만 이런 태도로는 절대 무력감을 극복할 수 없다. 무력감을 해결하기 위해서는 원인이 되는 자극이나 대상, 장소를 절대 피해서는 안 된다. 무력감이 느껴지는 순간, 자신이 어떤 것에 무력감을 느끼는지 곰곰이 생각해본다. 가족들로부터 무력감이 느껴진다면 가족들한테 솔직하게 말한다. "아빠가 요즘 마음이 그렇다. 이런 마음을 떨쳐내고 싶은데 내가 어떻게 하면 너희들이 편하겠니?"라고 묻는다. 아이들이나 아내가 의견을 내면 "내가 한꺼번에 다 할 수는 없지만 조금씩 노력해볼게"라고 대답하고 작은 것부터라도 실천한다.

무력감은 내 마음대로 다른 사람을 지배하려는 사람일수록 더 강하게 느낀다. 엄마들은 아이를 잘 키우고 싶은 마음에 과잉 개입하거나 과잉 통제하는데 이것이 뜻대로 잘 안 될 때 무력감을 느낀다. 아이에게 스케이팅도 배우게 하고, 영어는 물론 수학도 시키고 싶은데 아이는 자랄수록 말을 듣지 않는다. 아이가 말을 안 들을수록 엄마들은 무력감을 느끼기 시작한다. 이런 상황이 되면 엄마들은 그동안 해왔던 방식을 바꿔야 한다. 지금까지 해왔던 그대로 행동하면 둘의 사이가 더 나빠진다. 다른 방식의 조언을 듣고 싶을 때는 전문가와 상담하는 것이 좋다. 본인이 혼자 해결하기 위해 조금씩 행동에 변화를 주었다고 생각해도 지금까지의 방식을 답습했을 경우가 많다. 어린아이를 키우는 엄마가 무력감이 느껴진다면, 자신이 혹시 완벽주의적인 성향이 있지는 않은지 생각해본다. 대개 자신의 생각대로 잘되지 않을 때 사람은 무력해진다. 좋은 엄마이고 싶은데 아무리 노력해도 아이를 편안히 키울 수 없을 때 엄마들은 무기력해진다. 하지만 양육에서 엄마들이 느끼는 무력감은 엄마의 무능력 때문이 아닌 경우가 많다. 때로는 아이의 기질이나 아주 작은 기술의 부족이 원인이 되기도 한다. 그럴 때는 빨리 전문가의 도움을 받아야 한다. 내가 최선을 다했는데도 아이가 밤새 울어댄다면 그것은 아이에게 도움이 필요하다는 신호이다. 그것을 '못난 엄마'라고 자책할 필요는 없다. 이런저런 노력을 해봤는데도 변화가 없으면 하루빨리 전문가의 도움을 받아야 한다. 그것을 내 안에 묵혀두면 불안이 될 수 있으니 누군가의 도움을 받아서라도 해결하는 것이 현명하다.

무시 엄마들은 종종 아빠들이 아이에 대한 이야기를 할 때 "알지도 못하면서"라며 아빠들을 무시한다. 아빠들은 엄마들한테 "당신이 뭘 알아? 돈 버는 게 쉬운 줄 알아?"라면서 엄마들을 무시한다. 두 사람의 무시하는 마음속에는 돈을 버는 것(밖에 나가서 활동하는 것)과 집안에서 살림하고 아이를 보살피는 것 중 자신이 하는 일이 가치 있다는 생각이 깔려 있으며, 그 생각의 바닥에는 불안이 존재한다. 상황이 이쯤 되면 대화를 더 이상 계속하지 않겠다는 표현을 자주 쓴다. "됐어. 그만해" 하는 말로 상대방의 말을 끊는다. 이런 말을 하는 속마음에는 집안일에는 내가 신경을 안 쓰게 해줘, 당신이 뭘 안다고 그래, 저 사람은 내게 너무 많은 것을 요구해, 난 좀 버겁다, 우리 애가 서울에 있는 대학도 못 간다고? 말도 안 돼, 듣기 싫어, 우리가 그 정도 능력도 없어? 등 많은 생각이 깔려 있다. 잘 이해가 안 돼서 상대방의 이야기를 피하고 싶거나 자신이 감당할 수 없어서 도망가고 싶은 마음도 있다. 하지만 듣는 사람은 그런 마음을 충분히 헤아리고 듣는 것은 아니다. "됐어. 그만해"라는 말을 듣는 순간, 상대방이 자신을 무시했다고 느낀다. 자신의 불안 때문에 회피하고 싶어서 하는 말이 아니라 나를 무시해서 하는 말로 들려 기분이 나빠진다.

상대방을 무시할 생각은 아니었는데 자꾸 무시하는 표현을 사용한다면 당연히 자기 안에 있는 심리적인 문제를 해결해야 한다. 그러기 위해서는 현실을 직시하고 받아들이는 자세가 필요하다. 그렇게 하지 않으면 변화하기 어렵다. 이해할 수 없다면 이해를 위한 정보를 요청하고 감당할 수 없으면 감당할 수 없다고 솔직하게 도움을 요청해야 한다. 그래야 상대방도 자신이 무시당한다는 생각을 하지 않는다. 아빠들 중에 아내의 징징거리는 소리가 듣기 싫어서 의사소통을 할 수 없다면 "나한테 이메일로 보내줄래?"라든지 "당신이 하는 말을 생각해보려는데 종이에 적어서 주면 안 될까?"라고 부탁하는 것도 하나의 방법이다. 소통의 방식을 바꿔서라도 소통할 수 있는 방법을 찾아야 한다.

인간관계의 기본이 되는 것은 존중이다. 사실이든 사실이 아니든 다른 사람을 무시하는 태도는 절대 개선되어야 한다. 혹시 상대방이 하는 일이 본인의 역할보다 가치 없다는 생각으로 무시한다면 그 생각을 바꿔야 한다. 엄마 아빠 두 사람의 일은 우위를 판가름할 수 없을 정도로 모두 가치 있다. 정성과 사랑만을 가지고 비교하면 아이를 키우는 일이 더 가치 있을 수 있지만, 현대사회에서 '돈'이 차지하는 위상도 무시할 수 없다. 부모에게 필요한 태도는 둘 중 어떤 것이 더 가치 있느냐에 대한 평가가 아니라 서로의 역할을 존중하는 것이다.

**화** 우리는 많은 감정을 '화'로 표현한다. 너무 보고 싶어도 화를 내고 너무 사랑해도 화를 내고 너무 걱정돼도 화를 내고 너무 미워해도 화를 낸다. 감정의 발달이 잘 이루어지지 않은 사람일수록 자기 안에 감당할 수 없는 모든 불편한 감정을 화로 표현하는 버릇이 있다. 이 중 단골메뉴가 되는 감정이 바로 걱정과 불안이다. 걱정과 불안을 다루는 기술이 미숙하여 버럭 화를 내는 것으로 표현하는 것이다. 따라서 스스로도 주체할 수 없이 느닷없이 화가 난다면 자기 안에 어떤 걱정과 불안이 있는지 그 정체를 알아볼 필요가 있다. 화를 낸 다음 한 번만 돌아봐라. 내가 어떤 감정이 들어서 화가 났는지를. 화를 일으키는 본질의 감정을 먼저 다루어야 화를 내는 버릇을 멈출 수 있다. '내가 조금 전에 왜 소리를 질렀지?' 혹은 '내가 왜 화가 났을까?' 생각해본다. '주변 아이들은 좋은 대학을 가는데 우리 아이만 전문대를 간다는 소리가 나의 열등감을 건드렸구나' 하고 자신의 열등감으로 인해 다른 사람을 불편하게 했다는 것을 인정해야 한다. 이렇게 화가 날 때마다 화를 냈던 이유를 살피다 보면 어느 순간 화를 내기 전에 왜 화를 내려는지 먼저 생각하고, 화산이 분출하듯 솟아오르는 화를 잠재울 수 있다.

화는 자기감정을 원색적으로, 본능적으로, 원시적으로 처리하는 것이라 할 수 있다. 마치 목에 가래가 생겼는데 다른 사람은 개의치 않고 바닥에 뱉는 행동과 다를 바 없다. 자기감정만 중요하고 자신이 편하기 위해 주변 사람은 전혀 배려하지 않는 것이 바로 화이다. 극도로 미숙하고 이기적이고 자기중심적인 행동이다. 따라서 반드시 고쳐야 한다. 불편한 감정을 갖지 말라는 것이 아니라 불편한 감정은 그대로 표현하고, 부적절하지 않게 어떻게 처리해야 할지 고민해야 한다. 화를 내면 상황이 종료되는 것 같아 감정이 처리된 것 같지만, 본질의 감정은 그대로 남아 있어 해결된 것이 아니다. 오히려 화를 냄으로써 일어나는 또 다른 죄책감 때문에 다른 문제까지 생겨날 수 있다.

## 의존심

결혼은 성인이 개별화되어 스스로 자신의 삶을 충분히 이끌어 갈 수 있을 때 하는 것이 바람직하다. 하지만 젊은 부모들은 그렇지 않은 면이 많다. 많은 젊은 부모들이 미혼일 때 자신을 보호해준 부모의 역할을 결혼 이후 배우자가 해주기를 바란다. 지나친 의존 욕구를 가지고 끊임없이 배우자에게 부담을 준다. 엄마가 전업주부라도 아이는 부모가 함께 키워야 하기 때문에 아빠는 가급적 일찍 집에 들어와야 한다. 하지만 회사의 중요한 업무로 일주일 이상 출장을 가게 되면 그때는 엄마가 전담할 수밖에 없다. 그런데 이런 경우조차 "꼭 가야해? 나 혼자 어떻게 해!" 하면서 징징대는 엄마들이 의외로 많다. 성인으로서 자신이 감당해야 하는 몫까지 부모한테 조르듯 요구하는 것이다. 그것이 채워지지 않으면 "당신이 어떻게 나한테 이럴 수 있어?"라며 억울해하기도 한다. 아빠들은 자신의 열등한 부분, 좌절감 등에 직면하여 이를 해결하지 못할 때 술에 의존한다. 술을 지나치게 많이 마시는 사람은 자신에게 의존심 내지는 도피심, 정서적인 미숙함이 있는지 살펴봐야 한다. 의존심이 있다면 자신의 나약함에 직면하고 인정해야 한다. 그리고 그 대상이 아이든 아내이든 솔직하게 털어놓아야 한다. 도와달라고 요구하고 어떤 방법이 있는지 의논해야 한다.

누구나 처음부터 주어진 역할을 잘해낼 수는 없다. 부모 역할도 마찬가지로 이골이 나야 잘 할 수 있다. 그러기 위해서는 그만큼 시간과 노력이 필요하다. 하지만 요즘 젊은 부모들은 이골이 나기 전에 아이처럼 칭얼대며 힘들다는 이야기를 먼저 한다. 자신이 선택한 역할임에도 불구하고 누군가가 자기를 괴롭히기 위해 부여한 역할인 양 투덜댄다. 분명히 기억해야 할 것은, 부모는 성인이다. 성인으로 결혼해서 아이를 키우는 일은 당연하고 그로 인해 발생하는 어려움은 본인이 알아서 해결해 나가야 한다. 알아서 해결하라는 것이 반드시 혼자 해내라는 것은 아니다. 칭얼거리고 투덜대지 말고 현재 상황에서 최선의 선택을 하면서 헤쳐 나가야 한다. 맞벌이 부부는 다음날 직장에 나가야 하는데 아이가 밤새 운다면 24시간 아이를 돌봐주는 곳에 도움을 요청할 수도 있다. 남들의 시선을 의식할 게 아니라 밤에 잠을 자는 것이 큰 문제라면 그렇게 해야 한다. 이럴 경우 남편은 아내를 무능력한 엄마라고 비난해서는 안 된다. 술에 의존하는 아빠들도 현실적인 대책을 세워야 한다. 회사에서 승진이 걱정이라면 영어 공부를 하는 등 투자를 하고, 육아가 걱정이라면 가사도우미를 제안할 수도 있다. 아빠들이 술을 마시면서 "남자들은 다 그렇지 않나요?"라고 말하지만 요즘 남자들은 절대 다 그렇지 않다. 자기 안의 문제를 알고 그것에 직면하여 대책을 세워야 한다. 그것이 결혼한 어른의 행동인 것이다.

# 불안한 엄마
# 무관심한 아빠

초판 1쇄 발행 2011년 6월 8일
초판 5쇄 발행 2011년 8월 3일

발행인 _ 최봉수
총편집인 _ 이수미
편집인 _ 박선영

저자 _ 오은영

구성 _ 김미연
표지사진 _ 최항영
교정교열 _ 홍주연
디자인 _ 강희철, 문수민

마케팅 _ 박창흠, 최재근, 이승아, 박종원
제작 _ 류정옥

임프린트 _ 웅진 리빙하우스

주소 _ 서울시 종로구 동숭동 199-16 웅진빌딩 3층
주문전화 _ 02-3670-1519
팩스 _ 02-3670-1122
문의전화 _ 02-3670-1506(편집), 02-3670-1023(영업)

발행처 _ (주)웅진씽크빅
출판신고 _ 1980년 3월 29일 제426-2007-00046호



ISBN 978-89-01-12281-6